Nazzarena Cozzi ■ Francesco Federico ■ Adriana Tancorre

W9-BZQ-699

Caffè Italia

2

Corso di italiano

Libro dello studente con esercizi

Caffè Italia 2
di Nazzarena Cozzi, Francesco Federico, Adriana Tancorre

© 2006 – ELI s.r.l.
Casella Postale 6 – Recanati – Italia
Tel. +39/071 750701
Fax. +39/071 977851
E-mail: info@elionline.com
www.elionline.com/caffe-italia

Gli autori e la casa editrice ringraziano il direttore Massimo Maracci e tutti gli insegnanti della scuola *Cultura Italiana* di Bologna per il supporto e il continuo scambio di idee nella fase di progettazione e sperimentazione delle unità didattiche.

La sezione di grammatica è stata curata da Maria Antonietta Esposito Ressler.

Progetto grafico e copertina: Lorenzo Domizioli, Studio Fridom – Firenze
Impaginazione: Nicola Natalizio per Studio Fridom – Firenze
Illustrazioni: Laura Bresciani, Letizia Geminiani, Angelo Maria Ricci
Foto di copertina: Il duomo di Amalfi, Franca Speranza
Fotografie: Franca Speranza, Archivio ELI, Olifoto

Hanno gentilmente concesso la riproduzione di materiali:
BMG Ricordi; Edizioni Curci; Edizioni musicali Cinquantacinque; Edizioni musicali
Il Volatore; Giangiacomo Feltrinelli Editore; Giulio Einaudi Editore; Monte dei Paschi di Siena;
Music Union; RAI Trade; Sellerio Editore; Ufficio Nazionale Antidiscriminazioni Razziali –
Ministero per le Pari Opportunità.

Tutti i diritti riservati.
È assolutamente vietata la riproduzione totale o parziale di questa pubblicazione, così come la sua trasmissione sotto qualsiasi forma e con qualunque mezzo, anche attraverso fotocopie, senza l'autorizzazione della casa editrice ELI.

L'editore resta a disposizione degli aventi diritto per qualsiasi involontaria omissione o inesattezza nella citazione delle fonti dei brani o immagini riprodotte nel volume.

Stampato in Italia – Tecnostampa Recanati – 06.83.049.0
Volume + Libretto complementare ISBN 88-536-0146-9

Indice dei contenuti

Indice dei contenuti

Indice dei contenuti

Indice dei contenuti

Indice dei contenuti

Bentornati!

Bentornati a **Caffè Italia**!

Caffè Italia 2 è il secondo volume di un corso su tre livelli che accompagna gli studenti nel percorso didattico dal livello elementare all'intermedio superiore, cioè dal livello A1 al B2 del *Quadro Comune Europeo di Riferimento per le Lingue*. L'articolazione dei materiali didattici è ricca e flessibile ed è quindi ideale sia per l'impiego in corsi intensivi che per una programmazione più lenta e graduale.

Il livello di partenza che presuppone **Caffè Italia 2** è quello della competenza di base A2. Anche chi non ha utilizzato il primo volume del corso potrà familiarizzare subito senza difficoltà con la struttura chiara e con l'approccio didattico immediato del libro dello studente, che presenta materiale per circa 120 ore (in proporzione: 80 ore di lezione in classe e circa 40 ore di lavoro individuale) e contiene:

- 10 unità didattiche
- 4 intervalli con attività di verifica, approfondimento e giochi per ripassare in gruppo
- 10 sezioni di esercizi corrispondenti alle 10 unità didattiche, per il lavoro individuale a casa
- 10 capitoletti di sintesi grammaticale
- due test di revisione: il Test 1, per un controllo a metà percorso, e il Test 2, corrispondente al livello B1
- la trascrizione dei testi audio, il glossario suddiviso per unità, le soluzioni degli esercizi e le istruzioni dei giochi.

L'obiettivo di **Caffè Italia 2** è quello di approfondire e arricchire la competenza linguistica di base per acquisire le abilità di comunicazione orale e scritta definite per il livello intermedio B1. L'approccio metodologico mette lo studente al centro del processo di apprendimento, guidandolo alla scoperta e al riutilizzo del vocabolario e delle strutture linguistiche presentate nel contesto comunicativo. In primo piano c'è la convinzione che l'apprendimento avvenga secondo uno sviluppo a spirale, in cui la competenza attiva si acquisisce con l'esercizio costante e si costruisce sulla base di una più ampia competenza passiva. I testi e i dialoghi avvicinano gradualmente all'uso dell'italiano autentico, ricco di espressioni idiomatiche e strutture grammaticali di media complessità.

Le principali componenti e le rubriche delle unità sono le seguenti:

🎧 1.24 **Ascoltate!** per le attività di comprensione orale: da quella globale a una più dettagliata. Il numero indica la traccia sull'audio CD.

📖 **Leggete!** per le attività che concentrano l'attenzione sulla comprensione dei testi scritti.

✏️ **Scrivete!** per le attività che guidano allo sviluppo dell'abilità di scrittura.

🔍 **Mettiamo a fuoco!** per le attività di "scoperta" delle strutture e funzioni.

Grammatica attiva   Questa tabella guida alla scoperta delle strutture.

Tabella delle frasi   Questa tabella serve a fissare le frasi utili per realizzare le intenzioni comunicative.

 Un'idea!   Suggerimenti pratici per "imparare ad imparare" e acquisire autonomia nell'apprendimento del lessico.

La pronuncia: attività di approfondimento sui suoni e l'intonazione tipica dell'italiano e un primo approccio alla varietà delle pronunce dell'italiano regionale.

Sono famosi: presentazione di personaggi italiani dal mondo della cultura e dello spettacolo.

Italia Oggi: testi informativi su aspetti della vita sociale ed economica di città e regioni italiane.

E ora cominciamo... buon lavoro e buon divertimento!

1 Foto dall'Italia

Conoscete questi luoghi in Italia? Secondo voi, dove sono? Ci siete mai stati? Che cosa vi ricordano? Siete mai stati in luoghi simili?

2 E voi dove siete stati?

A coppie: raccontate una vostra esperienza in Italia. Se non siete mai stati in Italia, raccontate dove volete andare.

3 Com'è Alessia?

Guardate la foto di Alessia. Provate a descriverla con l'aiuto di alcune di queste parole.

biondo	magro	distratto
nero	rotondetto	attivo
castano	bello	timido
corto	occhi	simpatico
lungo	chiaro	strano
riccio	scuro	stressato
capelli	occhiali	intelligente

4 🎧 1.2 Chi è Alessia?

Ascoltate la presentazione di Alessia e rispondete alle domande.

	Sì	No
1. Alessia vive a Torino?	☐	☐
2. È una giornalista sportiva?	☐	☐
3. È l'autrice di *Caffè Italia*?	☐	☐
4. È andata nell'Italia del sud?	☐	☐
5. È vero che non è mai andata in Liguria?	☐	☐

5 🎧 1.2 Per saperne di più

Ascoltate ancora la presentazione e leggete. Poi verificate le vostre risposte al punto 4.

Mi chiamo Alessia Marchetti e vivo a Torino. Sono una giornalista free lance. Ho deciso di fare un lavoro in esclusiva per *Caffè Italia*. Ho girato l'Italia dal nord al sud e ho visitato alcune delle città più importanti della penisola. Ho scoperto molte cose interessanti e particolari e ho parlato con tante persone diverse. Il mio viaggio è partito da Genova, in Liguria, per arrivare in Sardegna. Seguitemi durante le dieci unità per avere nuove e affascinanti notizie sull'Italia.

6 Ora tocca a voi!

A coppie: rileggete la presentazione di Alessia e dite che cosa ha fatto.

Ha deciso di fare un lavoro in esclusiva per Caffè Italia; ha girato...

7 Conosciamo l'Italia?

Guardate l'indice dei contenuti per sapere in quali città è andata Alessia. Sapete in quale parte dell'Italia si trovano? Aiutatevi con la cartina geografica.

Gioco: *In piccoli gruppi: presentatevi seguendo le domande guida, ma non dite tutta la verità. Gli altri dovranno capire quali sono le "bugie" che dite su voi stessi. Vince chi scopre più bugie.*

Domande guida:
- Che cosa caratterizza il vostro carattere?
- Che cosa caratterizza il vostro aspetto fisico?
- Qual è la vostra occupazione?
- Com'è la vostra famiglia?

Scambio di idee:

Bilancio e obiettivi futuri

Se avete svolto le prime attività di questo nuovo corso di italiano, certamente avete già avuto l'occasione di conoscere, oltre alla giornalista Alessia, anche l'insegnante e i nuovi compagni. Prima di continuare, confrontatevi ancora con i compagni su quello che sapete già fare e dire in italiano e sui vostri obiettivi per il futuro. Aiutatevi con le descrizioni nelle tabelle e aggiungete voi altre cose.

A. Scrivete accanto a ogni descrizione la vostra valutazione: "bene", "abbastanza bene", "male" o "per niente". Lavorate a coppie. Poi parlatene con tutta la classe e con l'insegnante.

Lo sapete già fare o dire in italiano? Come?	Io (la mia valutazione)	Il/La mio/a compagno/a (la sua valutazione)
1. Salutare, chiedere "*Come va?*" e rispondere		
2. Chiedere aiuto all'insegnante se non capite		
3. Ordinare qualcosa al bar e al ristorante		
4. Descrivere le persone (aspetto, carattere, età)		
5. Comprare qualcosa nei negozi della città		
6. Chiedere e dare informazioni stradali		
7. Chiedere e dire l'ora		
8. Descrivere la casa dove abitate		
9. Telefonare per prenotare un posto al ristorante		
10. Parlare dei vostri interessi e del tempo libero		
11. Esprimere i vostri gusti e preferenze		
12. Leggere, comprendere e scrivere lettere o e-mail o cartoline dalle vacanze		
13. Comprendere le informazioni principali delle previsioni del tempo		
14. Raccontare in poche parole una cosa che vi è successa nel passato		
....		
....		
....		
....		

B. Perché volete migliorare il vostro italiano? Quali sono i vostri obiettivi? Scegliete fra quelli elencati e aggiungetene altri, se volete. Poi confrontatevi con i compagni del corso.

1. Vorrei sapere esprimere meglio le mie idee e le mie preferenze quando parlo con gli amici italiani.	5. Quando vado in vacanza in Italia vorrei parlare e capire più facilmente le persone che incontro.
2. Vorrei scoprire cose nuove sull'Italia e sul modo di vivere degli italiani.	6. Vorrei leggere libri in italiano, soprattutto quelli di cucina.
3. Vorrei andare a studiare in Italia per un breve periodo.	7. ....
4. Vorrei fare conversazione su argomenti non specialistici con i miei colleghi o clienti italiani.	8. ....

Bei tempi!

Il porto di Genova con il "bigo", la struttura progettata dal famoso architetto Renzo Piano in occasione delle Colombiadi nel 1992.
Un ascensore permette di salire per godere di una suggestiva vista panoramica.

A

1 **Le parole del porto**

A coppie: scrivete la parola giusta sotto ogni immagine. Conoscete altre parole legate al porto? Raccoglietele alla lavagna con l'aiuto dell'insegnante.

nave	ancora	pescatore	marinaio	faro	barca

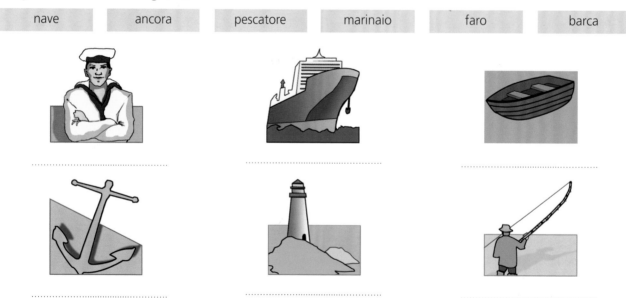

2 **Ora tocca a voi!**

Il porto è una delle caratteristiche principali della città di Genova. Qual è la caratteristica principale della vostra città? Parlatene con un compagno.

B

1 📖 L'acquario di Genova

A coppie: leggete la presentazione dell'acquario. Poi cercate nel testo le parole che trovate qui sotto e collegatele alla definizione giusta. Fate una gara: vince la coppia che ne indovina di più.

```
⊖ ⊖ ⊖
◄ ► ⌂ c + ⊖   www.acquariodigenova.it                    ⊙ ⌃ Q▾
⊞
```

L'acquario più grande d'Europa

Visitare l'acquario di Genova è come compiere un viaggio emozionante attraverso l'immensità del mare. Un'esperienza unica alla scoperta di un universo ricco di vita, di forme curiose e di strane creature.

Foche, delfini, pinguini, squali, pesci di tutte le forme e colori, vi accompagneranno lungo tutto il percorso alla scoperta del mondo marino.

1. ◯ compiere
2. ◯ immensità
3. ◯ creature
4. ◯ foche
5. ◯ delfini
6. ◯ pinguini
7. ◯ squali
8. ◯ scoperta

a. animali e persone
b. animali molto eleganti neri e bianchi che vivono al polo sud
c. spazio molto grande
d. animali dai lunghi baffi che sono spesso cacciati illegalmente
e. pesci molto feroci
f. l'incontro di cose nuove
g. fare
h. simpatici animali del mare che amano molto giocare

2 📖 Una visita all'acquario

A coppie: leggete ancora il testo in B1 e rispondete alle domande.

1. Che tipo di esperienza è visitare l'acquario di Genova?
2. Che cosa si può vedere all'acquario di Genova?
3. Avete mai visitato un acquario? Raccontate. Se no, parlate di un luogo che avete visitato e che vi ha dato una grande emozione.

3 ✏️ Vivere al mare, in montagna o in pianura?

Quali di queste parole descrivono una città di mare, una di pianura o una di montagna?
Attenzione: alcune parole vanno bene per più di un'alternativa.

| verde | pericoloso | stressante | affollato | silenzioso | nave | sale | salubre |
| alberi | romantico | rilassante | tranquillo | rumoroso | pesce | neve | inquinato |

Gioco:

Dividetevi in 3 gruppi in base alle vostre preferenze: chi preferisce le città di mare, chi la pianura e chi la montagna.
Ogni gruppo scrive i vantaggi del vivere nella città che ha scelto e cerca gli svantaggi della città degli altri due gruppi. Alla fine cercate di convincere gli altri a passare un fine settimana con voi nella vostra città.

C

1 🎧 1.3 Facciamo qualcosa insieme

Ascoltate i mini dialoghi e cercate le frasi che servono a fare una proposta, accettare o rifiutare. Ricordate quelle che avete già incontrato nel primo volume? Completate la tabella.

1.
- Sa, pensavo di andare all'acquario questo fine settimana... mi accompagna?
- Mi sembra una buona idea.

2.
- Vado al cinema domani sera, tu che fai, vieni?
- Non lo so, ci devo pensare. Magari ti telefono.

3.
- Domenica vorrei andare a visitare il nuovo museo d'arte moderna, vuole venire con me?
- Magari un'altra volta. In questi giorni sono troppo impegnata.

4.
- Senti, ho un'idea. Andiamo a ballare sabato sera, ci stai?
- Ah, vorrei, ma proprio non posso. Devo studiare per l'esame di lunedì.

5.
- C'è un concerto stasera, dai, vieni anche tu!
- Sì, ci sto!

> **Fare una proposta:**
> Che ne dici di... Perché non...
> Hai voglia di... Ti va di...
> ....
> ....
> ....
>
> **Rifiutare:**
> No, dai, facciamo domani.
> Mi dispiace, non posso.
> ....
> ....
> ....
>
> **Fare una controproposta:**
> Perché invece non...?
> ....
>
> **Accettare:**
> Sì, volentieri. Perché no?
> ....

2 Ora tocca a voi!

Scrivete su un foglio i giorni della settimana e pensate a un impegno per 5 sere diverse. Poi scegliete un compagno e insieme organizzatevi per trovare una sera libera per andare al cinema.

D

passato prossimo
l'imperfetto

1 📖 Villaggio ricorda De André

Paolo Villaggio è un famoso attore comico italiano. In questa intervista ricorda l'amico Fabrizio De André, che purtroppo è scomparso. Leggete e sottolineate le parole che conoscete e che vi sembrano importanti per capire come Villaggio ricorda il famoso cantautore genovese.

Villaggio: Io ho conosciuto De Andrè come poche persone... Appena Fabrizio è morto, ed è morto abbastanza giovane, tutti si sono accorti che non era uno strimpellatore, ma un vero cantautore, un autentico poeta a tutto tondo.

Domanda: Come nasce questo suo rapporto così stretto con De Andrè?

Villaggio: Ho conosciuto e frequentato Fabrizio da quando aveva quattro anni e l'ho perso di vista quando è morto. I nostri genitori erano molto amici: genovesi, di buona famiglia, si andava tutte le estati a Pocol sopra Cortina, dove c'era una colonia di genovesi. C'eravamo io e mio fratello gemello Piero, il compagno di banco di mio fratello, Paolo Fresco, oggi presidente della Fiat, Mauro De Andrè, fratello di Fabrizio, e Fabrizio che era il più piccolo del gruppo. In particolare dal '56 in poi è stata una frequentazione strettissima, per vent'anni ci siamo visti tutti i giorni. Fabrizio aveva una piccola banda musicale, chiamata *The Crazy Cowboys and Sheriff One* dove lui era lo sceriffo appunto. Eravamo tutti genovesi, tranne il pianista che era milanese.

[Intervista di Andrea Monda, da: www.educational.rai.it]

2 📖 **Caccia alle parole**

Leggete ancora l'intervista e cercate le parole
che corrispondono alle seguenti definizioni.

Chi suona la chitarra da dilettante,

non benissimo: ....

Chi scrive e canta canzoni: ....

Fratelli nati lo stesso giorno: ....

Gruppo musicale: ....

Espressioni idiomatiche

Perdere di vista
Compagno di banco
... di buona famiglia
Come si dice nella vostra lingua?

....

....

....

---

3 📖 🔍 **Mettiamo a fuoco**

A coppie: leggete queste frasi, ritrovatele nell'intervista in D1. Ricordate che cosa avete già imparato sull'imperfetto
dei verbi? Completate la tabella.

Io **ho conosciuto** De Andrè come poche persone.

... tutti **si sono accorti** che non **era** uno strimpellatore.

Ho conosciuto e **frequentato** Fabrizio da quando
aveva quattro anni.

Dal '56 in poi **è stata** una frequentazione strettissima.

... per vent'anni **ci siamo visti** tutti i giorni.

Eravamo tutti genovesi.

Grammatica attiva

Quando ricordiamo situazioni, persone, cose e azioni
che si ripetono nel passato usiamo:

- l'imperfetto per ....

....

....

- il passato prossimo per ....

....

....

Esercizio 1: *Guardate le immagini e completate i due dialoghi con i verbi dati all'imperfetto o al passato prossimo.*

conoscere • avere • andare • frequentare • vedersi • suonare • avere • cantare • conoscere

1.

● Quanto tempo fa .... Mario?

● .... Mario quando .... 16 anni.

● .... a scuola insieme?

● No, ... scuole diverse, ma ci

.... ogni giorno.

2.

● Per quanto tempo .... in quella banda?

● Dal 1996 al 2000.

● Da quanto tempo suoni la chitarra?

● Da quando .... 14 anni.

● .... mai ....?

● No, non so cantare.

Grammatica attiva

Completate con imperfetto *o* passato prossimo.
Quando parliamo di una situazione e di azioni che
succedono una sola volta nel passato usiamo:

pass imperfetto per l'azione che è già cominciata ma
non è ancora finita quando succede un'altra cosa.

passato prossimo per l'azione che indica che cosa è
successo.

Esercizio 2: I problemi della diretta! *Leggete*
il racconto e completate con l'aiuto delle immagini e
dei verbi tra parentesi.

Marcella è una giovane cantante di musica leggera e in
questo momento è un po' arrabbiata perché ieri ha
partecipato a un programma musicale in diretta, ma durante
la sua esibizione ha avuto alcuni problemi. Infatti, mentre lei
cantava (cantare) la sua canzone preferita, è
successo di tutto: prima *ha suonato* (suonare)
il cellulare del cameraman, poi *si è spento* (spegnersi,
spento) un faretto. Dopo un po' una persona del pubblico
si è alzata (alzarsi) e *ha cominciato* (cominciare)
a urlare e qualcuno *ha lanciato* (lanciare) dei fiori e
alla fine *è caduto* (cadere) il microfono. Ma per
fortuna, Marcella è stata bravissima e ha continuato a
cantare benissimo.

Gioco:

Uno studente osserva gli altri attentamente poi esce dalla classe. Mentre lui è fuori gli altri fanno qualcosa e
quando torna in classe deve indovinare che cosa hanno fatto i compagni nel frattempo.

E

1 📖 **Il pesto alla genovese**

A coppie: leggete la ricetta e sottolineate le parole che non conoscete. Poi confrontatevi con la classe.

INGREDIENTI:

3 mazzetti di basilico fresco, un bicchiere d'olio d'oliva,
2 cucchiai di pinoli, 1-2 spicchi d'aglio, 2 cucchiai di parmigiano,
1 cucchiaio di pecorino sardo, 1 pizzico di sale.

PREPARAZIONE:

Mettere in un mortaio l'aglio, i pinoli, il sale e il basilico e pestare con il pestello
aggiungendo l'olio, fino a quando gli ingredienti non formano un composto
omogeneo. Aggiungere il pecorino e il parmigiano, condire la pasta e servire con
un buon Vermentino della Riviera ligure di Ponente.

2 🎧 1.4 **Questo pesto è fantastico!**

Ascoltate l'intervista di Alessia e rispondete alle domande.

	Sì	No
1. È il pecorino sardo il segreto del pesto?	☐	☑
2. La signora Pina ha messo 3 spicchi d'aglio?	☑	☐
3. La signora Pina ha usato il parmigiano?	☑	☐
4. Alessia chiede alla Signora Pina una copia della ricetta?	☐	☑

3 🎧 1.4 🔍 **Mettiamo a fuoco**

Ascoltate di nuovo il dialogo e completate. Fate attenzione alle finali dei participi.

○ Signora Pina, questo pesto è fantastico!
Qual è il segreto?

● È il basilico che deve essere sempre molto fresco.

○ Ne ha messo tre mazzetti, giusto?

● Sì. E, oltre al parmigiano, ho aggiunto del pecorino sardo.

○ Quanto?

● Ne ho messo un cucchiaio, solo per dare il sapore.

○ Un attimo solo, voglio scrivere tutto. E quanto aglio?

● Ne ho usato tre spicchi, ma non deve scrivere tutto, adesso le do la ricetta.

Grammatica attiva

Completate le forme del passato prossimo e poi la regola.

Quanto pecorino? Ne ho messo un cucchiaio.
Quanto aglio? Ne ha usato tre spicchi.
Quanta acqua? Ne ho usato molta.
Quante mele? Ne ho preso due.

Quando si usa ne con il passato prossimo, il participio del verbo _____

Esercizio: *Completate i mini dialoghi.*

1.
● Che buona questa torta! Ne vuoi un po'?
● No grazie, ne ho già mangiato due fette.

2.
● C'è ancora dell'aranciata in frigo?
● Credo di sì, io non ne ho bevuto.

3.
● Hai già messo lo zucchero nel caffè?
● Certo, ne ho messo due cucchiaini, va bene?

4.
● Mamma, hai fatto le patatine fritte?
● Sì! Ne ho fatto tante solo per te.

4 **Ora tocca a voi!**

Scrivete gli ingredienti di un piatto che conoscete senza le quantità e dateli al vostro compagno. Poi lavorate a coppie: uno spiega la ricetta, l'altro deve fare delle domande sulle quantità.

F

1 🎧 1.5 **Cercate l'intruso!**

A coppie guardate le foto: che cosa rappresentano? Poi ascoltate il dialogo e trovate la foto che non c'entra.

2 🎧 1.5 **Vacanze da Vip e Festival**

Ascoltate di nuovo il dialogo. Poi completate le frasi.

Mi ricordo *quando* Portofino era conosciuta per le vacanze dei Vip.

I personaggi famosi, però, arrivano in primavera, *perché* c'è il Festival, che ha messo radici nel Teatro Ariston. *Perciò*, da più o meno 50 anni, possiamo applaudire la canzone italiana. In realtà, la musica italiana non è tutta a Sanremo, ma *siccome* tutti lo guardano, il Festival è l'occasione ideale per l'esordio di giovani cantanti.

Dopo l'esordio della Pausini, di Ramazzotti, di Zucchero, che *prima* non erano conosciuti, i giovani artisti sperano di avere fortuna a Sanremo.

3 **Che cosa vuol dire?**

Scegliete per ogni parola la definizione giusta.

L'esordio	☐ la prima esibizione	Applaudire	☐ dopo uno spettacolo battere le mani
	☐ il primo giorno di scuola		☐ dopo uno spettacolo battere i piedi
L'occasione	☐ la situazione, l'opportunità	Mettere radici	☐ partire per un viaggio
	☐ la difficoltà, il problema		☐ fermarsi in un posto

4 🎧 1.5 🔍 **Mettiamo a fuoco**

A coppie: ascoltate di nuovo il dialogo e completate le frasi nella tabella con le parole trovate in F2.

Grammatica attiva

Per esprimere la **causa** *di un'azione usiamo:*

..... perché ..... o ....

Se la frase che esprime la causa è all'inizio usiamo solo ....

Se prima diciamo la causa e poi la conseguenza colleghiamo con ....

Non ho ancora mangiato, ... ora vado al ristorante.

.... ero stanco, sono andato a letto.

Prendo l'ombrello .... piove.

Per mettere in ordine di **tempo** *le azioni usiamo:*

..... prima ..... e ....

Per introdurre le frasi che danno informazioni sul tempo usiamo ....

Sono stato in America .... avevo 12 anni.

Aspetto una risposta .... di domani.

Noi siamo arrivati a casa alle 6 e mezza, Marco è arrivato .... un'ora, alle 7 e mezza.

---

5 🎧 1.6 📖 **La zia racconta…**

Ascoltate il racconto e leggete. Poi sottolineate le frasi che servono per parlare dei ricordi.

Mi ricordo che ho visto il primo concerto degli U2 allo stadio. Allora ai concerti andavamo presto, due o tre ore prima, per prendere il posto. C'era anche Gino Paoli quando il gruppo è entrato sul palco? Così hanno detto, ma io non l'ho visto. C'era sicuramente Zucchero, lui è arrivato prima dell'inizio del concerto. Non ricordo qual era la volta in cui c'era il maxischermo, se il primo o il secondo concerto che ho visto. Così anche non mi ricordo quando è stato che Bono ha parlato in diretta con Pavarotti… e voleva parlare anche con il Papa! Ma mi ricordo quando tutte le persone cantavano nel buio, solo con le fiamme degli accendini: che emozione! Forse mi sbaglio, ma Bono parlava l'italiano abbastanza bene.

Scambio di idee:

A. *Scrivete sotto ogni immagine il nome del genere musicale che rappresenta.*

elettronica
rap
opera
rock
jazz
classica

B. 🎧 1.7 *Di che genere musicale parlano? Ascoltate e collegate ogni frase al genere musicale.*

1. La maggior parte dei gruppi che mi piace canta in inglese con chitarre elettriche.

2. Solo pochi amano questo genere. Io personalmente ascolto volentieri *La Traviata* di Verdi.

3. Quasi tutti ascoltano questo genere in discoteca. Ha suoni artificiali.

4. Alcuni preferiscono concerti con grandi orchestre che suonano Mahler o Beethoven.

5. Qualcuno ascolta band con tanti strumenti. Io preferisco i gruppi piccoli con un sassofono solista.

6. I più giovani ascoltano il ritmo delle parole. Non so se capiscono veramente il significato dei testi.

C. 🖉 *In gruppi: sottolineate nelle frasi qui sopra le espressioni che servono a dire quante persone preferiscono un genere musicale. Poi intervistate i compagni sui loro generi musicali preferiti, prendete appunti e scrivete un articolo sugli interessi musicali della classe.*

G

1 🎧 1.8 Intonazione

Ascoltate: sentite un'esclamazione o una domanda? Poi ascoltate ancora e scrivete le frasi.

	Esclamazione	Domanda	
1.	☐	☐	....
2.	☐	☐	....
3.	☐	☐	....
4.	☐	☐	....
5.	☐	☐	....
6.	☐	☐	....

2 🎧 1.9 Il proverbio del giorno

Ascoltate e ripetete.

● Il mattino ha l'oro in bocca. ○ Come, scusa? ● Ho detto: "Il mattino ha l'oro in bocca." Perché?

Sono *famosi*

Cantautori genovesi

Oltre a Fabrizio De André, sono nati a Genova molti altri cantautori che hanno formato una vera e propria "scuola genovese". Leggete queste biografie e poi il testo della canzone. Provate a immaginare chi è l'autore della canzone. A pagina 215 trovate la risposta.

Luigi Tenco è uno dei fondatori* della scuola genovese. I suoi testi, bellissimi, sono pieni di un dolore* intenso anche quando parlano d'amore. Non ha mai avuto fiducia* né in se stesso, né negli altri e nemmeno nel mondo che lo circondava. Muore suicida* a Sanremo, subito dopo aver partecipato al Festival nel 1967.

Ivano Fossati è uno dei cantautori più amati dalla critica. La sua musica è influenzata da ritmi etnici di ogni parte del mondo, in particolar modo da quelli latinoamericani. I suoi testi parlano di libertà, di viaggi, di mare, ma anche di temi sociali importanti come ad esempio l'immigrazione.

Gino Paoli scrive e interpreta* le più belle canzoni d'amore del panorama musicale italiano da più di 40 anni. I suoi testi non sono mai banali e hanno fatto innamorare almeno tre generazioni di italiani. Ama molto i gatti, che considera gli animali più liberi e indipendenti.

Bruno Lauzi è stato, insieme a Luigi Tenco, uno dei fondatori della scuola genovese. In tutti questi anni si è dedicato al cabaret e alla canzone d'autore. La sua musica è spesso influenzata dai ritmi brasiliani, ma si è occupato molto anche di folklore genovese. Ha interpretato, fra l'altro, una famosa canzone su Genova scritta da Paolo Conte.

Mio fratello che guardi il mondo
E il mondo non somiglia a te
Mio fratello che guardi il cielo
E il cielo non ti guarda

Se c'è una strada sotto il mare
Prima o poi ci troverà
Se non c'è strada dentro il cuore degli altri
Prima o poi si traccerà

Sono partito e ho lavorato in ogni paese
E ho difeso con fatica la mia dignità
Sono nato e sono morto in ogni paese
E ho camminato in ogni strada del mondo che vedi

[© Il Volatore]

Vocabolario: <u>dolore</u> (m.): sensazione che fa stare male; <u>fiducia</u>: sentimento positivo e ottimista; <u>fondatore</u> (m): chi dà inizio a un'attività, a un gruppo di lavoro; <u>interpreta</u>: (qui) canta; <u>suicida</u>: chi si toglie la vita intenzionalmente.

....

Soprattutto in primavera e in estate, la Liguria è una meta molto amata dai turisti, che popolano* la riviera per godersi* le giornate di sole, i suoi fiori e la vegetazione* mediterranea.

Ma come arrivare? Se si vuole utilizzare l'aereo, la regione offre tre aeroporti. L'aeroporto internazionale "Cristoforo Colombo", a Genova Sestri, ha una pista di due chilometri e mezzo ed efficienti servizi di assistenza a bordo e a terra. È sempre aperto, dista* solamente sei chilometri dal centro della città ed è collegato con le principali città italiane ed europee. Ci sono, inoltre, l'aeroporto di Villanova d'Albenga e quello di Luni, più piccoli, usati per il turismo nazionale e per l'esportazione* dei fiori. Se preferite la nave, il porto di Genova è il più importante capolinea* marittimo mediterraneo per passeggeri* e prodotti. È collegato con i principali porti di tutto il mondo. Non si devono dimenticare nemmeno i porti delle altre città liguri, La Spezia, Savona e Imperia.

In treno, invece, la regione è servita dalle principali linee sui percorsi internazionali da Nizza, dal Moncenisio, dal Gottardo, dalla Germania, dall'Austria e dalla ex Jugoslavia.

1. *Trovate un titolo per il testo e scrivetelo sopra.*

2. *Leggete il testo sulla Liguria e dite se queste affermazioni sono vere o no.*

	Vero	Falso
Molti turisti visitano la Liguria in primavera e in estate.	☐	☐
L'aeroporto di Genova è lontano dalla città.	☐	☐
Gli aeroporti di Villanova d'Albenga e di Luni sono solo turistici.	☐	☐
Il porto di Genova è il principale della Liguria.	☐	☐
Le città della Liguria sono tre.	☐	☐

3. *Vi piacerebbe visitare la Liguria? In quale stagione? Con quale mezzo di trasporto? Che cosa pensate di fare durante il vostro soggiorno? Parlatene con un compagno.*

4. *L'aeroporto di Genova si chiama Cristoforo Colombo. Sapete chi è questo personaggio? Parlatene con i compagni.*

Curiosità

Ecco alcune parole liguri. Possono esservi di aiuto, se decidete di fare un viaggio in Liguria.

Le *palanche* sono i soldi. Per i liguri sono come i sentimenti, si devono spendere con molta attenzione.

Un *taccagno* è un avaro. Parola di origine portoghese.

I *carruggi* sono i vicoli di Genova.

Belin è un'espressione molto frequente di origine dialettale e sta al posto dell'esclamazione "Accidenti!". Da qui derivano le "Belinate", cioè le sciocchezze, le cose stupide e poco importanti.

Avete notato che il dialetto ligure assomiglia un po' alla lingua portoghese? Articoli e preposizioni si pronunciano in modo simile e ci sono parole uguali, ad esempio *palanca* (moneta) e *taccagno* (avaro).

Vocabolario: capolinea (m.): luogo dove finisce il viaggio di un mezzo di trasporto; dista: è lontano; esportazione (f.): vendita in un luogo diverso da quello di produzione; godersi: provare piacere per qualche cosa; passeggero: persona che viaggia; popolare: (verbo) abitare in un'area geografica; riviera: la costa sul mar Ligure; vegetazione: gli alberi e le altre piante.

E tu che cosa faresti?

A

1 Quanti sogni!

Guardate attentamente l'immagine per 30 secondi. Che cosa sognano i due ragazzi? Chiudete il libro e scrivete sul vostro quaderno quello che ricordate. Poi, confrontatevi con un compagno.

2 Caccia agli intrusi

Osservate di nuovo l'immagine e provate a descriverla in modo dettagliato. Molte di queste parole vi possono aiutare, ma alcune non c'entrano. Quali?

Nomi:		Verbi:	
automobile	sedia	sognare (di + *infinito*)	volere
pilota	autografo	desiderare	laurearsi
calciatore	laurea	sposarsi	pilotare
medico	tascabile	diventare	mangiare
figlio	ballerina	cantare	comprare
matrimonio	aereo	dormire	studiare

3 Che cosa significa?

Conoscete queste espressioni? Provate a collegarle alle loro definizioni.

1. ☐ Sognare ad occhi aperti.

2. ☐ Avere un sogno nel cassetto.

3. ☐ Sogni d'oro.

a. Si dice per augurare una buona notte.

b. Immaginare con la fantasia.

c. Avere un grande desiderio per il futuro.

Unità
2

4 Ora tocca a voi!

Anche nel vostro paese i ragazzi sognano le stesse cose? Se no, che cosa sognano? E voi che cosa sognate?
Oppure, che cosa sognavate da piccoli? Parlatene prima a coppie e poi in classe.

B

1 📖 In bocca al lupo!

A coppie: leggete il testo e concentratevi sulle parole che conoscete. Poi completate le frasi.

Se siete alla ricerca del lavoro dei vostri sogni, dovete sapere che al giorno d'oggi è normale dover affrontare test psico-attitudinali, colloqui di gruppo e individuali, anche per lavori che non richiedono grande specializzazione come il cameriere, il lavapiatti, il centralinista o il postino.

Quindi, preparatevi psicologicamente perché le risposte che accompagnano un rifiuto possono essere tutto e il contrario di tutto: "Lei è troppo giovane", "Lei è troppo vecchio", "Ha troppa esperienza", "Va bene, ma ha poca esperienza", "Conosce bene il suo lavoro, sa le lingue, conosce il computer, ma non ha esattamente il profilo che noi cerchiamo".

Tra i tanti commenti dei selezionatori, ne riportiamo uno che ha fatto veramente arrabbiare il candidato:

- Guardi, ci dispiace, noi cerchiamo una donna…

- Mi scusi, dottore, ma perché mi ha chiamato? Non ha letto sul mio curriculum che sono un uomo?

Comunque, il proverbio dice: "Chi cerca trova". L'importante è non demoralizzarsi e prima o poi la fortuna sorride a tutti. Continuate a cercare, non siete i soli ed è successo già ad altri. In bocca al lupo!

1. Questo testo è interessante per tutti quelli che ....

2. Oggi per trovare un lavoro è necessario ....

3. La persona che affronta un colloquio di lavoro si chiama ....

4. Quando cerchiamo un lavoro mandiamo un .... con i nostri dati personali.

5. Anche se le risposte dei selezionatori non sono sempre positive è utile non ....

2 Lavoro per tutti

A coppie: classificate questi mestieri e professioni secondo il livello di specializzazione professionale che richiedono.
Chiedete aiuto all'insegnante, se non conoscete il significato di qualche parola.

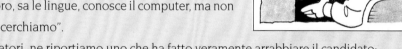

segretario	medico	grafico	insegnante	meccanico	avvocato	barista	autista
impiegato	tassista	giardiniere	sarto	architetto	commesso	muratore	cameriere

Livello di specializzazione alto: ....

Livello di specializzazione medio/basso: ....

Gioco: *Scrivete su un foglietto il vostro lavoro o il vostro lavoro ideale. L'insegnante raccoglie tutti i fogli e li ridistribuisce a caso. Con il foglio girate per la classe per trovare chi l'ha scritto.*

Domande utili:

Lavori fuori o in ufficio? Hai dovuto studiare molto?

Qual è il tuo orario di lavoro?

Espressioni idiomatiche

Il lavoro dei miei sogni.

… tutto e il contrario di tutto.

Chi cerca trova.

In bocca al lupo!

Ci sono espressioni simili nella vostra lingua?

....

....

c

1 🎧 1.10 **Lei vive a Milano?**

Alessia ha incontrato a Milano due donne che le hanno parlato del loro lavoro e dei loro sogni.

Ascoltate l'intervista e rispondete alle domande. Poi confrontate le risposte con i compagni.

	Sì	No	Non lo so
1. La signora Carulli ha due figlie?	☐	☐	☐
2. La signora vive a Milano da pochi anni?	☐	☐	☐
3. Carla è la sorella della signora Carulli?	☐	☐	☐
4. La signora Carulli è una designer?	☐	☐	☐
5. Carla si è laureata con il massimo dei voti?	☐	☐	☐
6. Carla sogna di lavorare per una ditta di moda?	☐	☐	☐
7. Carla sa già bene come trovare lavoro?	☐	☐	☐
8. La signora Carulli desidera avere dei nipoti maschi?	☐	☐	☐

2 **Io leggerei gli annunci di lavoro**

Leggete il testo e completatelo con queste parole.

stabile   designer   settore   soddisfazione   lavorare   ditta   concorsi   flessibile

Alessia: Signora Carulli, Lei vive a Milano con sua figlia?

Signora: Sì, abito qui da 30 anni, da quando ho cominciato a lavorare come .... *designer* ....

Alessia: È difficile .... *lavorare* .... e avere una famiglia?

Signora: Quando Carla era più piccola avevo un po' di difficoltà, ma adesso no. Comunque ho un orario molto .... *flessibile* .... e posso stare molto tempo con la mia famiglia. Mia figlia si è laureata da poco e adesso deve cercare un lavoro.

Alessia: Cosa desidererebbe per lei?

Signora: Vorrei per lei un lavoro .... *stabile* .... , anche se so che oggi è difficile. Non importa quale lavoro, l'importante è la sua felicità e la .... *soddisfazione* .... professionale.

Alessia: Carla, Lei si è appena laureata all'Università Cattolica, cosa preferirebbe fare in futuro?

Carla: Beh, per adesso non ho ancora le idee chiare, ma mi piacerebbe un lavoro collegato agli studi che ho fatto. Qui a Milano è abbastanza facile trovare un lavoro, specialmente nel .... *settore* .... dell'economia. Ma io sono laureata in *Lettere e filosofia* e preferirei occuparmi di cultura o arte.

Alessia: Non avrebbe voglia di lavorare per una grande .... *ditta* .... ?

Carla: Perché no? Ne sarei felice, ma la mia laurea mi limita un po'. Lei mi sa dare un consiglio su come trovare lavoro?

Alessia: Mah... io leggerei comunque gli annunci di lavoro. Poi certamente mi informerei anche sui .... *concorsi* .... pubblici. Un'ultima domanda a tutte e due: cosa vorreste per il vostro futuro?

Carla: Sarebbe bello, dopo il lavoro, pensare al matrimonio.

Signora: Oh sì, io e tuo padre avremmo voglia di avere dei nipotini.

Alessia: Buona fortuna e grazie.

3 🎧 1.10 🔍 **Mettiamo a fuoco**

Ascoltate e leggete di nuovo l'intervista di Alessia. Poi sottolineate tutte le forme nuove dei verbi e completate la tabella nella pagina accanto.

Grammatica attiva
Condizionale semplice

	Le forme regolari:		Alcune forme irregolari:			
	desiderare	leggere	preferire	volere	avere	essere
(io)	....	leggerei	....	....	avrei	sarei
(tu)	desidereresti	....	preferiresti	vorresti	....	saresti
(lui/lei/Lei)	....	leggerebbe	....	vorrebbe	avrebbe	....
(noi)	desidereremmo	....	preferiremmo	vorremmo	....	saremmo
(voi)	desiderereste	leggereste	....	vorreste	....	sareste
(loro)	desidererebbero	....	preferirebbero	....	avrebbero	....

Nell'intervista, Carla, la Signora Carulli e Alessia usano le forme del verbo al condizionale per

....

4 Ora tocca a voi!
A coppie: esprimete alcuni desideri. Prendete appunti e poi riferite alla classe i desideri del compagno.

Domande:	Io...	Il mio compagno...
Che lavoro ti piacerebbe fare?		
Cosa vorresti fare questa sera?		
In quale città vorresti vivere?		
Quale sport preferiresti fare?		
Quale personaggio famoso vorresti conoscere?		

5 Ancora sogni
Tornate al punto A2 e provate a descrivere di nuovo l'immagine usando le forme del condizionale.

6 Che cosa farei?
Che cosa fareste o che cosa vorreste fare in ognuna di queste situazioni? Confrontatevi con i compagni.

Situazione:	Che cosa fareste?
Siete molto stanchi: avete sonno, volete andare a dormire ma siete in macchina con altri amici.	
Gli amici vi propongono una vacanza al mare.	
Stasera a teatro danno *Amleto*.	
Avete molto mal di testa, ma dovete lavorare.	

D

 1 📖 **La posta di Alessia**

Leggete la lettera di Matteo e completate l'elenco degli aspetti positivi e negativi della sua situazione.

Cara Alessia,

mi chiamo Matteo e ho 27 anni. Sono siciliano ma abito a Milano.

Mi sono trasferito qui a Milano da Palermo cinque anni fa e ora mi trovo molto bene: ho un buon lavoro, ho una ragazza dolce e bellissima, una casa piccola, ma molto accogliente. In questi due anni ho lavorato duro per raggiungere tutto questo. Ma due settimane fa mi è successa una cosa che non mi aspettavo.

Il direttore del mio ufficio mi ha chiamato e mi ha detto che potrei fare carriera e diventare capo di un nuovo ufficio della nostra ditta a Bruxelles. Ci dovrei stare solo due anni. È una grande occasione: in due anni farei una carriera che normalmente potrei fare in otto. Inoltre per me la lingua straniera non è un problema: so parlare il francese abbastanza bene. La ditta mi darebbe un appartamento vicino all'ufficio, completo di tutto. E infine lo stipendio sarebbe tre volte quello che prendo ora. Sarebbe perfetto ma dovrei lasciare tutto quello che ho qui. Laura, la mia ragazza, lavora a Milano e non vuole lasciare il suo posto di lavoro. Per di più lei non ama Bruxelles e mi ha già detto che non pensa di venirmi a trovare. Certo, Laura mi dice che devo pensare solo a me e che la nostra relazione è forte e può durare anche se siamo lontani. Io, però, ho paura di non avere molto tempo libero per viaggiare. Come faccio a chiederle di aspettarmi per un periodo così lungo senza vederci mai? Dovrei anche lasciare il mio appartamento e non saprei dove mettere tutti i mobili e gli oggetti che ho comprato. Certamente posso scegliere: o andare a Bruxelles o continuare a lavorare a Milano. Ma è una scelta difficile. L'occasione è veramente unica. Non so come fare.

Potrebbe darmi un consiglio?

Un caro saluto,

Matteo

Negativo	Positivo
....	....
....	....
....	....

2 ✏️ **Al tuo posto io…**

A coppie: che cosa rispondereste a Matteo al posto di Alessia? Parlatene insieme e poi scrivete su un foglio una breve lettera di risposta.

Espressioni e frasi utili:

Al tuo posto io partirei subito.

Convincere Laura a seguirti a Bruxelles.

La soddisfazione nel lavoro.

La vita privata.

Io non rischierei di rovinare la felicità personale per la carriera.

Due anni passano in fretta.

Chiedere qualche giorno di ferie.

Riflettere con calma.

Scrivere una lettera

	Molto formale	Formale	Informale
Per cominciare:	Egregio Direttore, …	Gentile Direttore, …	Caro Matteo, … (tu/Lei)
	Egregio Professore, …	Gentile Signor Rossi, …	Ciao Matteo, … (tu)
Per finire:	Distinti saluti, …	Cordiali saluti, …	Ciao, … / A presto, …
		Cordialmente, …	Un caro saluto, …

3 **Cosa farebbe volentieri nel tempo libero?**

A coppie: osservate le persone nelle immagini. Secondo voi, che cosa potrebbero fare nel tempo libero? Perché?

	fare
(io)	farei
(tu)	faresti
(lui/lei/Lei)	farebbe
(noi)	faremmo
(voi)	fareste
(loro)	farebbero

Franca farebbe volentieri giardinaggio.
Io al posto suo frequenterei un corso di computer.

Mario - cuoco - 24 anni

Lucia - pilota - 26 anni

Franca - pensionata - 60 anni

Davide - 10 anni

Frasi utili:

Partecipare a un viaggio organizzato

Andare a sciare

Frequentare un corso di computer

Andare allo stadio a vedere una partita di calcio

Andare in un parco divertimenti

Fare shopping in centro

Giocare a basket

Ballare il valzer

Ascoltare musica jazz

Andare in discoteca

Fare giardinaggio

Praticare sport estremi

4 **Ora tocca a voi!**

In due gruppi: ogni gruppo prende 5 fogli e scrive 5 situazioni di persone in difficoltà, come nell'esempio, poi le legge all'altro che deve reagire con un buon consiglio per ogni situazione. Premiate l'idea migliore.

La mia macchina ha finito la benzina ed è ferma sull'autostrada.

E

1 📖 **Federica cerca lavoro**

Federica ha 30 anni, è una segretaria, con buona conoscenza delle lingue francese e inglese. Leggete gli annunci e trovate il posto adatto a lei.

Annuncio	Posizione e descrizione:	Si richiede:	Sede di lavoro:
Nr. 1	CENTRALINISTA/SEGRETARIA	Età massima 27 anni. Diploma. Max 10 mesi di **disoccupazione.** Disponibilità: immediata.	MI
Nr. 2	SEGRETARIA	Esperienza **pluriennale.** Uso PC, Word, Excel.	MI
Nr. 3	SEGRETARIA **part-time** area commerciale e marketing	Età massima 32 anni. Buona conoscenza inglese e francese.	CR
Nr. 4	SEGRETARIA/CENTRALINISTA	Disponibilità agli straordinari. **Spedire** CV a CP 114T - 10100 Milano.	MI
Nr. 5	CENTRALINISTA part-time /semplici lavori di ufficio	Persona seria e referenziata, anche pensionata.	BG

2 Come si dice?

Cercate le parole evidenziate in **neretto** *negli annunci e completate le frasi.*

1. Se l'orario di lavoro è solo per metà giornata, il lavoro è ....
2. Quando una persona è senza lavoro ha il problema della ....
3. L'esperienza di lavoro di più anni è ....
4. Per fare arrivare via posta qualcosa bisogna ....

3 📖 Che cosa occorre?

A coppie: collegate ognuno di questi requisiti all'annuncio corrispondente di E1.

Requisiti:

a. Bisogna essere disponibili a lavorare anche più di 8 ore al giorno.

b. Non è necessario essere giovani.

c. Occorre una buona conoscenza dell'inglese e del francese.

d. Ci vogliono buone capacità nell'uso del computer.

e. Ci vuole un'esperienza pluriennale.

Annuncio:
☐
☐
☐
☐
☐

F

1 🎧 1.11 Chi parla?

Ascoltate e collegate ogni dialogo alla sua immagine.

☐   ☐

2 🎧 1.11 🔍 Mettiamo a fuoco

A coppie: ascoltate di nuovo i dialoghi e completate le frasi e le tabelle.

Dialogo 1: Magari hanno bisogno di una segretaria subito. Se .... hanno bisogno urgente forse non aspettano
di trovare quella giusta e prendono te. Se telefoni e chiedi informazioni, puoi saper .... qualcosa di più.

Dialogo 2: Se vuole, ... può parlare anche con il signor Borsetti.

Grammatica attiva

Usiamo il pronome **ne** *al posto di un'espressione che inizia con la preposizione* **di***. Completate con* **ne** *o* **di***.*

Ho bisogno **di** una segretaria. *Ne* ho bisogno subito.

Parlo *di* te in ufficio. **Ne** parlo con il mio capo.

Non so molto *di* quell'annuncio.

Ne vorrei sapere di più.

Strutture idiomatiche

Ci sono molti modi di esprimere la necessità.

Completate questa lista. Quali differenze notate?

Abbiamo bisogno *di* ...... informazioni.

Bisogna .... giovani.

Occorre .... del francese.

Ci v *ole* .... molta esperienza.

Ci v *uole* .... 50 minuti di viaggio.

Al telefono	Chiedere con gentilezza
Chiedere di lasciare messaggi:	*Ricordate le espressioni per fare richieste in modo gentile?*
Chiedere di una persona:	*Puoi/può ripetere, per favore?*
	Ora potete usare anche il condizionale del verbo:
Chiedere di aspettare:	Potresti / Potrebbe ripetere (per favore)?

3 Ora tocca a voi!

A coppie: scegliete una di queste situazioni, decidete i ruoli e preparate la telefonata per fissare un appuntamento. Poi interpretate per tutta la classe. Il ruolo B di ogni situazione è descritto a pagina 214.

1. Ruolo A: Una persona disponibile, chiama chi ha messo l'annuncio per una baby-sitter part-time.

2. Ruolo A: Una segretaria che cerca lavoro, chiama chi ha messo l'annuncio corrispondente.

3. Ruolo A: Un/a barista esperto/a, chiama chi cerca la sua professione.

Per imparare in modo efficace, è importante avere un ritmo costante: programmate degli appuntamenti regolari con l'italiano nella vostra settimana. Il motto è "Poco ma spesso!".

Scambio di idee:

La scuola di italiano che frequentate sta cercando...

AAA Cercasi direttore didattico

Requisiti richiesti: esperienza nell'insegnamento delle lingue straniere e conoscenze di marketing e gestione aziendale. Conoscenza dell'inglese e di un'altra lingua straniera. Buone capacità relazionali. Costituisce elemento preferenziale esperienza analoga nel settore.
Inviare CV a: info@scuolalingue.it

In piccoli gruppi, preparate il curriculum ideale per il candidato al posto di direttore della scuola. Poi presentatelo alla classe. Scegliete chi invitare al colloquio.

La struttura di un CV
Dati anagrafici:
Data di nascita [giorno/mese/anno]
Luogo di nascita [città]
Stato civile: [libero/a – sposato/a]
Residenza: [via ... - città]
Recapito: [numero di tel. – e-mail]
Esperienze professionali:
[periodo del lavoro] – [tipo di lavoro]
Formazione:
[periodo] – [tipo di diploma/laurea/master]

G

1 🎧1.12 **Pronuncia**

Leggete le frasi e fate attenzione alla pronuncia delle vocali -e- , -o-. Ricordate qual è la differenza? Poi ascoltate e verificate.

1. Ho molta esperienza in questo settore dell'economia.

2. Vorrei parlare con il signor Rossi, è possibile? Allora potrei lasciare un messaggio?

3. ● Ci vediamo oggi o domani? ● La incontro volentieri. Ma facciamo domani alle tre, perché oggi ho un impegno.
   ● Per me andrebbe bene, ma il mio collega è libero solo sabato e domenica.

2 🎧1.13 **Come parlano al nord?**

Ascoltate ancora le frasi di G1. Chi parla viene dalla Lombardia. Che differenze notate nella pronuncia?

3 🎧1.14 **Il proverbio del giorno**

Ascoltate e ripetete.

Presto e bene non vanno insieme.

Sono famosi

Calcio, moda e cultura a Milano

Collegate ogni immagine al personaggio.

Dario Fo: attore, regista di teatro, premio Nobel per la letteratura.

Krizia: importante stilista milanese.

Paolo Maldini: calciatore simbolo del Milan, grande squadra di calcio milanese.

Le tre biografie sono un po' confuse. A coppie: sottolineate le frasi che non corrispondono al personaggio e poi scrivetele sotto, accanto al nome giusto. A pag 216 potete confrontare le vostre risposte.

Dario Fo è nato il 26 giugno 1968 a Milano. Autore, attore, regista e scenografo, è da oltre quarant'anni uno dei protagonisti più vitali e coraggiosi del nostro teatro. Nel 1997 ha ricevuto il premio Nobel per la letteratura. I suoi abiti hanno uno stile esclusivo ed elegantissimo anche se estremamente semplice. Dal 1994 è sposato con Adriana, una modella venezuelana, e ha due figli, Daniel e Christian.

Mariuccia Mandelli, in arte **Krizia**, ha cominciato la propria attività nel 1954. Ha creato un piccolo impero nel mondo dello stile. Ha centinaia di clienti ai quattro angoli del mondo. Nel suo lavoro si notano grande perfezionismo e massima cura dei dettagli. Ha inventato una specie di nuova lingua, il "gramelot", per raccontare usando un insieme di dialetti differenti. È sposata con Aldo Pinto, oggi presidente del Gruppo Krizia.

Paolo Maldini è nato a San Giano, in provincia di Varese, nel 1926. Debutta a soli sedici anni in serie A, nel 1984, con il Milan. Ha giocato più di 400 partite in serie A e ha vinto ogni tipo di trofeo. Ha giocato la sua prima partita in Nazionale a diciannove anni ed è considerato da molti il migliore difensore del mondo. È figlio d'arte: il padre, Cesare, è stato anche lui un grande difensore milanista tra gli anni '50 e '60 ed ex allenatore della Nazionale azzurra negli anni '90. È sposato da più di 40 anni con Franca Rame, sua compagna come attrice anche sul palcoscenico.

Dario Fo ....

Krizia ....

Paolo Maldini ....

Negozi storici

1. *Completate l'articolo con queste parole.*

milanese   famoso   luoghi   spesa   scarpe   commerciali   storici

Memorie di una città che non c'è più, di Muriel Pranzato

L'ora delle botteghe* è finita. Milano cambia faccia come un serpente* cambia la pelle: i suoi monumenti "vivi", i locali e i negozi .... non ci sono più, il centro si trasforma in un'immensa vetrina. Non ci sono più le vecchie salumerie, le pollerie, le botteghe, sostituite dalle vetrine di maxicentri .... , anonimi negozi di .... e maestosi show room. Si arrendono i negozianti, quelle famiglie dinastiche che hanno fatto la storia del commercio .... Alzano bandiera bianca e abbassano la saracinesca*, si trasferiscono in altri .... , dove gli affitti sono meno cari.

E le vie non sono più piene della gente che va a fare la .... di tutti i giorni, non c'è tempo nemmeno per la nostalgia, i ricordi sono cancellati dalle griffe dei negozi di abbigliamento, dalle gioiellerie, le boutique, le profumerie. È chiuso il Panificio Ferrara, in via Santa Marta 8, fondato nel 1828: non ci sono rimaste nemmeno la vetrina o l'insegna*. Non c'è più il negozio di liquori Provera, in corso Magenta 7, che era stato aperto nel 1927 all'interno dei locali di un'osteria dell'800. E così anche E.E.Ercolessi, il .... negozio di penne, in corso Vittorio Emanuele 15. [adattato da: Corriere della Sera, 4 aprile 2003]

2. *Rileggete l'articolo e raccogliete le informazioni.*

Vecchio	Nuovo	Perché il cambiamento
salumerie	Il centro si trasforma in un'immensa vetrina.	

3. *Quali sentimenti vi ispira questo articolo? Discutetene in classe.*

Curiosità

Una delle molte leggende intorno alla nascita del famoso panettone milanese racconta che, ai tempi di Ludovico il Moro, alla fine del XV secolo, un ragazzo di nome Ughetto si era innamorato della figlia di un vicino fornaio, Adalgisa. L'amore, però, era ostacolato dalla famiglia di Ughetto e il ragazzo poteva incontrare la sua innamorata solo di notte, quando lei rimaneva nel panificio del padre per lavorare. Gli affari del fornaio però non andavano tanto bene. Ughetto ha avuto allora un'idea per risolvere la situazione: per migliorare il pane ha aggiunto del burro e dello zucchero. Il successo è stato immediato. Il giovane, allora, si è fatto prendere dall'entusiasmo e una sera ha aggiunto anche pezzetti di cedro candito e delle uova. Tutta la città faceva la fila alla porta del fornaio per comprare il dolce. Il fornaio così è diventato ricco e la famiglia di Ughetto non ha più avuto motivi per ostacolare il matrimonio dei due giovani.

Vocabolario: bottega: piccolo negozio; insegna: il pannello con il nome del negozio; saracinesca: serve per chiudere il negozio la sera; serpente (m.): animale lungo e stretto che striscia, con la sua pelle si possono fare borse.

Intervallo 1

A. 🎧 1.15 **Un dialogo autentico.** *Ascoltate questo dialogo in cui due amiche italiane, Beatrice e Monica, parlano in modo molto spontaneo. Riuscite a capirle? A pagina 201 trovate la trascrizione del dialogo.*

Vero o falso?

	V	F
1. Monica abita a Milano.	☐	☐
2. Beatrice e Monica si incontrano in autobus.	☐	☐
3. Beatrice è sposata.	☐	☐
4. Le due donne si vedono spesso.	☐	☐
5. Monica è un'insegnante.	☐	☐
6. Le due donne da giovani frequentavano un corso di yoga.	☐	☐
7. Beatrice abita sui Navigli.	☐	☐
8. Il marito di Beatrice è tedesco.	☐	☐

Più precisamente...
Per ogni affermazione falsa che avete trovato, scrivete l'informazione corretta.

....

....

....

....

....

B. 📖 **Un po' di geografia.** *Osservate bene le carte geografiche dell'Italia, quella fisica e quella politica. Poi formate due squadre e fate il gioco a quiz.*

Primo livello:

1. L'Italia è	☐ a. un'isola	☐ b. una penisola	
2. Gli abitanti dell'Italia sono	☐ a. 120 milioni	☐ b. 58 milioni	☐ c. 300 milioni
3. L'Italia è chiamata anche	☐ a. stivale	☐ b. cappello	☐ c. gondola
4. Le due catene montuose sono	☐ a. Alpi e Pirenei	☐ b. Alpi e Appennini	☐ c. Appennini e Pirenei
5. Il monte più alto d'Italia è	☐ a. Monte Rosa	☐ b. Gran Sasso	☐ c. Monte Bianco
6. La pianura formata dal fiume Po si chiama	☐ a. Padana	☐ b. Montana	☐ c. Italiana

Sempre più difficile!

1. Quali e quanti sono i mari che bagnano l'Italia?

2. Quali e quanti sono i vulcani italiani? Dove si trovano esattamente?

3. Tutti sanno che la capitale d'Italia è Roma, ma non è sempre stato così. Prima del 1870, quali altre due importanti città hanno avuto questo onore? Per aiutarvi: la prima è la città della più grande azienda automobilistica italiana, la seconda è una fra le città d'arte più famose nel mondo e non è sul mare.

Volete controllare le vostre risposte? Leggete le informazioni in appendice a pagina 216.

Leggete le istruzioni a pagina 214.

GIOCO A PUNTI

SQUADRA A 00 **SQUADRA B** 00

Mestieri e professioni
Domanda 1:
....
....
Domanda 2:
....
....
1

Musica
Domanda 1:
....
....
Domanda 2:
....
....
2

Modi di dire
Domanda 1:
....
....
Domanda 2:
....
....
3

Sogni e desideri
Domanda 1:
....
....
Domanda 2:
....
....
4

Ricette di cucina
Domanda 1:
....
....
Domanda 2:
....
....
5

Personaggi
Domanda 1:
....
....
Domanda 2:
....
....
6

Verbi: tempi e modi
Domanda 1:
....
....
Domanda 2:
....
....
7

Ricordi
Domanda 1:
....
....
Domanda 2:
....
....
8

Proposte
Domanda 1:
....
....
Domanda 2:
....
....
9

Mamma mia che prezzi!

Il banchetto di Cleopatra
Giovan Battista Tiepolo
(Venezia 1696 - Madrid 1770)
Il dipinto fa parte del ciclo che illustra le storie di Antonio e Cleopatra e si trova nel Salone delle Feste del Piano Nobile di Palazzo Labia a Venezia, che fu decorato ad affresco dal maestro veneziano negli anni 1747-50.
Palazzo Labia è ora sede di RAI Trade, la divisione commerciale della RAI Radiotelevisione italiana, che negli anni '60 lo ha fatto restaurare.
Il Piano Nobile ospita riunioni e convegni di livello nazionale e internazionale, ma è anche possibile visitare le sale affrescate, previo appuntamento.
Per informazioni:
palazzolabia@raitrade.it

A

1 **Il soggetto del dipinto**
A coppie: dite che cosa vedete nell'affresco del Tiepolo.

2 **Che informazioni abbiamo?**
Sottolineate le informazioni che si possono ricavare dal testo che accompagna il dipinto e attribuitele a una delle due categorie, poi confrontatevi con i compagni.

Informazioni storico-artistiche:

Informazioni pratiche:

3 **Artisti italiani**
In gruppo: conoscete altri personaggi famosi della storia dell'arte italiana? Parlatene.

Domande guida:
Come si chiama? È pittore, scultore o architetto? Vive ancora? Se no, in quale periodo storico è vissuto?

Gioco:
A coppie e poi in gruppo: ogni coppia prepara 4 domande come quella dell'esempio sulla situazione e sui personaggi raffigurati nell'affresco del Tiepolo. A turno ogni coppia fa la sua domanda a tutta la classe. La coppia più veloce nel dare la risposta vince un punto.
Quante persone ci sono nel quadro?

B

1 📖 Una visita al museo Correr

Leggete il testo e rispondete alle domande.

1. A chi è dedicata la mostra?
2. Quanto paga un ragazzo di 14 anni per visitarla?
3. Quanto costa un biglietto intero?
4. Che orari fa il museo nel mese di settembre?
5. Quanto paga un insegnante che accompagna i suoi studenti?

Mostra in corso dall'11 Febbraio al 29 Maggio 2005
VERONESE PROFANO

Presso il Museo Correr, si è da poco inaugurata una mostra dedicata a Paolo Caliari, detto il Veronese (Verona 1528 - Venezia 1588), artista veneto che, insieme a Tintoretto e Tiziano, ha rappresentato al meglio l'arte della seconda metà del Cinquecento.
Se per Tintoretto si può parlare di anima inquieta, tormentata e drammatica, per Veronese, invece, si deve necessariamente far riferimento ad un temperamento più solare.

Orario del museo:
Dall'1 aprile al 31 ottobre: 9.00 - 19.00.
Dall'1 novembre al 31 marzo: 9.00 - 17.00.
La biglietteria chiude un'ora prima della chiusura.
Ingresso:
Biglietto del Museo Correr: **intero** € 9; **ridotto** (ragazzi dai 6 ai 14 anni, studenti dai 15 ai 29 anni; accompagnatori (max 2) di gruppi di ragazzi e studenti, cittadini UE ultrasessantacinquenni, titolari di Carta Rolling Venice e Venice Card, possessori di biglietto d'accesso ai Musei Civici Veneziani; Soci Touring Club): € 6.50; **ridotto speciale** (acquirenti del biglietto Musei di Piazza San Marco, Museum Pass Musei Civici Veneziani e del biglietto del Circuito Veronese): € 3,00; **gratuito**: bambini 0/5 anni, portatori di handicap con accompagnatore, guide autorizzate, interpreti turistici che accompagnano gruppi, insegnanti (uno per classe) che accompagnano i loro studenti.

2 📖 Vi interessa?

A coppie: vi interessa visitare questa mostra? Pensate che potreste avere diritto a qualche riduzione per il biglietto?

3 Parliamo di arte

Conoscete queste parole che servono a parlare di arte? Classificatele nella tabella secondo la categoria giusta.

mostra   esposizione   opera d'arte   artista   dipinto   affresco   quadro   statua   scultura   luminoso

preciso   esporre   dipingere   guida   visitare   ristrutturare   antico   classico   mosaico

Verbi	Aggettivi	Nomi

4 Ora tocca a voi!

Qual è l'opera d'arte che vi è piaciuta di più tra quelle che avete visto? Descrivetela e spiegate perché.

c

 1 🎧 1.16 **Che bella quella mostra!**

Alessia intervista alcune persone per le calli di Venezia. Ascoltate e rispondete alle domande.

1. Con quante persone parla Alessia?	☐ 2	☐ 3	☐ 4
2. Di dove sono queste persone?	☐ Piacenza	☐ Firenze	☐ Lucca
3. Chi sono?	☐ due mariti/mogli	☐ una famiglia con due bambini	☐ un gruppo di amici
4. Quanti giorni rimangono a Venezia?	☐ 7	☐ 1	☐ 4
5. Quale mostra visitano a Venezia?	☐ sugli Espressionisti	☐ sui Futuristi	☐ sui Maya
6. Di quali altre città parlano?	☐ Roma	☐ Milano	☐ Napoli
7. Di quali altre mostre parlano?	☐ sui Celti	☐ sul Caravaggio	☐ su Picasso

2 🎧 1.16 **Avrei voluto, ma…**

Completate l'intervista di Alessia con queste parole. Poi ascoltate di nuovo e verificate.

indimenticabile	mostra	indagine	stagioni	via Internet

Alessia:	Buongiorno. Sono una giornalista e sto facendo un' *indagine* sul turismo a Venezia. Potrei farvi alcune domande?
Primo turista:	Senz'altro!
Alessia:	Di dove siete?
Primo turista:	Siamo di Piacenza. E questi nostri amici, anche loro marito e moglie, vengono da un paese vicino alla nostra città.
Alessia:	Come mai siete qui a Venezia. Siete turisti?
Seconda turista:	Sì, ma solo per un giorno. Siamo qui per vedere la .... sui Futuristi a Palazzo Grassi. Alcuni amici, che l'hanno vista, me ne hanno parlato molto bene e ora sono molto curiosa.
Alessia:	Visitate spesso mostre?
Terzo turista:	Sì, preferiamo le mostre organizzate nelle città d'arte, perché così, oltre alla mostra, ci divertiamo a scoprire le belle città d'Italia. Per esempio qui a Venezia veniamo spesso.
Alessia:	Avete già visto altre mostre qui a Venezia?
Quarta turista:	Qui a Venezia quella sui Fenici. Avrei voluto vedere anche la mostra sui Celti, alcuni anni fa. Io ci sarei andata, ma c'erano quelle lunghissime file d'attesa. Ora quel caos non c'è più perché è possibile prenotare ....
Alessia:	E in generale, quali altre mostre avete visitato?
Seconda turista:	A Napoli quella sull'arte barocca e a Roma quella ~~mostra~~ *indimenticabile* mostra sul Caravaggio. Che bella quella mostra!
Alessia:	Sì, me l'hanno detto. E poi Roma è sempre bellissima in tutte le ....
Primo turista:	Infatti. Noi saremmo stati anche volentieri un po' di più nella città, ma abbiamo guardato quei quadri per ore. Quegli organizzatori sono proprio bravi!

3 🎧 1.16 🔍 **Mettiamo a fuoco**

Ascoltate e leggete di nuovo l'intervista di Alessia. Poi sottolineate tutte le forme nuove dei verbi e completate la tabella nella pagina accanto.

Grammatica attiva

Condizionale passato o composto

(io)	avrei	visto		....	stato/a
(tu)	....	....	saresti	....	
(lui/lei/Lei)	avrebbe	visto		....	....
(noi)	....	visto	saremmo	stati/e	
(voi)	....	....	sareste	stati/e	
(loro)	avrebbero	visto		....	stati/e

Il condizionale passato si forma con il condizionale semplice dei verbi

.... *o*

....

e con il participio passato.

Nell'intervista i turisti usano il condizionale passato *per* ....

4 Ora tocca a voi!

A coppie: parlate dei vostri rimpianti, cioè delle cose che avreste fatto volentieri nel passato, ma non vi è stato possibile.

Domande utili:	Risposte:	Perché non è stato possibile?
Quale sport avresti/avrebbe fatto?	....	ma ....
Quale strumento musicale avresti/avrebbe studiato?	....	ma ....
Dove saresti/sarebbe andato/a volentieri in vacanza?	....	ma ....
Quale lingua avresti/avrebbe imparato?	....	ma ....
In quale città avresti/avrebbe voluto vivere?	....	ma ....

5 Al posto suo...

proprio = really

A coppie: uno di voi sceglie di essere uno di questi personaggi famosi e l'altro lo intervista e gli chiede se avrebbe fatto qualcosa di diverso nella sua vita. Poi scambiatevi i ruoli.

Che Guevara   **Mahatma Gandi**   **Marilyn Monroe**

Papa Giovanni Paolo II   **Giulio Cesare**

D

1 🎧 1.17 È proprio un bel film!

Ascoltate queste frasi che esprimono apprezzamenti positivi e completate.

Quel .... è speciale, è proprio un bel film .... !

Quella .... è stata organizzata benissimo, è proprio una bella .... !

Quell' .... è stupendo, è proprio un bell' .... !

Quell' .... è geniale, è proprio una bell' .... !

Quei .... sono molto interessanti, sono proprio dei bei .... !

Quegli .... mi piacciono molto, sono proprio dei begli .... !

Quelle .... sono uniche, sono proprio delle belle .... !

2 🎧1.17 🔍 **Mettiamo a fuoco**

Ascoltate e leggete di nuovo gli apprezzamenti in D1. A coppie: notate le forme degli aggettivi **quello** *e* **bello** *davanti ai nomi e cercate di capire perché la loro forma cambia. Poi fate l'esercizio.*

Esercizio: *Completate con le parole adatte e le forme corrette di* **bello**.

1. Quei ...*tavolini di*... Luigi XV sono proprio dei ...*bei tavolini*...!   anfora
2. Quella *collana* .... di perle è proprio una *bellezza bella collana* armadio
3. Quel *armadio*....... in stile rococò è proprio un *bel armadio*!   collana
4. Quell' .... Biedermeier è proprio un ....!   mobile
5. Quegli .... neoclassici sono proprio dei ....!   orecchini
6. Quelle .... sono proprio delle ....!   tavolini
7. Quell' .... romana è proprio una ....!   tazzine

E

1 📖 **Che problema il carovita!**

A coppie: leggete e mettete in ordine i paragrafi per ricostruire l'articolo.

Dal 2001 aumenti record per i pensionati (+37,7%)

[Adattato da *La nuova Venezia*, 21/03/2004]

[1]   Un aumento tra il 2001 e il 2004 del 21,5% per gli impiegati, del 19% per le casalinghe, di oltre il 25% per gli studenti e di ben il 37,7%, il più alto, per i pensionati. Questa, secondo il Codacons, la variazione della spesa.

☐   Impiegato. Colazione, giornale, pranzo in orario d'ufficio, benzina e cena in pizzeria costano circa 40 euro. Tre anni fa, le stesse spese erano di 63 mila vecchie lire (circa 32 euro). **L'aumento è del 21,5%.**

☐   Casalinga. In tre anni la spesa di una madre di famiglia (colazione per 4 persone, merenda per i figli, spesa al mercato, parrucchiere, rivista, cena per quattro) è passata da 135 mila lire (circa 69 euro) a 83,50 euro, con un **incremento** del 19,64%.

☐   L'associazione Codacons ha disegnato una giornata tipo per casalinghe, impiegati, pensionati e studenti, con gli acquisti che ognuna delle quattro categorie fa più spesso. Ecco le percentuali degli aumenti dalla più bassa alla più alta.

☐   Studente. La paghetta rischia di non bastare, se alla spesa per l'autobus, la merenda e il cinema si aggiungono troppi sms o un extra. Tre anni fa uno studente pagava circa 37.200 lire (19 euro). Nel 2004 **la spesa è però salita** a 24,10 euro (+25,4%).

☐   Pensionato. Le cose non vanno affatto meglio per i pensionati. Tra l'acquisto di un quotidiano, una giocata al Lotto e qualche regalo ai nipoti, la spesa quotidiana arriva a 11,68 euro, il 37,7% in più rispetto alle 16 mila lire (circa 8 euro) del 2001. Anche in questo caso, la spesa non avrebbe dovuto superare i 9 euro.

2 📖 **Le parole chiave**

Leggete ancora l'articolo e trovate le risposte.

1. Le parole evidenziate in **neretto** significano:
   ☐ che la spesa cambia
   ☐ che la spesa è sempre uguale
   ☐ che la spesa costa di più

2. Qual è il sinonimo di **ogni giorno** nell'articolo?
   ....

3. Qual è il sinonimo di **essere abbastanza**?
   ....

3 **Cosa dicono?**

Rileggete l'articolo, guardate le immagini e completate le frasi.

4 ☐ 1.18 ☐ **Mettiamo a fuoco**

Ascoltate le frasi, confrontatele con le vostre soluzioni in E3. Poi completate la tabella.

Espressioni idiomatiche

Ritrovate nei testi due esclamazioni per esprimere sorpresa e completate:

.... La benzina ha un altro aumento!

.... Il biglietto del cinema è salito a 7 euro!

5 **Ora tocca a voi!**

A coppie uno di voi sceglie di essere uno dei personaggi descritti nella tabella e l'altro il negoziante. Preparate delle scenette in cui contrattate il prezzo e presentatele alla classe.

Cliente	Limite di spesa	Cosa vorrebbe comprare?
Manuela	330 €	2 giacche, 2 paia di pantaloni, un paio di scarpe
Filippo	45 €	Un paio di scarpe
Ilaria	175 €	Una camicia, una giacca, un paio di pantaloni

GRANDE OFFERTA

CAMICIE 55 €
GIACCHE 93 €
PANTALONI 47 €

Unità **3**

F

1 🎧 1.19 **Posso farle qualche domanda?**

Alessia continua il suo giro per Venezia e fa altre due interviste. Ascoltate e scegliete la risposta giusta.

1. Un giro in gondola costa   ☐ 30/35 euro   ☐ 60/70 euro   ☐ 70/80 euro

2. Il prezzo di un giro in gondola si può trattare   ☐ un po'   ☐ molto   ☐ per niente

3. La coppia di turisti ha comprato   ☐ una maschera e piatti colorati   ☐ piatti colorati e bicchieri   ☐ una maschera e dei bicchieri

2 🎧 1.19 **Quanto costa?**

Ascoltate di nuovo le interviste di Alessia e completate.

Alessia:	Buongiorno. Posso farle qualche domanda?
Gondoliere:	Certo. ⟨Me le⟩ può fare quante ne vuole.
Alessia:	Quanti turisti ha accompagnato oggi?
Gondoliere:	30/35 più o meno.
Alessia:	Quanto costa un giro in gondola?
Gondoliere:	70 euro per un'ora.
Alessia:	Non fa mai un po' di sconto?
Gondoliere:	Beh, ⟨me lo⟩ chiedono sempre. Un po' possiamo trattare ma non scendo mai sotto i 60 euro.
Alessia:	Grazie, arrivederci.

Poco dopo...

Alessia:	Buongiorno. Che belli questi souvenir! Sono tutti per voi?
Signora:	No, non tutti. La maschera è per mia sorella, ⟨gliela⟩ regalo per il suo compleanno che è la settimana prossima.
Alessia:	E questi bicchieri colorati?
Signore:	No, questi sono per noi. Ne abbiamo già molti, ma sa... noi abbiamo spesso ospiti a casa e i bicchieri servono sempre.
Signora:	Diciamo la verità, ogni volta che li laviamo ne rompiamo uno e per questo non bastano mai.

3 🎧 1.19 🔍 **Mettiamo a fuoco**

Ascoltate ancora e completate.

Grammatica attiva	**Strutture idiomatiche**
I pronomi personali atoni combinati (1)	*Completate.*
Chiedi a me lo sconto. → Me lo chiedi.	Perché i due turisti comprano dei bicchieri?
Do a te un penna. → Te ⟨la⟩ do.	I bicchieri .... sempre.
Regalo a mia sorella una penna. → Gliela regalo.	I bicchieri non .... mai,
Regalo a mio padre dei CD. → ⟨glieli⟩ regalo.	perché si rompono spesso.
Dite a noi la verità. → Ce ⟨la⟩ dite.	*Come si dice nella vostra lingua?*
Spediamo a voi due cartoline. → ⟨ve le⟩ spediamo.	....
Loro prestano 10 euro ai ragazzi. → Glieli prestano.	....
Uso di ne con i pronomi personali indiretti:	*Notate la differenza:*
Faccio a te qualche domanda. → Te ⟨ne⟩ faccio tre.	Il denaro serve. Il denaro non basta mai.
Regaliamo a loro due bicchieri. → Gliene regaliamo due.	I soldi servono. I soldi non bastano mai.

Esercizio: *Completate con* **serve/servono** *oppure* **basta/bastano.**

Organizziamo una cena per otto persone. Abbiamo solo 4 piatti, 7 set di posate e 5 di bicchieri.

Ci .... 4 piatti in più e 3 set di bicchieri. Ci .... anche un set di posate. Anche le sedie

non .... : ne abbiamo solo 6; ce ne .... 2 in più. Ora pensiamo alle bevande: l'acqua

minerale c'è, ne abbiamo tanta! Ma dobbiamo pensare al vino: ne abbiamo solo 3 bottiglie e non .... :

ce ne .... una ogni due persone.

4 Ora tocca a voi!

Pensate a un regalo che fareste agli altri studenti della classe. Parlatene con un compagno e poi riferite alla classe
che cosa regalate, a chi e perché, seguendo il modello.

Regalo un orologio a John. Glielo regalo perché arriva sempre in ritardo.

Scambio di idee:

A. A coppie: leggete questi annunci e decidete quale mostra vi piacerebbe visitare.

B. ✐ *In gruppo: riferite alla classe la vostra scelta e fate una sintesi seguendo le domande guida.*

- Qual è il museo scelto dalla maggioranza?
- Quali sono le ragioni della scelta?

C. Come sono i prezzi dei biglietti per le mostre nel vostro paese? Più cari o più economici?

G

1 🎧 1.20 Doppie consonanti e rafforzamento sintattico

Ricordate? La doppia consonante si pronuncia in italiano rafforzando o allungando la sua pronuncia. Inoltre ci sono
alcune combinazioni di parole in cui si rafforza la consonante all'inizio della seconda parola anche se nella grafia
non si vede. Ascoltate e ripetete questi esempi.

A Venezia, c'è una mostra!   Che bella la mostra!   Va bene, ci andiamo!   Ma che prezzi!

2 🎧 1.21 Il proverbio del giorno

Gli italiani del Nord Italia normalmente non rafforzano la pronuncia delle doppie. Ascoltate il proverbio e le frasi di
G1 in veneto.

Padovani gran dottori, veneziani gran signori, vicentini mangia gatti, veronesi tutti matti.

Sono famosi

Dedicato alla pittura italiana

Il canto ....

La .... di Venere

La .... di S.Romano

Natura morta con .... e bicchieri

Scegliete le parole qui sotto per completare i titoli dei dipinti.

d'amore   battaglia   nascita   bottiglia

Poi leggete le descrizioni e a coppie collegatele al loro quadro. Scoprirete così anche l'autore. Potete confrontare le vostre risposte a pagina 216.

Questo quadro rappresenta la testimonianza maggiore dell'arte di Paolo Uccello. Sullo sfondo di un paesaggio ancora medievale si può vedere il disarcionamento di un cavaliere mentre in primo piano osserviamo guerrieri armati di lance e cavalli nelle pose più diverse. L'atmosfera e i colori fantastici creano un gioco irreale che incanterà i Surrealisti.

In questo quadro di Giorgio Morandi gli oggetti sono pochi e semplicissimi, e i colori tenui. Ne risulta evidenziata la forma geometrica, pura e fondamentale, che assume un significato assoluto.

Nel quadro di Sandro Botticelli, uno dei maggiori artisti del Rinascimento, osserviamo una dea che esce dal mare sostenuta da una conchiglia e sospinta dal vento fecondatore di Zefiro. Qui la dea rappresenta l'unione delle due nature, il cielo e la terra.

Il quadro ha un fascino misterioso, perché si presenta come un enigma la cui soluzione non potrà mai essere trovata. Sul fianco di un edificio vediamo una testa enorme, parte di una statua classica, e un guanto da chirurgo; a terra c'è un'enorme palla verde. Il quadro è il più surrealista di Giorgio De Chirico e ha determinato la conversione a questo stile pittorico di René Magritte.

Eventi veneziani

Eventi culturali come la **Biennale**, la **Mostra del Cinema**, o anche il famoso **Carnevale veneziano** fanno parte del carattere di Venezia.

Ricco di storia e di **suggestione**, il carnevale ha risvegliato l'interesse dei veneziani e dei molti turisti grazie al cocktail di trasgressione*, arte, storia e cultura che **è in grado di** offrire in una città unica al mondo.

Durante i giorni di carnevale, Venezia è un **fiorire** di spettacoli, da quelli **improvvisati** dei numerosi artisti di strada, a quelli pianificati* dagli organizzatori.

La Biennale di Venezia è un organismo* **non-profit** sostenuto* dallo Stato italiano. È nata come società di cultura nel 1895. Il nome di Biennale deriva dalla cadenza* biennale in cui si svolge e più precisamente ad ogni anno **dispari**. Organizza esposizioni d'arte varia, musica, cinema, teatro, danza e architettura.

Nel 1932 si è tenuta, per la prima volta, all'interno della Biennale la famosa "Mostra internazionale del Cinema".

Il premio principale che viene assegnato è il "Leone d'Oro", che deve il suo nome al simbolo della città (il leone della Basilica di San Marco). Questo riconoscimento è considerato uno dei più importanti dalla critica cinematografica internazionale.

Unità 3

---

1. *Scrivete le parole e le espressioni in* **neretto** *vicino al loro significato corretto.*

.... senza guadagno

.... grande bellezza e fascino

.... nascere

.... numero che non si può dividere per due

.... è capace di…

.... fatti all'ultimo momento

2. *E nel vostro Paese? Si festeggia il carnevale? In che modo? Parlatene in classe, poi scrivete un breve articolo su questo tema.*

3. *Che cosa significa secondo voi il proverbio* "A Carnevale ogni scherzo vale"?

Curiosità

I souvenir più venduti a Venezia. I milioni di turisti di tutto il mondo che visitano Venezia si portano sempre a casa un piccolo souvenir, spesso abbastanza costoso e non sempre bellissimo. Ecco alcuni esempi:

La palla di neve. È una palla di vetro con dentro una piccola gondola o il ponte di Rialto; se la rovesciate, come per magia, si riempie di neve che la rende più "suggestiva" agli occhi di molti turisti.

La gondolina. Pezzo di plastica nera e dorata a forma di gondola. Sopra la gondola c'è il gondoliere e all'interno una coppia di innamorati. Appena sotto c'è la scritta dorata "Venezia".

La maschera. C'è quella a forma di sole, di luna o di farfalla, ma il viso bianco resta il classico. Perché la maschera? Ovviamente perché ricorda il carnevale. Si appende al muro o, se è troppo brutta, si regala alla mamma o alla suocera.

Vocabolario: <u>cadenza</u>: ritmo; <u>trasgressione</u> (f.): non rispettare le regole; <u>organismo</u>: società, istituzione; <u>pianificato</u>: programmato; <u>sostenuto</u>: aiutato.

Chissà come sarà?

A

1 Che cosa hanno in comune?

A coppie: osservate le immagini e decidete che cosa hanno in comune.

2 🎧 1.22 A ogni problema la sua soluzione

Ascoltate i 4 mini dialoghi, scrivete per ognuno che cosa desidera fare chi parla e poi associatelo all'immagine corrispondente.

Dialogo 1 ☐ ....

Dialogo 3 ☐ ....

Dialogo 2 ☐ ....

Dialogo 4 ☐ ....

3 Che cosa posso fare in banca?

A coppie: leggete e segnate con una crocetta quali operazioni si possono fare in banca secondo voi.

☐ aprire o chiudere un conto corrente

☐ depositare soldi nel libretto di risparmio

☐ comprare un biglietto del treno

☐ comprare una casa

☐ fare un bonifico, ad esempio per pagare l'affitto

☐ cambiare un assegno

☐ comprare una macchina fotografica

☐ spedire una lettera

☐ chiedere un mutuo

☐ scrivere una e-mail

☐ ricaricare il cellulare

☐ spedire un fax

4 🎧 1.23 Una vita piena di clic?

A coppie: ascoltate l'intervista di Alessia e rispondete alle domande.

1. Quale dei tre intervistati è veramente entusiasta di Internet?
   ☐ La signora   ☐ Il primo signore   ☐ Il secondo signore

2. Quale dei tre è veramente contrario?
   ☐ La signora   ☐ Il primo signore   ☐ Il secondo signore

3. Quale dei tre compra anche prodotti elettronici o libri su Internet?
   ☐ La signora   ☐ Il primo signore   ☐ Il secondo signore

4. Chi ha paura di mettere online i dati della sua carta di credito? Che espressione usa per dire che ha paura?
   ....

5. Chi trova utile Internet per cercare informazioni e comunicare via e-mail, ma vede anche qualche problema nell'uso eccessivo di Internet? Quali sono gli aspetti negativi che evidenzia?
   ....

5 📖 Vinci in diretta

A coppie: leggete una prima volta tutta la pubblicità e rispondete alle domande. Poi rileggete ancora e sottolineate le parole che non conoscete.
Poi parlatene in classe.

1. A che cosa fa pubblicità questo testo?
   ....

2. Quali sono i vantaggi che offre?
   ....

3. Che cosa bisogna fare per vincere i premi?
   ....

> **IN BANCA SENZA FARE LA CODA?**
> **RISPARMIANDO TEMPO E LE SPESE DEL CONTO?**
> **CON TANTI BEI PREMI? DA OGGI È POSSIBILE!**
>
> **Non sei ancora titolare di un contratto di Banca Diretta?**
> Sottoscrivi oggi stesso il tuo contratto con noi: la tua banca sarà sempre aperta e a tua disposizione, con un clic sul tuo PC, un SMS o una telefonata. E inoltre potrai partecipare al
>
> **GRANDE CONCORSO VINCI IN DIRETTA.**
>
> Come? È semplicissimo: ti basta effettuare
> *ENTRO IL MESE DI APERTURA DEL CONTO CORRENTE*
> almeno un'operazione dispositiva (come il bonifico, la ricarica del cellulare, il pagamento delle bollette, ecc.)
> e potrai partecipare all'estrazione di tanti premi.

6 Ora tocca a voi!

A coppie: scegliete due di queste situazioni, preparate dei mini dialoghi e poi interpretateli in classe. A turno uno di voi è l'impiegato di banca e l'altro è il cliente.

1. Avete una piccola somma in contanti che volete mettere in banca.

2. Avete ricevuto un assegno e desiderate incassare i soldi in contanti.

3. Vi dovete stabilire in Italia e avete bisogno di un conto corrente.

4. Volete più informazioni sul contratto di Banca Diretta.

B

1 🎧1.24 **Università: la scelta dopo il liceo**

Ascoltate l'intervista di Alessia ad alcuni studenti di liceo.

Riconoscete le parole che riguardano la scelta della facoltà e del corso di laurea?

Continuate la lista qui sotto.

Facoltà, corso di laurea, ...
....
....
....

Otto indirizzi di studio al liceo*	
- artistico	- musicale
- classico	- scientifico
- economico	- tecnologico
- linguistico	- pedagogico

* Il liceo in Italia è di 5 anni (dai 14 ai 18 anni) e si chiude con l'Esame di Stato (Maturità) che dà accesso agli studi universitari.

2 🎧1.24 🔍 **Mettiamo a fuoco**

Nell'intervista ci sono alcuni verbi nelle forme del futuro: sottolineateli. Poi completate la tabella.

Alessia: Michela, tu che tipo di liceo frequenti?

Michela: Sto frequentando l'ultimo anno del liceo scientifico.

Alessia: E sai già che cosa sceglierai di studiare dopo la maturità?

Michela: Mah, io quasi quasi… prima di andare all'università mi prendo un anno e vado in giro per il mondo, magari lavoro come cameriera. Chissà? Insomma, qualcosa farò per guadagnarmi da vivere. E poi sceglierò certamente una facoltà scientifica, come Biologia o Chimica. Sono le materie che mi interessano di più.

Alessia: Sarai molto impegnata, immagino. Ci saranno anche molte ore di laboratorio.

Michela: Sì, ma credo che starò tranquilla, seguirò le lezioni, studierò e cercherò di superare subito gli esami, come fanno tutti, no?

Alessia: E tu Cristina dopo il liceo classico, che cosa studierai?

Cristina: Studierò Medicina. So che sarà una strada un po' lunga. Infatti dopo la laurea avrò ancora la specializzazione da fare.

Alessia: Cioè? Cosa farai?

Cristina: Non lo so ancora. Alla fine tutti gli studenti sceglieranno di frequentare due reparti in ospedale, per esempio Medicina generale e Radiologia e solo dopo questa esperienza seguiranno gli anni di specializzazione.

Alessia: E voi? Cosa studierete?

Andrea: Dopo il liceo linguistico per me è logico scegliere il corso di laurea in lingue straniere.

Antonio: Io invece, dopo il liceo pedagogico, studierò Scienze dell'Educazione. Se poi dopo la laurea avremo voglia di restare all'università e, se saremo fortunati, studieremo per il dottorato. Oppure andremo subito a lavorare, vedremo.

Grammatica attiva

Il Futuro semplice: *essere, avere e le forme regolari*

(io)	sarò	avrò	studierò	scegli	segu	*La vocale tipica per il*
(tu)	sarai	avrai	studierai	scegli	seguirai	*futuro regolare dei verbi*
(lei/lui/Lei)	sarà	avrà	studierà	sceglierà	seguirà	*in* -ire *è la* -i.
(noi)	saremo	avremo	studieremo	sceglieremo	seguiremo	*Per quelli in* -are
(voi)	sarete	avrete	studierete	sceglierete	seguirete	*e* -ere *è la* ....
(loro)	saranno	avranno	studieranno	scegli.........	segu	
Infinito:	....	....	.... are	.... ere	.... ire	

Grammatica attiva

Il futuro semplice: *alcune forme irregolari*

Completate sfruttando le analogie.

	fare	dare	volere	venire	andare
(io)	farò	*darò*	vorrò	*verrò*	andrò
(tu)	*farai*	darai	*vorrai*	verrai	*andrai*
(lei/lui/Lei)	farà	*darà*	vorrà	*verrà*	andrà
(noi)	*faremo*	daremo	*vorremo*	verremo	*andremo*
(voi)	farete	*darete*	vorrete	*verrete*	andrete
(loro)	*faranno*	daranno	*vorranno*	verranno	*andranno*

Si forma come fare e dare *anche* stare:
starò, starai, ecc.
e come avere *si formano anche* potere e dovere:
potrò, potrai, ecc.
e come venire *anche* rimanere: rimarrò, ecc.

Esercizio: Che facoltà sceglierà? Che cosa sarà da grande?

A coppie: leggete le informazioni e collegatele alla facoltà e alla professione.

Michela sceglierà Biologia e da grande sarà una biologa.

Michela ama studiare la natura	Scienze dell'Educazione	una dottoressa
Bruno si interessa di computer	Biologia —————————	una biologa
Cristina vuole aiutare i malati	Medicina e Chirurgia	un informatico
Lidia vorrebbe costruire case	Lingue straniere	un architetto
A Pino piacciono le lingue straniere	Scienze Informatiche	un traduttore
Antonio ama i bambini	Architettura	un insegnante

C

1 🎧 1.25 **Di chi stanno parlando?**

Il futuro serve a parlare di programmi per il futuro, ma anche a formulare ipotesi. A coppie: ascoltate e collegate le immagini ai mini dialoghi.

1. ☐
- Non lo conosco bene. Quanti anni avrà? Ne avrà 35?
- Quasi! Ne ha 36!

2. ☐
- Che bella bambina! Cosa farà da grande?
- Chissà? Forse farà la pittrice.

3. ☐
- Chi sarà a quest'ora?
- Non lo so, apri! Sarà la zia Fernanda.

4. ☐
- Quel ragazzo è sempre in giro, ma dove saranno i suoi genitori?
- Che ti importa? Non sono affari tuoi!

2 Che tipo sarà?

A coppie: parlate di uno dei personaggi di C1 e fate delle ipotesi sulla sua vita presente.

Poi immaginate anche come sarà il suo futuro e infine riferite tutto alla classe.

- *Ipotesi sul presente:* Quanti anni avrà? Quale sarà la sua occupazione? Come sarà la sua famiglia?
- *Previsioni sul futuro:* Che cosa farà? Dove passerà le vacanze? Avrà un'esperienza importante?

3 ✏️ 🔍 Espressioni idiomatiche

A coppie: ascoltate di nuovo i dialoghi in A4 e in B1 e fate attenzione a queste espressioni idiomatiche.
Cercate di capire il loro significato, aiutandovi con il contesto e con l'intonazione. Poi scrivete sotto come si dice nella vostra lingua.

🎧 1.23

Non mi interessano proprio.

....

Non mi fido.

....

Non se ne parla neanche.

....

È un punto di vista interessante.

....

Io sono un po' all'antica.

....

🎧 1.24

Quasi quasi... mi prendo un anno e vado in giro.

....

Magari lavoro come cameriera. Chissà?

....

Insomma, qualcosa farò.

....

Cioè?

....

Infatti: dopo la laurea, avrò ancora la specializzazione.

....

D

1 📖 Traffico in città: problemi e soluzioni

A coppie: leggete le informazioni sull'iniziativa per limitare il traffico a Bologna. Poi associate le risposte che trovate di seguito alle domande corrispondenti.

www.turistipercaso.it/viaggi/forum

A voi la parola!

Dal 28 febbraio 2005 è attivo nel centro storico di Bologna il vigile elettronico sperimentale, *Sirio*, il sistema di telecontrollo di alcune vie principali della *Zona a Traffico Limitato*, che dovrebbe controllare e fare la multa alle auto non autorizzate che entrano, diminuendo così traffico e smog. Ma il dibattito è aperto fra i cittadini. Bolognesi e non, dite la vostra!

1. *Sirio* può essere un punto di partenza per tutelare meglio i centri storici delle nostre città? O vi sembra una limitazione?
2. Quali saranno i problemi del traffico limitato?
3. Qual è secondo voi una possibile soluzione al problema del traffico?

Fiorella: Anch'io sono favorevole al blocco del traffico nei centri storici. Poi però mi chiedo: che cosa useremo al posto delle macchine? Bisogna fare qualcosa. Non si può mettere in città il vigile elettronico senza aumentare mezzi pubblici o parcheggi. Non è così? Non sono di Bologna, ma spero che il Comune lo farà.

Carlo: Ma i parcheggi per lasciare l'auto ed andare in centro con l'autobus ci sono! Purtroppo è la testa degli italiani che non funziona.

Fiorella e Carlo rispondono alla domanda numero ....

Marco: Sono favorevolissimo a *Sirio*: migliorerà certamente la vita di chi vive in centro ma non diminuirà certo l'inquinamento.

Luciano: Io sono assolutamente contrario. Chi ha un negozio in centro lamenta le maggiori difficoltà di accesso per possibili clienti. Quanti sono i negozi che chiuderanno?

Marco e Luciano rispondono alla domanda numero ....

Elena: Basta scherzare, qui il problema è serio. C'è urgenza di una rete metropolitana sotterranea per muoversi dal centro verso la periferia e l'hinterland. Siete mai stati in Germania? Lì esiste la metropolitana anche nelle piccole città. Ho abitato a Milano e a Londra e non ho mai sentito la mancanza della macchina, mi sono sempre spostata in metro. Qua a Bologna è assurdo muoversi con autobus strapieni. Poi: che bello d'inverno stare mezz'ora, alle 20, ad aspettare l'autobus al freddo! Vero?!!

Rebecca: Con la metro si entra nel sottosuolo e si è sempre al coperto. La metro non inquina l'aria: è sottoterra. Però a Bologna parlare di metropolitana dà fastidio, a causa dei costi. Trovate questi soldi, ma per una metropolitana vera, non per un tram, che è un'idea idiota. Non vi pare?

Elena e Rebecca rispondono alla domanda numero ....

2 📖 Pro e contro

A coppie: leggete ancora le risposte e rispondete alle domande. Poi confrontatevi con la classe.

1. Marco è favorevole o contrario a *Sirio*? E Luciano?
2. Cosa propone Fiorella al posto delle macchine nel centro storico?
3. Cosa propone invece Elena?
4. Perché è difficile costruire la metropolitana a Bologna secondo Rebecca?

3 ✏️ 🔍 Mettiamo a fuoco

Lavorate a coppie.

Vocabolario: *Collegate ogni espressione a quella di significato simile.*

vigili urbani	limitato	essere favorevole a	essere contrario a

dare fastidio a	inquinamento	lamentare	al coperto

1. essere d'accordo ....
2. polizia della città ....
3. esprimere un problema ....
4. al chiuso ....

5. non essere d'accordo ....
6. molto meno ....
7. contaminazione ecologica ....
8. disturbare ....

Frasi: *Cercate nei testi, completate se necessario e verificate se capite queste frasi.*

Spiegare i fatti/problemi	Chiedere conferma
Non si può	*Sirio* può essere ....
È assurdo	Vero?
Purtroppo	Non è .... ?
C'è urgenza di	Non vi .... ?
Basta	Non siete d'accordo?

Parole e frasi: *Collegate ogni affermazione al problema con la preposizione di e l'articolo giusto.*

traffico	mezzi pubblici	casa	tasse	parchi in città

1. È assurdo stare tutto questo tempo fermi al semaforo!   Problema del traffico. ....
2. Per una giovane coppia è difficilissimo trovare una casa! ....
3. C'è urgenza di costruire nuovi spazi verdi! ....
4. Non si può viaggiare su autobus così sporchi! ....
5. Basta pagare tutti questi soldi al Comune! ....

4 ✏️ Ora tocca a voi!

Preparate la vostra risposta scritta a una delle domande in D1. Fate un confronto con la situazione del traffico nella vostra città. Raccogliete gli indirizzi e-mail dei vostri compagni e spedite il vostro contributo al dibattito.

E

1 🎧 1.26 **Che cosa si mangia?**

Ascoltate Alessia e rispondete alle domande.

1. In quale città si mangia di più, Bologna, Venezia o Roma?   ....

2. Come si condiscono generalmente le tagliatelle?   ....

3. Quando si mangiano i tortellini?   ....

4. Che cosa si beve a Bologna?   ....

5. Com'è la cucina bolognese?   ....

2 🎧 1.26 🔍 **Mettiamo a fuoco**

Ascoltate di nuovo, leggete e controllate le vostre risposte. Poi sottolineate i verbi che accompagnano la particella si. Che cosa notate? Parlatene con un compagno e completate la tabella.

"A Bologna si mangia in un anno quello che a Venezia si mangia in due, a Roma in tre, e quanto basta per cinque anni ai torinesi e per venti ai genovesi." Così scriveva Ippolito Nievo di una città, Bologna, che è celebrata sin dall'antichità per l'abbondanza e la varietà della sua tradizione gastronomica. A partire dalle tagliatelle che, nella ricetta classica, si condiscono con ragù di carne o con prosciutto, ma si accompagnano anche con sughi a base di pomodoro, oppure con verdure, funghi, scaglie di tartufo e perfino pesce. O che dire dei tortellini che, in brodo o alla panna, rendono più allegre le domeniche e le feste dei bolognesi? Ma cosa si beve? Un buon Lambrusco, che è particolarmente adatto a "sciogliere" i grassi della cucina emiliana. Niente di più necessario. La cucina di Bologna, insomma, è come i suoi abitanti: generosa, esagerata, robusta, dai sapori forti e genuini.

Grammatica attiva

Si + verbo è la struttura che si usa per l'espressione impersonale, cioè per dire in generale l'azione senza individuare un soggetto preciso. Ma attenzione alla forma del verbo! Completate voi la regola.

si + verbo alla 3a pers. singolare   *se l'oggetto è .... oppure se non c'è un oggetto.*

si + verbo alla 3a pers. plurale   *se l'oggetto è ....*

Esercizio: mangiare e bere.

Completate con la struttura si + verbo.
Fate attenzione al numero!

1. In Italia .... il vino buono.
2. Per Natale .... i tortellini.
3. A Bologna .... molto bene.
4. Il vino .... anche in molti bar.
5. Gli spaghetti non .... solo a Napoli.
6. In Italia .... molti cappuccini, la mattina.
7. La polenta .... molto di più al nord.
8. Le tagliatelle .... con il ragù.

Scrivere per parlare

Se avete svolto tutte le attività della sezione D, potete dire che ormai conoscete alcune espressioni utili in italiano per esprimere la vostra opinione. Forse però, nella realtà avete bisogno di fare ancora molto esercizio per partecipare alle discussioni in italiano. Per diventare più sicuri, fate esercizio: scegliete un tema, preparatevi alcune frasi scrivendo. Poi, però, mettete via il foglio e provate a dirle a voce senza leggerle. Organizzatevi a coppie, oppure registrate la vostra voce per controllarvi.

3 Ora tocca a voi!

A coppie: scambiatevi informazioni sui vostri paesi, o le vostre regioni, o su un altro paese che solo uno di voi conosce bene. Poi riferite alla classe.

- Che cosa si mangia? Che cosa si beve? Che cosa si fa durante le feste? Che cosa si fa la sera?

F

1 Che cosa ha fatto Cristina?

Cristina lavora a Genova. Oggi è andata a Modena con un collega per lavoro.
A coppie: provate a descrivere le immagini e a metterle nell'ordine più probabile.

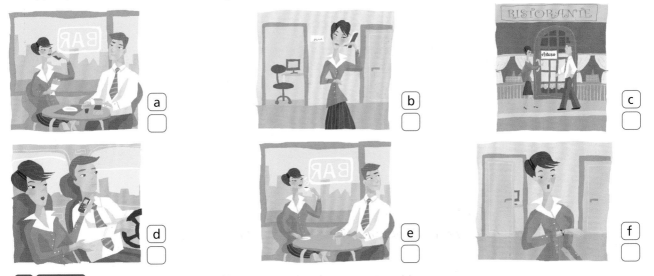

2 🎧 1.27 Volevo fare di più, ma…

Di nuovo a casa, Cristina parla con il marito. Ascoltate, mettete in ordine le immagini e rispondete.

1. Che cosa ha dovuto fare Cristina questa mattina?
....

2. Che cosa non ha potuto fare?
....

3. A che ora doveva finire di lavorare e a che ora ha finito in realtà?
....

4. Che cosa poteva fare, visto che non guidava lei?
....

5. Che cosa ha voluto anche mangiare?
....

> **Verbi modali:**
> imperfetto o passato prossimo?
> *Quando, con i verbi modali, usiamo*
> - *il passato prossimo →* **siamo**
>   **sicuri** *che l'azione è successa*
>   *o* **non** *è successa.*
> - *l'imperfetto →* **non siamo**
>   **sicuri** *se l'azione è successa e*
>   *dobbiamo sempre completare*
>   *la frase per capire bene.*

Scambio di idee: La vita tutta online

A piccoli gruppi discutete su queste domande. Poi riferite alla classe.
- Cosa farà su Internet la maggior parte delle persone dei Paesi più tecnologizzati fra 20/30 anni?
- Quali sono secondo voi gli aspetti positivi e quelli negativi di questo sviluppo?

G

1 🎧 1.28 S sorda /s/ o sonora /z/?

Ascoltate e indicate quale di queste tre frasi ha solo /s/ sorde.

1. Sai una cosa? Sono senza soldi svizzeri.
2. Solo quella scritta rossa in svedese è tutta sbagliata.
3. Il sole splende sotto Savona.

> **S all'inizio di parola**
> - davanti a vocale → sorda /s/
> - davanti a -b, -d, -g,
>   -l, -m, -n, - v → sonora /z/

2 🎧 1.29 Lo scioglilingua

Provate a dire lo scioglilingua. Poi ascoltate e notate la pronuncia speciale delle S in bolognese.

Sereno è. Se non sarà sereno si rasserenerà.

Sono famosi

Bolognese e scrittore

Stefano Benni è nato a Bologna nel 1947.
Scrive racconti, romanzi, poesie, pezzi teatrali e pubblica
anche su alcuni quotidiani e settimanali italiani.

A coppie: leggete questo brano e provate a immaginare che tipo di scrittore è Stefano Benni. Di che cosa parlano i suoi romanzi? Qual è il suo stile?

Fratello Bancomat

BANCO DI SAN FRANCESCO. LO SPORTELLO È IN FUNZIONE. BUON GIORNO SIGNOR PIERO.

Buongiorno.

OPERAZIONI CONSENTITE: SALDO, PRELIEVO, LISTA MOVIMENTI.

Vorrei fare un prelievo.

DIGITARE IL NUMERO DI CODICE.

Ecco qua... sei, tre, tre, due, uno.

OPERAZIONE IN CORSO, ATTENDERE PREGO.

Attendo, grazie.

UN PO' DI PAZIENZA. IL COMPUTER CENTRALE CON QUESTO CALDO È LENTO COME UN IPPOPOTAMO.

Capisco.

AHI, AHI, SIGNOR PIERO, ANDIAMO MALE.

Cosa succede?

LEI HA GIÀ RITIRATO TUTTI I SOLDI A SUA DISPOSIZIONE QUESTO MESE.

Davvero?

INOLTRE IL SUO CONTO È IN ROSSO.

Lo sapevo...

E ALLORA PERCHÈ HA INSERITO LA TESSERA?

Mah... sa, nella disperazione... contavo magari in un suo sbaglio.

NOI NON SBAGLIAMO MAI, SIGNOR PIERO.

Mi scuso infinitamente. Ma sa, per me è un periodaccio.

È A CAUSA DI SUA MOGLIE, VERO?

Come fa a saperlo?

LA SIGNORA HA APPENA ESTINTO IL SUO CONTO.

Sì. Se n'è andata in un'altra città.

COL DOTTOR VANINI, VERO?

Come fa a sapere anche questo?

VANINI HA SPOSTATO METÀ DEL SUO CONTO SUL CONTO DI SUA MOGLIE. SCUSI SE MI PERMETTO.

Non si preoccupi, sapevo tutto. Povera Laura, che vita misera le ho fatto fare... Con lui invece...

BEH, SPECULANDO È FACILE FAR SOLDI.

Come fa a dire questo?

SO DISTINGUERE LE OPERAZIONI CHE MI PASSANO DENTRO. UN CONTO POCO PULITO, QUELLO DEL SIGNOR VANINI. PER LUI MI SONO COLLEGATO CON CERTI COMPUTER SVIZZERI CHE SONO DELLE VERE CENTRALI SEGRETE... CHE SCHIFO.

Comunque, ormai è fatta.

DI QUANTO HA BISOGNO SIGNOR PIERO?

Beh, tre o quattrocentomila lire. Per arrivare alla fine del mese.

POI LE RIMETTERÀ SUL CONTO?

Non so se sarò in grado.

EVVIVA LA SINCERITÀ, REINSERISCA LA TESSERA.

Procedo.

[...]

APRA LA BORSA E STIA ZITTO. ORA LE SPARO FUORI SEDICI MILIONI IN CONTANTI.

Oddio... ma cosa fa?... è incredibile... vada piano... mi volano via tutti... basta! ne bastavano meno... ancora? ma quanti sono? oddio, tutti biglietti da centomila, non stanno neanche più nella borsa... ancora uno! un altro... è finita?

LO SPORTELLO È PRONTO PER UNA NUOVA OPERAZIONE.

Io non so come ringraziarla.

LO SPORTELLO È PRONTO PER UNA NUOVA OPERAZIONE.

Insomma, sono commosso, capisce...

SE NE VADA. CI SONO DUE PERSONE ALLE SUE SPALLE E NON POSSO PIÙ PARLARE.

Capisco, grazie ancora.

BANCO DI SAN FRANCESCO.

LO SPORTELLO È PRONTO PER UNA NUOVA OPERAZIONE. BUON GIORNO SIGNORA MASINI. COME STA SUA FIGLIA?

[S. Benni, *L'ultima lacrima*, © Feltrinelli 1994]

A coppie: il racconto di Benni è stato un po' accorciato, provate voi a scrivere le battute che mancano dove ci sono le parentesi quadre [...].

A pagina 143, nella parte degli esercizi, troverete altre informazioni su Stefano Benni.

La dotta, la grassa, la rossa

Circondata dal verde dei colli*, all'ombra delle torri e sotto i portici nasconde innumerevoli bellezze come i suoi palazzi secolari*, le sue chiese antiche e i capolavori di celebri* artisti da Guercino a Guido Reni, dai Carracci a Morandi. Bellezze che Bologna svela a chi ha voglia di conoscerla, senza fretta, passeggiando per le sue vie. Soltanto così si può scoprire il segreto di quella strana magia che riesce a fondere* in modo naturale cultura e divertimento, efficienza e convivialità*, doti* uniche, difficili da trovare altrove*.

Bologna è stata descritta nel tempo con tre parole che ben la definiscono: la "dotta*", perché è sede dell'università più antica d'Europa, la "grassa", perché conserva una tradizione gastronomica così irresistibile* da farla apprezzare in tutto il mondo, e ancora la "rossa", per via del colore dei tetti e delle mura delle sue case che creano un ambiente accogliente in grado di mettere subito di buon umore. E se lo spirito goliardico di questa città finisce per conquistare* tutti, non lo fa di meno la qualità della vita che da queste parti è decisamente buona. A metà fra una grande città e una città di provincia, infatti, nel suo cuore storico Bologna offre ancora spazi a misura d'uomo che la rendono estremamente vivibile e godibile.

Unità 4

1. *A coppie: scegliete l'alternativa giusta. Poi sottolineate le parole o le frasi del testo su Bologna che vi hanno aiutato a scegliere.*

- Le bellezze di Bologna sono: ☐ i capolavori dei pittori ☐ le chiese antiche ☐ moltissime

- Bologna ☐ nasconde ☐ mostra piano piano ☐ fa vedere subito tutte le sue bellezze

- Il segreto del fascino di Bologna è dovuto a
  ☐ cultura e efficienza
  ☐ divertimento e convivialità
  ☐ una mescolanza di tutti questi elementi

- La qualità della vita a Bologna è ☐ alta ☐ bassa ☐ media

- Bologna è una città ☐ piccola ☐ media ☐ grande

2. *Rileggete la prima riga del testo e provate a disegnare l'immagine che avete di Bologna. Confrontate il vostro disegno con quello della classe.*

3. *Preparate una descrizione della vostra città, cercando di usare alcune frasi dal testo su Bologna.*

Curiosità

La forma particolare dei tortellini sarebbe stata ispirata da Venere, a immagine del suo ombelico perfetto. Ancora oggi i tortellini vengono modellati dalle mani agili delle "sfogline" (le signore che impastano e tirano la sfoglia), le uniche in grado di non superare mai la dimensione del vero tortellino bolognese, ovvero i 3 centimetri di lato. Un consiglio: non provate mai ad ordinare tortellini al ragù, il ristoratore potrebbe rispondervi un po' sorpreso che i tortellini si mangiano solo in brodo, al massimo con la panna, perché così vuole la tradizione.

Vocabolario: <u>altrove</u>: in un altro luogo; <u>celebre</u>: molto famoso; <u>colle</u> (m.): piccolo rilievo, piccola montagna; <u>conquistare</u>: (qui) guadagnare la simpatia, affascinare; <u>convivialità</u>: il saper stare bene insieme; <u>dote</u> (f.): (qui) qualità, caratteristica positiva; <u>dotta</u>: (agg.) che sa molte cose, che ha studiato molto; <u>fondere</u> (part. fuso): unire insieme in modo che non si vedano più due cose separate; <u>irresistibile</u>: che non si può rifiutare; <u>secolare</u>: di più secoli di età (un secolo = 100 anni).

Intervallo 2

A. 🎧 1.30 **Un dialogo autentico.** *Ascoltate questo dialogo in cui due colleghe, Paola e Giovanna, parlano in modo molto spontaneo. Riuscite a capirle? A pagina 204 trovate la trascrizione del dialogo.*

1. Giovanna deve...
- ☐ **a.** pagare la bolletta
- ☐ **b.** pagare il mutuo
- ☐ **c.** incassare un assegno

2. Giovanna paga il mutuo per...
- ☐ **a.** 10 anni
- ☐ **b.** 20 anni
- ☐ **c.** 30 anni

3. Il figlio di Paola studierà...
- ☐ **a.** giurisprudenza
- ☐ **b.** ingegneria
- ☐ **c.** medicina

4. Paola andrà in vacanza...
- ☐ **a.** in America
- ☐ **b.** al mare
- ☐ **c.** in montagna

5. Il figlio di Paola vorrebbe...
- ☐ **a.** un motorino
- ☐ **b.** una macchina
- ☐ **c.** una bicicletta

B. 📖 **Un po' di storia.** *Potete leggere qui alcuni momenti importanti della storia dello Stato italiano. Ma, dopo il primo paragrafo, c'è un po' di confusione cronologica. Rimettete in ordine voi.*

| 1 | L'Italia moderna è nata il 17 marzo 1861, quando la maggior parte degli stati della penisola, la Sicilia e la Sardegna sono state riunite sotto il re di Savoia grazie all'azione politica del Primo Ministro del Re, Camillo Benso Conte di Cavour, e a quella militare dell'eroe nazionale Giuseppe Garibaldi. |

| ☐ | Il 2 giugno 1946, gli italiani hanno votato in maggioranza a favore della forma di stato repubblicana, in un referendum che ha sancito la fine della monarchia. A partire dal 1° gennaio 1948 è entrata in vigore anche la costituzione dello Stato italiano. |

| ☐ | Nel 1929, con i Patti lateranensi, il Papa ha ottenuto il controllo su un territorio autonomo dentro Roma: lo Stato del Vaticano. Un altro stato autonomo dentro ai confini italiani è la città di San Marino. |

| ☐ | L'Italia di oggi è membro fondatore della NATO e dell'Unione Europea e ha partecipato a tutti i principali trattati per l'unificazione dell'Europa, inclusa l'adesione alla moneta comune (l'Euro) nel 1999. |

| ☐ | Rimaneva ancora esclusa Roma, che era sotto il controllo del Papa, ma grazie a una veloce guerra, il 20 settembre 1870 anche l'attuale capitale è passata a far parte dello Stato Italiano. |

| ☐ | Dopo la prima guerra mondiale l'Italia ha attraversato uno dei momenti più tragici della sua storia: la salita al potere di Benito Mussolini e oltre vent'anni di dittatura fascista, caduta alla fine della seconda guerra mondiale. |

Se volete, potete leggere il testo originale a pagina 216.

Leggete le istruzioni a pagina 215.

LA CORSA AL RIPASSO

Se...

A

1 **Che cosa vedete?**

A coppie: descrivete ciò che vedete in ogni immagine.

2 **Dove sono?**

Collegate ogni immagine alla situazione corrispondente.

1. ☐ in seduta dallo psicologo   2. ☐ a un esame universitario

3. ☐ a un colloquio di lavoro   4. ☐ a un provino cinematografico

3 **Stati d'animo**

Vi siete mai trovati in una di queste situazioni?
Come vi sentivate? Ecco alcuni aggettivi utili.

nervoso	teso	spaventato	confuso	triste
impassibile	felice	agitato	rilassato	emozionato

4 **Uguale? Diverso?**

Osservate di nuovo le immagini. Rispecchiano situazioni simili nel vostro paese? Quali differenze notate?

B

1 📖 **Tanti consigli**

A coppie: leggete l'articolo e completate la tabella.

Da fare
....
....
....
....

Da non fare
....
....
....
....

2 **Parole chiave**

Quali di queste parole non c'entrano con il tema del lavoro? Fate le vostre ipotesi e poi verificate in classe.

selezione	candidato
faro	esaminatore
azienda	straordinari
stipendio	benefits
nuvoloso	colloquio
ferie	assumere
matrimonio	busta paga
orario	licenziare
assegno	contratto
acqua	ditta

Colloquio di lavoro: come affrontarlo

Dopo che avrai superato la selezione sulla base delle domande e dei CV, finalmente arriverà anche per te il momento del colloquio. Devi essere in grado di rispondere alle domande dell'esaminatore in maniera accettabile (non necessariamente giusta).

Il colloquio di lavoro dà al candidato e al datore di lavoro l'opportunità di fare conoscenza reciproca. Non è il momento adatto per chiedere le prime informazioni di base sull'azienda. Informati prima su Internet, oppure chiedi a qualche conoscente.

I colloqui di lavoro variano molto: si va da quelli molto formali ad altri piuttosto informali. In generale, però, alcune domande si possono prevedere facilmente. Se sei ben preparato, dovresti riuscire ad evitare la maggior parte delle domande "difficili": se sai già molto sull'azienda, hai un'idea abbastanza precisa di ciò che il lavoro ti richiederà e se conosci te stesso, le domande non saranno un problema per te.

Alcune regole generali:

- Usa un tono di voce chiaro quando rispondi.
- Dai risposte brevi, ma non rispondere con un semplice sì o no.
- Se ne hai bisogno, fai una piccola pausa prima di rispondere. Dimostrerà la tua capacità di pensare e farà capire che non hai imparato frasi a memoria!
- Non aver paura di ammettere di non sapere, ma cerca di ridurre al minimo questi casi.
- Non mentire! Devi essere il più onesto possibile.
- Preparati alle domande più strane: il loro scopo è verificare la tua capacità di affrontare situazioni impreviste.
- Non fare molte domande durante la prima parte del colloquio: ricordati che il candidato sei tu!
- Fai le tue domande alla fine. Formula in modo diretto, cioè chiedi cose a cui non si può rispondere con un semplice sì o no: esempio "Che cos'è…?"; "Perché…?"
- In genere, non è consigliabile fare domande sullo stipendio o benefits.
- È preferibile fare domande per approfondire la conoscenza della ditta e del lavoro offerto. In tal modo ti mostri interessato e curioso piuttosto che passivo.

Ultimi consigli:

resta calmo e sorridi. Prima di andare via, ringrazia il tuo interlocutore per averti dedicato il suo tempo.

[Adattato da: www.monster.it]

3 📖 **Siete d'accordo?**

Che cosa pensate dei consigli che avete trovato nel testo? Siete d'accordo? Classificateli in ordine di importanza.

4 **Ora tocca a voi!**

A coppie: definite insieme le caratteristiche di una professione che conoscete abbastanza bene, ad esempio: cameriere, insegnante, assistente di stand in fiera, commesso, ecc.

Per 15 minuti uno prepara il ruolo A dell'esaminatore, l'altro il ruolo B del candidato a pagina 214.

Ruolo A: *Prepara frasi e domande su questi punti:*

- una frase per iniziare l'incontro in modo piacevole e mettere a suo agio il candidato
- alcune domande per sapere qualcosa sulla sua formazione scolastica e sulle esperienze di lavoro
- una frase per capire se è flessibile, disponibile a viaggiare o a fare orari straordinari
- una domanda un po' strana
- una domanda sul perché desidera avere questo posto di lavoro.

C

1 Palazzi e arte a Firenze

Questi palazzi sono sede di esposizioni permanenti e temporanee.
Scrivete il nome giusto sotto la foto.

Palazzo Pitti	Bargello
Palazzo Vecchio	Galleria degli Uffizi

a) *Palazzo Pitti*   b) *Palazzo Vecchio*   c) *Bargello*   d) *Galleria*

2 🎧 1.31 Non puoi dirmi di no!

Spesso per entrare agli Uffizi c'è la fila. Ricostruite il dialogo tra i due fidanzati, poi ascoltate e verificate.

[11] **Alberto**: Ah, sempre la solita storia! Quando fai così proprio non ti sopporto!

[6] **Alberto**: Non credo di resistere.

[10] **Alberto**: Certo che posso!

[2] **Alberto**: Oh mamma mia che fila!

[8] **Alberto**: Ma io ho troppa fame! Dai, ci torniamo oggi pomeriggio.

[4] **Alberto**: Certo, certo, ma qui ci vorrà almeno un'ora prima di entrare! E io ho fame!

[16] **Alberto**: Cosa? Io qui da solo con tutta questa gente?

[5] **Monica**: Dai, ti prometto che dopo che avremo visitato gli Uffizi, andremo in una trattoria.

[9] **Monica**: No, no, no. Senti, se tu fai la fila, io vado a prendere qualcosa da mangiare!

[1] **Monica**: Che bello! Finalmente vedremo gli Uffizi!

[3] **Monica**: Dai amore, non ti scoraggiare, siamo agli Uffizi!

[7] **Monica**: Su, non possiamo non visitare gli Uffizi! E poi lo sai che è molto importante per il mio esame di storia dell'arte!

[13] **Monica**: Se mi ami lo farai!

[17] **Monica**: Non puoi dirmi di no!

3 🎧 1.31 🔍 Mettiamo a fuoco

Ascoltate e leggete ancora. Rispondete alla domanda e completate la tabella.

- Cosa promette Monica ad Alberto? Cosa faranno dopo la visita agli Uffizi?

Fare promesse:
Ti prometto che ....
Se ....

Se... sì? no?

Se *introduce una possibilità realizzabile al 50%: forse sì, forse no.*
Se mi ami, lo farai!

Quando... →

Quando *si collega a un punto nel tempo per qualcosa che per noi prima o poi succederà.*
Quando fai così, proprio non ti sopporto!

Esercizio: Se o **quando?** *Scegliete e completate.*

1. .... arrivo, Le telefono.
2. .... finisco il lavoro presto, stasera vengo al cinema con voi.
3. .... sbaglio, La prego di correggermi.

4. .... hai bisogno di aiuto, vieni pure nel mio ufficio anche senza avvertire.
5. .... piove resteremo a casa.
6. .... piove ci piace restare a casa.

Espressioni idiomatiche

Certo che posso!

Sempre la solita storia!

Non ti sopporto!

Come si dice nella vostra lingua?

....

....

....

Strutture idiomatiche

Avete già notato che si usa la struttura

Che + nome / aggettivo

per dare importanza alla parola dopo il che?
Cercate gli esempi nel dialogo C2, poi tornate all'Unità 3 e ritrovate altri esempi.

....

....

....

C'è una struttura simile nella vostra lingua?

....

---

4 Ora tocca a voi!

A coppie: immaginate voi stessi in una o più di queste situazioni e formulate alcune promesse che certamente fareste o avreste fatto.

- Siete un fidanzato/una fidanzata.
- Siete un marito/una moglie.
- Un bambino/una bambina alla mamma.
- Una mamma/un papà al figlio/alla figlia.

- Per chiedere a un'amica/un amico un favore, fate una promessa in cambio.
- Un capo, per chiedere a un collaboratore di lavorare in un giorno festivo, promette qualcosa.

D

1 Il programma di Alessia a Firenze

*Alessia resta poco a Firenze e ha solo un giorno libero per fare turismo, ma vorrebbe vedere e fare tante cose! A coppie: guardate i suoi appunti e aiutatela a organizzare al meglio la giornata. Mettete a posto il suo programma usando **dopo che** e il futuro composto, come nell'esempio.*

Dopo che avrà fatto colazione, comincerà il giro turistico.

- in trattoria con Sandra
- colazione alle otto
- acquisti: mercato di S. Lorenzo, negozi di Via De' Calzolai
- Mostra a Palazzo Pitti, Uffizi, Santa Maria del Fiore, Piazzale Michelangelo

---

Futuro composto

Le forme:

futuro di avere *o* essere + *participio passato*

Dopo che si sarà alzata, farà colazione.

Dopo che avrà fatto colazione, uscirà.

La funzione: *mettere in ordine due azioni nel futuro, quella che si svolge prima è espressa dal* **futuro composto**, *l'altra dal futuro semplice.*

Congiunzioni: quando..., dopo che..., appena...:

Appena avrò finito di studiare, uscirò.

E

1 📖 Chi cerca trova

La redazione di Tuttiannunci ha fatto tanta confusione e ha mescolato gli annunci di tutte le categorie.
*A coppie: leggeteli e per prima cosa distinguete quelli di **offerta** da quelli di **domanda**, poi completate la tabella.*

Ho 32 anni sono del segno zodiacale del cancro, di carattere socievole, disponibile, tranquillo. Alto 181 cm, atletico, moro, di ottima presenza. Mi piacciono i libri di storia, le chiese e i castelli medievali, fare sport (palestra, jogging), viaggiare nei posti romantici e caratteristici. Soprattutto mi piacerebbe incontrare una persona, magari con i miei stessi interessi, con la quale iniziare una bella amicizia. A presto. COD. E23

Agenzia seleziona modelli e modelle di età compresa tra i 25 e i 55 anni, anche prima esperienza, per produzioni video amatoriali per adulti. Possibilità ottimo guadagno. Per ulteriori informazioni, telefonare ore ufficio dal mercoledì al venerdì. Tel. 055/221877 COD. E86

Hai un GRANDE cuore? Anche se sei brutta e grassa, ma sei una VERA donna, bella dentro, e con profonda dolcezza, MAX 40 anni, vorrei conoscerti per qualcosa di serio. Indispensabile cellulare per contatto immediato (assicuro risposta celere a tutte). COD. E34

Laureato in Lingue e Letterature Straniere effettua traduzioni e lezioni private di tedesco e spagnolo per principianti ed avanzati. Max serietà e prezzi modici. Tel. 055/45398 COD. E54

Compro cataloghi, libri, foto, materiale video e audio, riviste sulla moda di Gianni Versace, precedente la sua morte (luglio 1997). Massima serietà. COD. E75

Coppia cerca casa o appartamento arredato per un mese (2/4-2/5), massimo 800 € per l'intero periodo. Collegamento a Internet necessario. Toscana, Emilia Romagna o altre regioni. COD. E29

Cerco arredamento usato, possibilmente gratis o a prezzo modico, composto da: cucina lineare, lunghezza max 3 mt., completa di elettrodomestici, due o più camerette singole, complete di armadi. Tel. 055/653421 COD. E97

Vendesi a Saturnia Panificio e Pasticceria, avviamento decennale, composto da punto vendita nel laboratorio e negozio generi alimentari, volume d'affari incrementabile, ottimo per una famiglia per sicura sistemazione. COD. E51

Espressioni tipiche per annunci

Offerta	Domanda
....	....
....	....

2 📖 Vari tipi di annunci

Leggete ancora gli annunci in E1 e dite per ognuno a quale di queste categorie appartiene.

Immobili	Attività	Elettronica e Computer	Cellulari e Hi-fi
Vendo, acquisto, affitti	Vendo, acquisto	Vendo, acquisto, accessori	Vendo, acquisto
Libri e fumetti	Musica e strumenti	Collezionismo	Animali
Vendo, acquisto	Strumenti, lezioni, altro	Vendo, acquisto	Vendo, acquisto, altro
AAA personali	Attrezzi/materiali da lavoro	Arredamento	Campeggio
Incontri, matrimoniali	Vendo, acquisto	Vendo, acquisto	Vendo, acquisto
Nautica	Foto ottica	Caccia e pesca	Biciclette
Vendo, acquisto	Vendo, acquisto	Vendo, acquisto	Vendo, acquisto

3 🖊 **Le risposte**

A coppie: scegliete un annuncio che vi interessa da E1 e scrivete una lettera di risposta.

Espressioni utili:	
Generali:	**Per la lettera:**
Scrivo per l'annuncio…	Gentile signore / Gentile signora …….
Sono interessato/a all'acquisto…	Caro amico / cara amica …….
Credo di poterLe offrire quello che sta cercando…	Mi farebbe piacere ricevere presto una Sua/tua risposta.
Le/ti propongo un incontro per approfondire la conoscenza…	Attendo impaziente una Sua/tua risposta.
Se la mia proposta Le interessa, può chiamarmi al numero ……… (ore serali).	Cordiali saluti (*più formale*)
	Un caro saluto (*più amichevole*)
	Ciao (*informale*)

4 🖊 **Ora tocca a voi!**

A coppie: scegliete uno di questi oggetti e decidete se volete vendere o acquistare. Poi create un annuncio.
In alternativa, scegliete qualche cosa di personale che volete offrire o cercare.

Unità
5

 Usare il dizionario monolingue (1)

A questo punto, vi sarà sempre più utile anche utilizzare un dizionario monolingue per aiutarvi a capire i testi in italiano. Cominciate a fare esercizio. Ad esempio: considerate che ogni parola ha più di un significato. Ogni significato è indicato da un numero, come vedete qui accanto nell'esempio.
Prendete un dizionario monolingue e cercate tre parole che avete imparato finora nell'unità. Quanti significati hanno?

annùncio *s.m.* **1.** Comunicazione di una notizia: *dare l'annuncio di qlco.;* **2.** (bur.) Testo scritto in cui si comunica qlco.: *l'a. di nascita, di morte, di matrimonio;* **3.** (econ.) Testo pubblicato nei giornali per cercare o offrire qlco. **4.** (pubbl.) Inserzione nei giornali, alla radio o alla TV per reclamizzare un prodotto.

Gioco:

A squadre: cercate nel dizionario monolingue le seguenti parole: vince chi per primo dice per ogni parola quanti significati ci sono.

riso   atto   camera   campo   metro   gioco   toccare   prodotto   energia   articolo   spegnere

F

1 🎧1.32 **A un colloquio di lavoro**

Ascoltate i dialoghi e rispondete alle domande.

- Quali regole ha seguito Massimo per il suo colloquio di lavoro?

- Che cosa sbaglia, invece?

2 🎧1.32 🔍 **Mettiamo a fuoco**

Ascoltate di nuovo e leggete il dialogo.
Poi completate le risposte e la tabella.

Esaminatore:	Dov'è il Suo curriculum?
Massimo:	Non gliel'ho già dato?
Esaminatore:	Ah, sì, ce l'ho qui sul tavolo. E la Sua scheda?
Massimo:	Ha chiesto alla Sua collega? **Gliel**'ho dat**a** quando l'abbiamo compilat**a** insieme.
Esaminatore:	Bene. Ha dato anche i suoi numeri di telefono?
Massimo:	Ce li hanno già in segreteria e sono anche nel curriculum. **Glieli** ho scritti in fondo al foglio.
Esaminatore:	Quindi possiamo parlare delle sue referenze.
Massimo:	Sì, ne possiamo parlare; ma ho anche delle referenze scritte. Mi sono rivolto al mio vecchio datore di lavoro e glie**le** ho chiest**e**. Le interessano?
Esaminatore:	Perché no? Scusi, posso chiederLe perché ha i capelli tinti di blu?

1. Che cosa ha già dato Massimo all'esaminatore? - Il ....

2. Che cosa ha dato alla collega? - La ....

3. Che cosa ha dato in segreteria e si trova anche nel curriculum? - I ....

4. Cosa ha chiesto al suo vecchio datore di lavoro? - Le ....

Grammatica attiva

Pronomi personali atoni combinati (2)

Cosa?	A me	A te	A lui/lei/Lei	A noi	A voi	A loro
Il curriculum	Me l'ha dato	Te l'ha dato	Gliel'ha dato	Ce l'ha dato	Ve l'ha dato	Gliel'ha dato
La scheda	Me l'ha compilata	Te l'ha compilata	Gliel'ha compilata	Ce l'ha compilata	Ve l'ha compilata	Gliel'ha compilata
I numeri di telefono	Me li ha scritti	Te li ha scritti	Glieli ha scritti	Ce li ha scritti	Ve li ha scritti	Glieli ha scritti
Le referenze	Me le ha portate	Te le ha portate	Gliele ha portate	Ce le ha portate	Ve le ha portate	Gliele ha portate

---

3 **Ora tocca a voi!**

A coppie: organizzate una festa a sorpresa per un/la vostro/a amico/a. Fatevi delle domande sulle cose da fare.

● Gli/le hai preparato la sorpresa?   ● Sì, gliel'ho preparata.

Idee ed espressioni utili:

dare a lui/lei l'appuntamento	portare lo spumante	fare un cartello con "Buon compleanno"
comprare il regalo	dirlo alla moglie / al marito	preparare le decorazioni per la stanza
scrivere il biglietto d'auguri	comprare il suo vino preferito	dire agli amici di venire
prendere la torta	comprare i palloncini	scegliere la musica

4 🎧 1.33 **Un po' di ripasso: andare o venire?**

Ricordate che cosa avete imparato nell'Unità 3 di Caffè Italia 1? Completate e poi ascoltate e verificate.

Ilaria: Vorrei .... a fare un provino. Cercano ragazze per un programma televisivo.

Alice: Io dovrei .... a studiare in biblioteca.

Ilaria: Ma no, perché non .... con me?

Alice: L'idea mi piace. Ci .... da sola?

Ilaria: No, ... anche Serena: lo sai che a lei queste cose piacciono tanto.

Alice: E .... anche Chiara?

Ilaria: No, lei deve .... in ufficio. Forse .... con noi dopo il lavoro.

Alice: Ma sì, dai! .... anch'io. Per studiare c'è sempre tempo.

Scambio di idee:

Alessia cerca un assistente: *viaggerà con lei e la aiuterà a realizzare le sue interviste in giro per l'Italia.*

A. *A coppie: discutete su come deve essere l'assistente ideale di una giornalista come Alessia.*

- Formazione scolastica   - Abilità e competenze   - Esperienze professionali

B. 🖊 *A coppie: scrivete il curriculum ideale del candidato (o della candidata) e una lettera di accompagnamento e presentazione. Ecco la struttura di una lettera di accompagnamento:*

	[NOME E COGNOME] [INDIRIZZO: VIA]
[DESTINATARIO, CIOÈ A CHI È INDIRIZZATA LA LETTERA: NOME, ECC.]	[CAP E CITTÀ] Tel. [NUMERO] E-mail: [...]

Oggetto: Invio curriculum, con riferimento all'annuncio su [GIORNALE] del [DATA]

Gentili signori / Gentile signora / Gentile signor [NOME],
scrivo in risposta all'annuncio in oggetto.
[BREVE PRESENTAZIONE PERSONALE]
Vi ringrazio dell'attenzione e resto in attesa di un Vostro/Suo gentile riscontro.

Cordiali saluti

[LUOGO E DATA]   [FIRMA]

Un'informazione: in Italia in fondo al curriculum bisogna scrivere questa frase:

Autorizzo l'utilizzo dei miei dati personali, in conformità a quanto indicato dalla legge sulla privacy.

C. *In gruppo: analizzate insieme lettere e CV e scegliete i candidati da invitare al colloquio.*

G

1 🎧 1.34 **L'accento grafico**

Ascoltate le frasi e scrivete l'accento quando è necessario.

1. PERO! Non E caduto dal PERO.
2. Fanno dei bei COMO a COMO.
3. SARA SARA architetto.
4. COM'E il tempo? COME ieri.

2 🎧 1.35 **Il modo di dire**

Ascoltate e ripetete.

Unità 5

Sono famosi

Benigni innamorato del suo Pinocchio

Benigni esalta* con entusiasmo la bellezza della sua fiaba: "*Nulla al mondo è più bello di Pinocchio.*" - afferma. Ribadisce* di aver accarezzato questo progetto per lungo tempo. Ne aveva anche parlato con Fellini, che lo chiamava "Pinocchietto" in continuazione, lo faceva truccare come Pinocchio, aveva realizzato dei disegni e dei test in video. Federico gli aveva proposto di narrare* con lui la storia del celebre burattino di Collodi. Poi, ormai malato, gli aveva lasciato una benedizione da babbo: "*Robertino, Pinocchio lo farai tu.*" E con impegno Benigni ha mantenuto fede a questo dovere.

"*Se Collodi era ancora vivo, gli mandavo a casa un mazzo di fiori, perché questo suo libro fa bene al mondo intero. Pinocchio è di una purezza* estrema. Quel che è certo è che le bugie di Pinocchio sono meravigliose, danno forza all'irrealtà.*" E in rapporto al finale aperto in cui Pinocchio-bambino va a scuola, mentre la sua ombra si allontana per continuare a giocare spensierata, Benigni commenta: "*L'ultima frase, con cui Pinocchio si dichiara contento di essere diventato un ragazzino per bene, è l'unica vera bugia.*" Adattato da: www.tempimoderni.com]

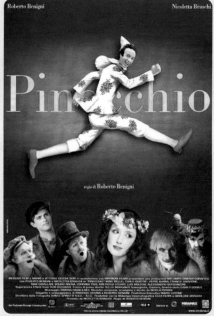

Gioco: *Si gioca a squadre, dopo aver letto l'articolo. Si guadagna un punto per ogni risposta corretta.*

1. Qual è il nome di battesimo di Benigni?
2. Con quale film Benigni ha vinto tre Premi Oscar?
3. Qual è il nome di battesimo di Fellini?
4. Dite il nome di almeno un film di Fellini.
5. Chi era Collodi?
6. Di quale materiale era fatto Pinocchio?

È stata tua la colpa di Edoardo Bennato © Music Union, BMG, Cinquantacinque

È stata tua la colpa allora adesso che vuoi?
Volevi diventare come uno di noi,
e come rimpiangi quei giorni che eri
un burattino ma senza fili
e adesso i fili ce l'hai!...
Adesso non fai un passo se dall'alto non c'è
qualcuno che comanda e muove i fili per te
adesso la gente di te più non riderà
non sei più un saltimbanco
ma vedi quanti fili che hai!...

È stata tua la scelta allora adesso che vuoi?
Sei diventato proprio come uno di noi
a tutti gli agguati del gatto e la volpe tu
l'avevi scampata sempre
però adesso rischi di più!...

Leggete le prime strofe di questa canzone dedicata a Pinocchio e cercate di capire qual è il loro significato. Nel testo su Benigni c'è una frase che esprime un concetto molto simile a quello della canzone. Qual è? Parlatene in classe.

🎧 2.35 *Ora, se volete, potete ascoltare tutta la canzone.*

Vocabolario: <u>esaltare</u>: celebrare qcs., parlarne molto bene; <u>narrare</u>: raccontare; <u>purezza</u>: pulizia, (fig.) essere senza colpa; <u>ribadire</u>: dire qcs. con energia.

La lingua italiana tra vecchio e nuovo

"Un Comune che ribattezza* l'ufficio di collocamento *job center*, un museo che istituisce la *ticketteria* rappresentano casi che ci coprono di ridicolo." È un grido d'allarme, contro l'esasperato* ricorso* all'inglese, quello che arriva da Francesco Sabatini, presidente dell'*Accademia della Crusca* di Firenze. "Certo, abbiamo bisogno di una lingua mondiale che per adesso è l'anglo-americano. Se andiamo a Pechino e chiediamo un bicchiere d'acqua in inglese siamo certi di essere capiti. Ma da qui a dimenticare l'italiano c'è una bella differenza. Un consiglio per migliorare l'italiano? Leggere, studiare, parlare di argomenti diversi con più persone, e viaggiare per sensibilizzare l'uso della lingua." Parola di cruscante. Un'accademia speciale, quella della Crusca, la più antica tra quelle ancora attive in Europa, che non poteva trovarsi in un luogo differente visto che l'italiano, almeno come lingua letteraria, è nato proprio qui a Firenze e in Toscana grazie alle opere letterarie scritte tra la fine del '200 e il '300 da Dante Alighieri, Giovanni Boccaccio e Francesco Petrarca. E questo i fiorentini lo sanno molto bene e ne vanno orgogliosissimi. Non vogliono nemmeno sentir parlare del fatto che oggi la lingua si sta distaccando* dalla tradizione umanistico-letteraria per diventare un'espressione della cultura tecnologica, strumento di pura comunicazione elaborato non più a Firenze, ma nei centri industriali del Nord. Da quattro secoli, i "cruscanti" separano il buono della lingua, la farina, dalle impurità, dal cattivo, la crusca. E con questa metafora si spiega il nome: nel 1612 è stato stampato il primo storico *Vocabolario degli Accademici della Crusca*, cui sono seguite altre quattro edizioni. L'opera ha avuto subito grande successo, il vocabolario è diventato il principale punto di riferimento nell'uso scritto dell'italiano.

[Adattato da: I *guardiani della lingua* di Debora Pellegrinotti in www.coopfirenze.it]

Unità 5

1. *A coppie: leggete il testo e rispondete alle domande.*

- Perché le parole inglesi citate all'inizio rappresentano un problema?

- Che cos'è l'*Accademia della Crusca*? Perchè si chiama così? Che cosa fanno i suoi membri?

- Quante edizioni esistono del *Vocabolario* dell'Accademia?

- Perché si può dire che l'italiano moderno è nato a Firenze e in Toscana?

2. *Le lingue a confronto.*

- Nella vostra lingua si usano molte parole inglesi? Pensate che sia un problema?

- C'è un'area geografica speciale dove si è formato il modello "letterario" della vostra lingua?

- C'è un'associazione simile a quella dell'*Accademia della Crusca*?

Curiosità

Ecco qualche data e qualche dato sulla famosa torre pendente:

Il campanile di Bonanno Pisano è stato iniziato nel 1173, anche se in un'iscrizione a destra della porta d'ingresso si legge la data 1174. Questa data si basa sul calendario pisano che iniziava il 25 marzo, nel giorno dell'Annunciazione* e quindi in anticipo di quasi un anno sul calendario tradizionale. L'inclinazione* della torre è attualmente di circa 5 m, la sua altezza è di 56 m, con uno sprofondamento* medio di 2,50 m alla base. La torre continua a pendere di un millimetro ogni anno a causa di un terreno cedevole* che non può sostenere grandi pesi ed è motivo di grande preoccupazione per i tecnici che sperano comunque di poterla stabilizzare definitivamente. Ancora oggi la torre è usata come campanile* della cattedrale di Pisa e gli italiani la considerano uno dei simboli più amati del proprio paese.

Vocabolario: Annunciazione (f.): nel Vangelo, il momento in cui l'Arcangelo Gabriele annuncia alla Vergine Maria che sarà madre di Gesù; campanile (m.): il luogo, di solito più alto, spesso a torre, dove ci sono le campane della chiesa; cedevole: non stabile; distaccarsi: allontanarsi; esasperato: particolarmente forte, intenso; inclinazione (f.): pendenza; ribattezzare: dare un nuovo nome; ricorso a: uso di…; sprofondamento: il fatto di essere più basso.

Che c'è di meglio?

a

b

c

d

e

A

1 🎧 2.2 Locandine

A coppie: osservate le locandine e ascoltate i dialoghi. Poi rispondete alle domande.

- Che cosa hanno in comune le immagini?

- Di che cosa parlano in generale le persone dei dialoghi?

2 🎧 2.2 Che cosa hanno fatto?

Ascoltate più volte i dialoghi, collegate ogni dialogo alla locandina giusta e segnate se le persone sono andate allo spettacolo o no. Attenzione: c'è una locandina a cui non corrisponde nessun dialogo.

Locandina	Ci sono andati?		Locandina	Ci sono andati?
Dialogo 1 ⬡	☐ sì ☐ no		Dialogo 3 ⬡	☐ sì ☐ no
Dialogo 2 ⬡	☐ sì ☐ no		Dialogo 4 ⬡	☐ sì ☐ no

3 Le parole dello spettacolo

Ecco molte parole da associare al tema degli spettacoli. Inseritele nella tabella al posto giusto. Attenzione: per alcune parole ci sono più possibilità. Se conoscete altre parole aggiungetele.

la prima   il derby   squadra   rappresentazione   il trailer   prevendita   monologo   tifoso   spettatore
calciatore   arbitro   commediografo   allenatore   primo tempo   intervallo   commedia
tenore   direttore d'orchestra   soprano   tragedia   goal   attore   compositore   botteghino

Calcio	Teatro	Cinema	Musica

4 Ora tocca a voi!

A coppie: scambiatevi informazioni sul tipo di spettacoli che preferite. Poi riferite alla classe.

B

1 📖 Che cosa hanno in comune?

A coppie: osservate l'illustrazione e leggete l'articolo. Che cosa hanno in comune?

Il teatro a prezzi ridotti rilancia il lavoro

Da alcuni mesi è nato il primo "botteghino last minute".

Come per i viaggi, ora anche per i teatri è possibile acquistare biglietti all'ultimo minuto e a prezzo ridotto.

Un modo per ridare slancio ai teatri della capitale, stimolare l'afflusso del pubblico e creare maggiori opportunità di lavoro soprattutto nelle strutture teatrali minori.

Questi gli obiettivi che si pone la prima struttura italiana che vende biglietti *last minute* per i teatri.

A Roma, insomma, come a Broadway e a Londra è ora possibile acquistare biglietti all'ultimo istante.

La struttura lavora per 17 teatri della capitale e consente un risparmio tra il 20 e il 50% del costo intero del tagliando

d'ingresso. Ha iniziato l'attività da pochi mesi e ha assunto alcune persone che lavorano al botteghino creando nuove opportunità di lavoro. Chissà, magari nel futuro ci sarà un servizio *last minute* a domicilio.

[Adattato da: http://www.romalavoro.net]

Unità 6

2 📖 Dove? Come? Perché?

A coppie: leggete ancora e rispondete alle domande.

1. L'articolo ci dice dove fanno quest'iniziativa? ....
2. Il servizio *last minute* riguarda il cinema? ....
3. C'è un servizio *last minute* a domicilio? ....
4. Per quanti teatri lavora questa struttura? ....
5. Quanto si risparmia su un biglietto? ....

3 Parole chiave

Collegate ogni espressione alla sua definizione.

promozione   offerta di un prezzo più basso

iniziativa   pubblicità per vendere

sconto   organizzare qualcosa per creare interesse su un tema

4 ✏️ Caccia elettronica all'iniziativa

Cercate su Internet in un motore di ricerca in italiano (www.google.it; www.virgilio.it; ecc.) la parola "iniziativa". Prendete appunti su almeno tre risultati della vostra ricerca e preparatevi per la prossima volta a confrontare le vostre informazioni con quelle dei compagni.

C

1 Una visita a Roma

In gruppo: siete mai stati a Roma? Conoscete questi monumenti? Scambiatevi informazioni.

Colosseo • Terme di Caracalla • Foro imperiale • Campidoglio • Piazza Navona • Fontana di Trevi
Piazza di Spagna • Basilica di San Pietro • Cappella Sistina • Piazza Venezia

2 ∩ 2.3 All'ufficio informazioni turistiche

Ascoltate il dialogo tra Marco e l'impiegato e rispondete alle domande. Poi parlatene in classe.

1. Com'è Marco nella prima fase del dialogo? ☐ tranquillo ☐ irritato ☐ felice
2. Perché Marco è così? ....
3. Di che cosa ha bisogno Marco? ....
4. Che cosa gli propone l'impiegato? ....
5. Come vi sembra l'impiegato? ....
6. Avete avuto esperienze simili in Italia? ....

3 ∩ 2.3 🔍 Mettiamo a fuoco

Prima provate a completare le frasi del dialogo con queste espressioni. Poi ascoltate ancora e verificate.

| tanto | meno importanti di | più interessante | più ricca | la | che andare | quanto |

Roma è .... città d'Italia .... di monumenti, chiese e luoghi da visitare.
È .... visitare Ostia antica .... alle Terme di Caracalla.
Insomma Lei dice che le Terme sono .... Ostia antica?
Le terme sono certamente .... importanti .... Ostia antica.

Grammatica attiva

Completate lo schema delle espressioni comparative:

Maggioranza (+):

Ostia antica è .... interessante delle Terme.

Minoranza (-):

Le Terme sono .... interessanti di Ostia antica.

Uguaglianza (=):

Ostia antica è .... importante .... le Terme.

Oppure: Ostia antica è importante **come** le Terme.

L'uso della preposizione di o della congiunzione che è un po' complesso, osservate gli esempi in questo capitolo, fate alcune ipotesi con l'aiuto dell'insegnante e consultate la sintesi grammaticale in fondo al libro.

Espressioni idiomatiche

Meglio tardi che mai!
Sempre la solita storia!
Nient'affatto.
Come si dice nella vostra lingua?
....
....
....

Esercizio: *Associate a ognuna di queste parole uno o più aggettivi e fate dei confronti.*

Il tè è più leggero del caffè.
Vivere in Italia è meno caro che in Giappone.
Sciare è tanto noioso quanto giocare a tennis.

Italia – Giappone	tè – caffè	mia madre – mio padre	leggere – viaggiare
Lombardia – Sicilia	spaghetti – pizza	architetto – insegnante	sciare – giocare a tennis
Roma – Milano	treno – aereo	Mastroianni – Benigni	opera – teatro

4 **Ora tocca a voi!**

A coppie: mettetevi d'accordo per associare ognuno di questi aggettivi a una parola diversa tra quelle dell'esercizio a pag. 68

bollente squisito esotico rapido gelato

delizioso terribile splendido romantico

Gioco:

In due squadre: a turno scegliete un oggetto e ditelo all'altra squadra che deve velocemente fare più confronti possibili in un minuto. L'insegnante è l'arbitro. Ogni confronto corretto guadagna un punto.

5 **Esageriamo!**

Le parole sottolineate nelle frasi esprimono un giudizio molto intenso. Provate a sostituirle con l'espressione più adatta fra quelle a fianco. Ricordate di fare l'accordo con il genere del nome.

1. Questo caffè è <u>strepitoso</u>! ....
2. Il film di ieri era <u>terribile</u>! ....
3. Il panorama dalla tua finestra è <u>eccezionale</u>! ....
4. Per me il gelato al peperoncino è <u>disgustoso</u>! ....
5. Paolo è un ragazzo <u>meraviglioso</u>! ....
6. La tua giacca è <u>splendida</u>! ....
7. Il libro che mia hai prestato era <u>orrendo</u>! ....

molto buono

molto cattivo

molto bello

molto brutto

6 **Indovinate!**

In due squadre: osservate le foto, sceglietene una e trovate due aggettivi, uno positivo e uno negativo, per descriverla. Dite solo gli aggettivi, l'altra squadra dovrà capire qual è la foto scelta e spiegare perché.

Unità
6

Usare il dizionario monolingue (2)

Ricordate la definizione di **annuncio** *nell'Unità 5? Per spiegare i diversi significati di una parola, il dizionario mette spesso tra parentesi un'abbreviazione che indica il "limite d'uso". Fate allenamento con queste che sono tra le abbreviazioni più comuni. Poi provate a cercare altre parole e abbreviazioni in un dizionario e continuate la vostra lista.*

(astron.): astronomia; (chim.): chimica; (dir.): diritto; (econ.): economia; (med.): medicina; (scol.): scolastico; (polit.): politica; (relig.): religione; (bur.): burocratico; (dial.): dialettale; (fam.): familiare; (lett.): letterario.

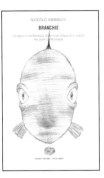

D

1 **Di cosa parla questo libro?**

Fate delle ipotesi.

2 📖 **Le parole dell'autore**

Collegate queste parole alla loro definizione. Poi usatele per ricostruire quello che Niccolò Ammaniti scrive ai suoi lettori. Potete confrontare le vostre risposte a pagina 217.

1. Serviva ancora: ....   laboratorio

2. Luogo dove si fanno esperimenti scientifici: ....   si sposavano

3. Si univano in matrimonio: ....   raccontava

4. Parlava di… : ....   bene

5. Non ho mai finito gli studi universitari: ....   colorata

6. Di tanti colori: ....   non mi sono mai laureato

7. L'opposto di male: ....   mancava

Ai miei lettori
di Niccolò Ammaniti

Quando nel 1993 scrissi *Branchie*, ero ancora uno studente di Biologia all'Università di Roma.

Mi .... poco alla fine, qualche esame (chiaramente i più duri e l'agognata laurea).

Stavo tutto il giorno in facoltà, in un .... di neurobiologia, a fare gli esperimenti che mi sarebbero serviti per una tesi intitolata *Rilascio di Acetilcolinesterasi in neuroblastoma* (chiaro?).

Il tempo passava, i miei compagni si laureavano, ..., trovavano lavoro, morivano e io continuavo a stare là dentro. Alcuni ormai mi scambiavano per un bidello.

La tesi, dopo una decina di pagine, smetteva bruscamente di parlare di neuroni, sinapsi e neuromediatori e .... una storia di pesci e di fogne e di malvagi chirurghi estetici. *Branchie* nasce come un tumore (maligno?) di una tesi in biologia.

...., chiaramente (con costernazione dei miei parenti e infinito sollievo dei miei insegnanti) ma almeno ho pubblicato *Branchie*. Uscì in sordina. A Roma si trovava in tre librerie. Se ne stava là, sullo scaffale, tra tanti altri con la sua copertina .... Fu comprato dai miei compagni di scuola e da chi mi voleva ....

[*Branchie*, © Einaudi 1997, pag. v-vi]

---

3 📖 **Approfondiamo**

A coppie: leggete ancora il testo e collegate le parole alla loro definizione. Poi rispondete alle domande.

intitolato   molto cattivi

malvagi   che ha il titolo

in sordina   pagina esterna di un libro

copertina   con poco rumore, poco famoso

1. Cosa faceva il protagonista nel 1993?

2. Come andava negli studi?

3. Cosa stava scrivendo?

4. Il libro ha venduto molte copie?

5. Come è intitolato il libro di Ammaniti?

6. Secondo voi, quanto è importante la copertina di un libro?

7. Conoscete altri libri (o anche film, opere, quadri) che sono usciti in sordina e poi hanno avuto successo?

4 🎧 2.4 **La storia in pillole**

Ascoltate e leggete. Indovinate chi è il personaggio storico e di quale monumento di Roma si tratta.

Chi è? Quando **fu** imperatore a Roma, **ebbe** come maestro il filosofo Seneca. **Fece** molte azioni strane, ma è conosciuto perché **diede** fuoco alla città di Roma per ricostruirla più bella di prima. Non **disse** mai di essere stato lui, ma un po' di tempo dopo **disse** al popolo di Roma che la colpa era dei cristiani. Non **seppe** mai amare né la madre Agrippina né la moglie Poppea, infatti con Poppea **fu** violento e tutti dicevano che era pazzo.

Che cos'è? **Fu** un luogo di grandi spettacoli per la città e le persone ci andavano a divertirsi. Non **ebbe** sempre il nome che ha adesso, ma poiché è così grande, gli **diedero** un nome conosciuto in tutto il mondo. Lì animali e gladiatori **fecero** spettacoli violenti. Qualcuno **disse** che i romani dimenticavano tutti i problemi con un po' di pane e con quel divertimento. Ora è il più famoso monumento della città.

5 🔍 **Mettiamo a fuoco**

Rileggete tutti i testi di questa sezione. Riconoscete i verbi nelle nuove forme del passato remoto?

Grammatica attiva

Il passato remoto: essere, avere, fare, dare, sapere, scrivere, uscire, dire. *Completate.*

	Soggetto:	Verbo all'infinito:
scrissi	io	scrivere
uscì	....	....
fu	....	....
ebbe	....	....
fece	....	....
diede	....	....
disse	....	....
seppe	....	....
diedero	....	....
fecero	....	....

Il passato remoto è una forma del verbo al passato che si può trovare al posto del passato prossimo.
Nella normale conversazione in lingua parlata si usa poco al nord,
più spesso in toscana e molto nel sud Italia.
Si trova ancora normalmente in tutti i racconti scritti: nei testi letterari e nei racconti per bambini.

6 🎧 2.5 **Storie per bambini**

A coppie: collegate ogni disegno alla sua filastrocca. Per quale delle tre non c'è l'immagine? Poi dite qual è l'infinito dei verbi in **neretto** *al passato remoto.*

1. ☐ C'era una volta un re seduto sul sofà
   Che **disse** alla sua serva "Raccontami una storia!"
   E la serva **cominciò**: "C'era una volta un re…"

2. ☐ Era la notte del Venerdì Santo, sulla strada che porta alla montagna
   quattro ladroni aspettavano nella notte. All'improvviso uno di loro **disse**:
   "Carlo, perché non mi addormenti?"
   E Carlo **raccontò**: "Era la notte del Venerdì Santo…"

3. ☐ Ambarabacciccicoccò: tre civette sul comò
   Che facevano l'amore, con la figlia del dottore
   Il dottore **si ammalò**: ambarabacciccicoccò!

E

1 Siamo i più forti!

Guardate l'immagine e rispondete.

1. Dove sono le persone nella foto?

....

2. Sapete come si chiamano le due squadre di calcio di Roma?

....

3. Come si chiama una partita di calcio quando è giocata da due squadre della stessa città?

....

2 🎧 2.6 Chi vincerà?

Ascoltate e verificate le vostre risposte alle domande in E1.

3 🎧 2.6 🔍 Mettiamo a fuoco

A coppie: completate le frasi con le espressioni date. Poi ascoltate di nuovo Alessia e i tifosi e confrontate.
Attenzione: i tifosi a volte usano espressioni un po' diverse da quelle date!

| più forte | ottima | migliore | Cento per cento | i peggiori | fortissimi |

1. La squadra del cuore è sempre *Migliore* di quella avversaria.

2. È in *ottima* forma e vincerà.

3. E gli avversari sono *peggiori* .

4. Che domande! Noi! La Roma! La squadra *più forte* del mondo!

5. Siamo *fortissimi* Forza magica Roma!

6. *Cento per cento* Lazio!

Grammatica attiva

*Osservate questi quattro esempi e sottolineate gli elementi di base per esprimere il **superlativo relativo**.*
Poi parlatene con i compagni.

Roma è la città più grande d'Italia.
Mario è lo studente più intelligente della classe.

Bologna ha l'università più antica d'Europa.
Siamo i più forti del mondo.

Il **superlativo assoluto**: *mentre il superlativo relativo mette in relazione la qualità con un gruppo di elementi limitati, il superlativo assoluto (o elativo) non relativizza in nessun modo. Ci sono due modi di formarlo e ne avete già incontrato molte volte gli esempi. Completate.*

Siamo molto forti = Siamo fort*issimi*
Roma è molto grande = È grand*issima*

Fate attenzione all'ortografia! Osservate:

Paolo è molto ricco. = È ricchissimo.

Questo maglione è molto largo. = È larghissimo.

Grammatica attiva

Avete notato? Alcuni aggettivi hanno due forme: una regolare e una speciale. Completate la tabella.

	Comparativo	Superlativo relativo	Superlativo assoluto
buono	più buono / *migliore*	il più buono / il migliore	molto buono / buonissimo / *ottimo*
cattivo	più cattivo / peggiore	*il più cattivo* / il peggiore	molto cattivo / cattivissimo / pessimo
grande	più grande / maggiore	il più grande / *il maggiore*	molto grande / grandissimo / massimo
piccolo	più piccolo / *minore*	il più piccolo / il minore	*molto piccolo / piccolissimo* / minimo

Attenzione! I due avverbi bene e male *hanno solo le forme speciali del comparativo:*

bene → meglio   male → peggio

4 Ora tocca a voi!

Alzatevi in piedi e osservate i vostri compagni, per trovare risposta alle domande qui sotto. Se volete, fate qualche domanda personale. Poi a coppie confrontate le vostre impressioni.

Chi è il più alto…? Il più giovane…? Il più vivace…? Il più elegante…? Il più timido… della classe?

Scambio di idee:

A. In piccoli gruppi: decidete di organizzare un'iniziativa per uno scopo di importanza e valore sociale. Discutete prima qual è il vostro scopo.

Espressioni utili:	
Raccogliere fondi per…	La ricerca scientifica su una malattia particolare
Informare su…	La ricostruzione in un'area geografica in cui c'è stata una catastrofe / una guerra
Convincere a…	La costruzione di ospedali in zone poverissime del mondo
Aiutare…	La promozione turistica di una zona poco famosa ma molto interessante
………………………	…………………………………………………………………………
………………………	…………………………………………………………………………

B. Mettetevi d'accordo sul tipo di iniziativa e su che cosa fareste per organizzarla.

Organizzare uno spettacolo di beneficenza / preparare una pubblicazione

Trovare uno sponsor per una campagna pubblicitaria / chiedere soldi alle aziende

Altro: ……………………………………………………………………………………

C. ✎ *Scrivete il testo della locandina per pubblicizzare la vostra iniziativa.*

D. Tutta la classe: ogni gruppo presenta la sua iniziativa e si vota la migliore.

F

1 🎧 2.7 La pronuncia dolce di -C- sorda e -G- sonora

Ascoltate e segnate per ognuna delle 6 frasi se sentite il suono sordo /tʃ/ oppure sonoro /dʒ/

	1.	2.	3.	4.	5.	6.
/tʃ/	☐	☐	☐	☐	☐	☐
/dʒ/	☐	☐	☐	☐	☐	☐

2 🎧 2.8 Pronuncia regionale

Le -C- dei romani e quelle dei toscani sono speciali. Ascoltate la voce di un romano e quella di un fiorentino. Che cosa notate? Parlatene con i compagni.

Unità 6

Sono famosi

Donne di Roma: ieri e oggi

Sabrina Ferilli

Gabriella Ferri

Anna Magnani

Paola Cortellesi

Nelle foto vedete quattro donne di Roma: ognuna di loro è un simbolo diverso della città eterna.
A coppie: provate a immaginare la loro biografia anche se non le conoscete e annotate le vostre idee.

🎧 2.9 *Ascoltate una prima volta le biografie e confrontatele con le vostre note: ci sono dei punti in comune?*

🎧 2.9 *Leggete attentamente le domande, ascoltate di nuovo e rispondete. Trovate dei punti in comune fra queste donne? Fate dei confronti tra loro.*

- Chi ha vinto un Oscar? *Anna Magnani*
- Chi ha interpretato le più belle canzoni romane? *Gabriella Ferri*
- Chi ha interpretato il film *Roma città aperta*? *Anna Magnani*
- Chi è molto bella, ha successo sia al cinema che alla TV, ma è rimasta semplice e spontanea? *Sabrina Ferilli*
- Chi ha iniziato la carriera giovanissima con un'imitazione di una brasiliana? *Paola Cortellesi*
- Chi ha fatto uno spogliarello per festeggiare lo scudetto della Roma? *Sabrina Ferilli*
- Chi lavora principalmente come attrice comica, ma sa anche cantare? *Paola Cortellesi*
- Chi viene paragonata a un Pierrot? *Gabriella Ferri*
- Chi può aver detto queste frasi? Scrivete il nome di una delle quattro donne davanti a ogni frase.
  Potete confrontare le vostre risposte a pagina 217.

  Gabriella Ferri : "Ciò che mi manca di più è proprio il canto. Per me cantare è parlare della vita, dell'amore, è darmi completamente."

  Sabrina Ferilli : "Da ragazzina ero proprio bruttina. L'altra settimana in un programma televisivo un mio ex-fidanzato ha confermato di avermi lasciato perché ero brutta. Ma adesso si mangia le mani e piange un giorno sì e un giorno no! Sono sicura che il mio caso può dare fiducia a tutte le ragazzine bruttarelle."

  Anna Magnani : "È un bel sogno ma non può essere vero, forse è meglio tornare a letto" (quando ha saputo che aveva vinto l'Oscar).

  Paola cortellesi : "Palla, Palloletta, Palletta, perché ho delle foto mie di un anno ed ero completamente tonda."

E nel vostro paese? Chi sono le donne più famose? Come è cambiata l'immagine della donna negli ultimi 50 anni?

Mass media

A Roma, in viale Mazzini 14, risiede* il quartiere generale della RAI (Radiotelevisione Italiana). La statua di un cavallo proprio all'ingresso degli stabilimenti ne è diventata il simbolo più famoso. In Italia la televisione, nata nel  1954, è diventata il mezzo di informazione principale. Nel trentennio dal 1975 al 1995 il numero di abbonamenti Rai è aumentato del 25%, ma dal 1995 in poi non c'è stato più nessun cambiamento rilevante*. Probabilmente, anche se ha solo cinquant'anni, la TV così come è oggi, è un mezzo di comunicazione invecchiato e ha bisogno di idee e innovazione per sostenere il confronto con le nuove tecnologie: Internet, DVD, ecc.

Ancora più difficile è comunque la situazione per la stampa. I maggiori quotidiani a diffusione nazionale (La Repubblica di Roma, il Corriere della sera di Milano, La stampa di Torino) non hanno visto crescere il numero di copie vendute rispetto a 30 anni fa. C'era stato un leggero aumento negli anni '80, ma negli ultimi quindici anni assistiamo a un lento e continuo declino* che ci ha portato agli ultimi posti nella classifica dei paesi europei.

1. *Leggete il testo e cercate le informazioni relative allo sviluppo che c'è stato negli ultimi 30/40 anni.*
Su un foglio, rappresentate questo sviluppo in due grafici distinti: uno per la TV e uno per i quotidiani.

2. *Ecco l'elenco dei programmi della RAI più visti dagli italiani il sabato sera. Ne conoscete qualcuno? Potete immaginare dal titolo di che cosa si tratta? Chiedete informazioni all'insegnante e poi dite quale scegliereste voi.*

I programmi Rai più visti sabato 16 Aprile 2005	Numero di telespettatori
Affari tuoi – Gioco a premi, Rai Uno	7.449.000
Sabato italiano – Varietà, Rai Uno	3.906.000
Cold case. Delitti irrisolti – Telefilm, Rai Due	2.746.000
Che tempo che fa – Varietà, Rai Tre	2.684.000
Gaia il pianeta che sorride – Documentario sulla natura, Rai Tre	2.400.000
TG2 ore 20 e 30 – Notiziario, Rai Due	2.277.000

3. *Rai1, Rai2, Rai3 non sono gli unici canali della TV italiana. Ne conoscete altri?*

4. Il Messaggero è *il principale quotidiano di Roma. Quali altri giornali italiani conoscete?*

Unità
6

Curiosità

Non c'è solo il cavallo, simbolo della RAI, sono tanti gli animali legati al mito della città eterna.

 L'immagine dei due gemelli che vengono allattati dalla lupa è un tema importante nell'arte romana che si può ammirare nei musei di tutta Italia.

 La fama delle oche del Campidoglio invece risale al 387 a.C., quando delle oche con le loro grida svegliarono le guardie e sventarono un agguato notturno da parte dei Galli.

E che dire dei gatti? I gatti del centro storico, di Largo Argentina, sono "cittadini romani" a tutti gli effetti visto che il Primo municipio* li ha dichiarati ufficialmente "patrimonio bioculturale della città" e si è impegnato a creare uno sportello* per la tutela* dei diritti degli animali, dopo aver ringraziato le "gattare", come vengono chiamate a Roma le donne che ogni giorno portano da mangiare ai gatti di strada che altrimenti morirebbero di fame.

Vocabolario: declino: calo, diminuzione, discesa; municipio: comune; rilevante: importante; risiedere: avere sede, essere; sportello: (qui) ufficio comunale; tutela: protezione.

Intervallo 3

A. 🎧 2.10 **Un dialogo autentico.** *Ascoltate questo dialogo in cui due giovani fidanzati, Caterina e Mirco, parlano in modo spontaneo. Riuscite a capirli?. A pagina 208 trovate la trascrizione del dialogo.*

In sintesi...

Completate il testo per riassumere le informazioni più importanti che avete ascoltato.

Il colloquio di Caterina è andato .... e lei è ....

Le hanno chiesto di raccontare un po' le esperienze .... e lei ha

....

Le hanno detto che dovrebbe lavorare dalle .... alle ...., se fa il turno .... E invece dalle ....

alle .... , se .... Questo durante la .... , però può anche capitare di lavorare

in un .... una o due volte il .... e la ....

Farà ....

Non dovrà stare solo in .... ma dovrà anche ....

Per festeggiare, Mirco domenica vuole andare alla .... La squadra di calcio per cui fa il tifo Mirco è la

....

Opinioni e gusti...

Che cosa pensa Mirco del colloquio di Caterina? ....

Secondo voi, a Caterina piace la proposta di Mirco? ....

B. 📖 **Qualche notizia sulle istituzioni.** *Leggete il testo e raccogliete tutte le informazioni per completare la tabella.*

L'Italia è una repubblica parlamentare, il cui potere legislativo è affidato ad un parlamento bicamerale, costituito dalla Camera dei Deputati (630 componenti) e dal Senato della Repubblica (315 senatori eletti, più i senatori a vita). Il Parlamento è eletto dal popolo e la sua legislatura è di 5 anni, ma può essere interrotta anche prima. Il Presidente della Repubblica è la massima carica dello Stato, anche se il suo ruolo è prevalentemente rappresentativo; è eletto ogni sette anni dal Parlamento. Il potere esecutivo è affidato al Governo, che è eletto dal Parlamento e formato dal Consiglio dei ministri, il cui presidente è chiamato anche "Primo Ministro" o "Capo del Governo".

Il Parlamento	Il Governo	Il Presidente della Repubblica	Il Presidente del Consiglio ....
....	....	....	....
....	....	....	....
....	....	....	....
....	....	....	....

Sapete chi è attualmente il Presidente della Repubblica Italiana? E il Presidente del Consiglio? Che cosa sapete di loro? Parlatene con i compagni.

Leggete le istruzioni a pagina 215.

GIOCO A TEMPO

1

Che cosa si fa prima dell'assunzione per un lavoro?

_ L

_ _ _ _ _ _ _ _ I _ _

_ _

_ _ _ O _ _

2

Tre buone regole che si devono rispettare nella situazione presentata nella casella numero 1

1. ....

2. ....

3. ....

3

Cinque parole sul tema "lavoro":

1. ....

2. ....

3. ....

4. ....

5. ....

4

Un dialogo: un giovane chiede a un amico un favore e promette qualcosa in cambio.

....
....
....
....
....

5

Un annuncio per cercare un'auto usata. Dite anche quanto volete spendere.

....
....
....
....

6

Una parola per ogni categoria:

Calcio:

....

Teatro:

....

Cinema:

....

Musica:

....

7

Un confronto fra i due elementi usando l'aggettivo dato:

vino • birra • alcolico

Torino • Venezia • romantico

tè • caffè • gustoso

8

I nome di tre monumenti famosi a Roma.

1. ....

2. ....

3. ....

9

Risposte da completare:

- Che cos'è *Branchie* ?

Il .... del libro di

....

- Dov'è l'immagine del pesce?
Sulla ....

Tutto in regola?

A

1 **Come si vivrà in queste città?**

A coppie: osservate le foto e provate a immaginare come sarà la vita in queste città.

2 **La qualità della vita**

A coppie: scrivete per ogni gruppo di espressioni l'area tematica corrispondente.

In queste sei aree tematiche sono raggruppati i 36 indicatori utilizzati in un'indagine del più noto quotidiano economico italiano, Il Sole 24 Ore, *per giudicare la qualità della vita nelle città.*

| Tempo libero | Ordine pubblico | Popolazione | Tenore di vita | Servizi e ambiente | Affari e lavoro |

1. ....

Il livello di vita in base alle possibilità economiche di ogni cittadino.
alto↔basso
ricchezza↔povertà
avanzato↔arretrato

2. ....

Quantità e qualità delle imprese economiche e percentuale di disoccupazione.
economia vitale↔depressa
livello alto↔basso
sviluppo avanzato↔scarso

3. ....

Strutture e programmi per divertimenti e cultura (cinema, spettacoli, mostre, ecc.).
offerta grande↔scarsa
molte↔poche opportunità
clima vivace↔spento

4. ....

Come sono i servizi per salute, trasporti, ecc.? Com'è la qualità dell'aria? Ci sono spazi verdi?
efficiente↔inefficiente
livello dell'inquinamento:
sostenibile↔insostenibile

5. ....

Numero degli abitanti, cioè delle persone che vivono in un'area geografica.
numerosa↔scarsa
eccessivo↔insufficiente
molti↔pochi giovani

6. ....

Livello di sicurezza in relazione alla criminalità (scippi, furti, aggressioni, ecc.).
grado alto↔basso
luogo tranquillo↔pericoloso
sicuro↔insicuro

3 E la vostra città?

A coppie: scambiatevi informazioni sulla qualità della vita nella vostra città. Poi riferite alla classe.

- Quanti abitanti ci sono? Come va l'economia? C'è disoccupazione?

- Come funzionano i mezzi di trasporto pubblici? E l'assistenza sanitaria?

- Che tipo di offerta culturale c'è: teatri, cinema, concerti, musei, librerie, altro?

- Ci sono strutture pubbliche per i bambini piccoli e gli anziani?

- La sera si può camminare tranquillamente per le strade da soli?

- L'aria è abbastanza pulita? Ci sono problemi di inquinamento?

4 📖 I risultati dell'indagine

Leggete l'articolo e completate la tabella che presenta i risultati dell'indagine.

I RISULTATI

La classifica finale e le singole vincitrici delle sei macroaree

LE PRIME			LE ULTIME		
La classifica finale			**La classifica finale**		
Posto	**Prov.**	**Punti**	**Posto**	**Prov.**	**Punti**
1	....	506,9	94	Salerno	355,5
2	....	505,8	95	Catania	354,2
3	Trento	504,3	96	Palermo	351,2
4	Forlì	500,2	97	R.Calab.	351,0
5	Firenze	499,0	98	Caserta	350,9
6	Trieste	496,2	99	Lecce	350,5
7	Siena	494,9	10	Taranto	348,4
8	Aosta	493,3	101	Foggia	344,4
9	Gorizia	489,5	102	Benevento	344,3
10	Bolzano	488,2	103	Messina	343,0

Le graduatorie di tappa		Le graduatorie di tappa	
....	Milano	....	Foggia
Affari e lavoro	Lecco	**Affari e lavoro**	....
Servizi/ ambiente	....	**Servizi/ ambiente**	Benevento
Ordine pubblico	Campobasso	**Ordine pubblico**	Torino
Popolazione	Matera	**Popolazione**	Trieste
Tempo libero	....	**Tempo libero**	....

Bologna svetta nell'indagine 2004 sulla qualità della vita nelle province italiane, curata da *Il Sole 24 Ore del Lunedì*, e prende il posto di Firenze, star della scorsa edizione e ora scesa al quinto posto. Messina conferma la sua performance negativa del 2003 e si classifica ancora all'ultimo posto. Dalle realtà del Mezzogiorno arriva comunque qualche segnale positivo: alcuni avanzamenti nella classifica generale (Trapani, Siracusa, Cagliari e Nuoro) e primati in due macroaree (Matera nella popolazione e Campobasso nella sicurezza). Quasi invariate invece le posizioni delle grandi aree metropolitane, con Milano saldamente in seconda posizione. E per finire, una curiosità: alla domanda sul luogo ideale in cui vivere (escluso il proprio), il capoluogo lombardo finisce penultimo, superando solo Vibo Valentia. Nel Tenore di vita vince Milano e ultima è Foggia. Negli Affari e Lavoro si contrappongono Lecco e Trapani. Nel Tempo libero predominano le città toscane ed emiliane (grazie alla passione per i film, la lettura, la buona tavola) mentre ultime sono Enna e Reggio Calabria. Insomma il Sud è in recupero, anche se restano molti aspetti problematici.

[Adattato da: *Il Sole 24 Ore*, 20/12/04]

5 Le parole del testo

Ritrovate queste espressioni nell'articolo e collegatele a quelle di uguale significato.

si contrappongono   Mezzogiorno   svetta   invariate

capoluogo   è in recupero   primati   superando

Italia del Sud	....
Città a capo di una regione	....
Passando davanti a	....
Primi posti in classifica	....

È al primo posto	....
Sono in posizioni opposte	....
Uguali a prima	....
Sta migliorando	....

6 Ora tocca a voi!

In piccoli gruppi: rispondete alle domande.

- Siete stati in qualche città tra quelle indicate nella tabella? Avete notato delle differenze?

- E nel vostro paese? Qual è secondo voi la città dove si vive meglio nel vostro paese? Perché?

B

1 Viaggiare in auto

Conoscete queste parole? Scrivetele nel disegno al posto giusto.

corsia di sorpasso casello rotatoria

raccordo svincolo

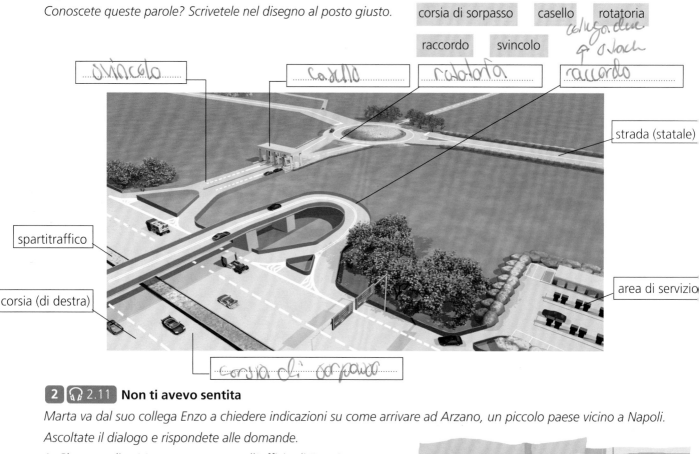

svincolo

casello

rotatoria

raccordo

strada (statale)

spartitraffico

corsia (di destra)

area di servizio

corsia di sorpasso

2 🎧 2.11 Non ti avevo sentita

Marta va dal suo collega Enzo a chiedere indicazioni su come arrivare ad Arzano, un piccolo paese vicino a Napoli.
Ascoltate il dialogo e rispondete alle domande.

1. Che cosa dice Marta per entrare nell'ufficio di Enzo?

è permesso?

2. Che cosa risponde Enzo, per scusarsi?

avanti non ti avevo sentita

3. Che cosa dice Marta per chiedere l'indicazione stradale a Enzo?

mi sapresti dire come arrivare in Madam

4. Che cosa dice Marta per avere lo stradario di Enzo?

Mi potresti dare

ti dispiace di prende
il tuo stradario in prestito

3 🎧 2.11 Indicazioni stradali

Ascoltate e completate la descrizione del percorso. Poi ascoltate ancora e provate a fare uno schizzo del percorso su un foglio.

Enzo: Bene. Dall'aereoporto di Capodichino segui le indicazioni per le autostrade. Dopo 100 metri, seguendo l'indicazione autostrade, volta a sinistra e immettiti nel raccordo autostradale A1 direzione Roma. Dopo qualche chilometro di autostrada, esci allo svincolo Acerra-Afragola in direzione Afragola. Segui la superstrada per circa 5 chilometri, quindi esce allo svincolo Casoria-Arzano. Segui la strada per circa un chilometro, poi prendi per la Zona Industriale (Casoria-Frattamaggiore). Fa' attenzione lì: non prendere la strada a sinistra! Mantieni la dura e continua sulla statale per cinquecento metri. Quando arrivi a un incrocio con un distributore sulla destra, vai a sinistra in via Remo De Feo. Alla fine di questa strada, sulla sinistra, c'è la stazione di Arzano. È un edificio bianco.

4 ∩ 2.11 🔎 **Mettiamo a fuoco**

Ascoltate ancora e completate.

Chiedere un permesso:	Scusarsi:
È permesso? È possibile vedere su uno stradario? Ti dispiace se prendo in prestito il tuo stradario? *Conoscete altri modi di chiedere un permesso?*	scusa • scusi • mi dispiace • sono desolato • mi rincresce • chiedo scusa • perdonami • sono dispiaciuto *Mettete in ordine le espressioni secondo il grado di formalità, dalla meno formale alla più formale:* ....

Grammatica attiva

Imperativo informale o diretto (1)

Ricordate l'espressione Senti, scusa…? *Per dare un ordine o un permesso a una persona in modo diretto, cioè nella forma del "tu" si usa l'imperativo. Completate la tabella.*

Forme regolari:

	entrare	prendere	sentire	finire
(tu)	entra	prendi	senti	finisci

Avete notato? La vocale finale dei verbi in **-are** *è la* **-a**, *mentre per i verbi in* **-ere** *e* **-ire** *le forme sono uguali a quelle del presente indicativo.*

Forme irregolari:

	fare	dare	stare	andare	dire
(tu)	fa'	da' (dai)	sta'	va' (vai)	di'

Negazione:

Per negare l'ordine o il permesso non c'è una forma specifica dell'imperativo. Completate la frase di Enzo e dite di quale forma del verbo si tratta.

Fa' attenzione lì: non ....prendere.... la strada a sinistra!

---

5 **Ora tocca a voi!**

A coppie: scegliete insieme una città che uno di voi conosce bene e l'altro meno bene. Chi conosce meno bene la città sceglie il ruolo A, l'altro il ruolo B descritto a pagina 214. Preparate una scenetta da interpretare in classe.
Ruolo A: *ti sei trasferito/a in città da poco per lavoro e chiedi a un/a collega diverse informazioni sulla città: servizi, divertimenti, indicazioni per raggiungere i luoghi. Usa la forma del tu.*

Frasi utili:	
Ruolo A:	*Ruolo B:*
È permesso?	Vieni pure, di che si tratta?
Posso disturbare un momento?	Ti mostro una cartina…
Avrei bisogno di informazioni…	Se hai problemi ecco il mio numero…
Ti dispiace se prendo in prestito…?	Scusa, ma oggi ho poco tempo…
Hai tempo per…?	Forse domani possiamo uscire insieme…

c

1 Non si può fare!

A coppie: completate con queste frasi la versione illustrata del regolamento del campeggio.

Tenere alto il volume della radio

Superare la velocità di 10 Km/h

Lasciare i bambini soli ai bagni

Accendere fuochi all'aperto

CAMPEGGIO MIRAMARE
È assolutamente vietato:

◯ ....

◯ ....

◯ ....

◯ ....

◯ Scavare canalette

◯ Stendere fili e teli

2 📖 Il regolamento del Campeggio Miramare

A coppie: leggete il testo del regolamento, osservate di nuovo le immagini in C1 e associate a ogni immagine il comma corrispondente del regolamento scritto. Attenzione: per un comma non c'è l'immagine, mentre per un altro comma ci sono due immagini.

1. La Direzione **assegna** la piazzola ad ogni ospite. **Entro** i confini della piazzola, non è consentito scavare canalette e stendere fili e teli.
2. **Non è consentito** accendere fuochi all'aperto né in campeggio né in spiaggia. La Direzione permette l'uso del grill se non è di disturbo o pericolo.
3. **Utilizzare i veicoli** solo per entrare ed uscire, a velocità moderata (5 km/h).
   Non usare i veicoli dalle 23.00 alle 07.00.
4. La presenza di cani, gatti e altri animali non è permessa all'interno del campeggio.
5. A qualunque ora è vietato dare disturbo (attività, giochi e uso di apparecchiature) agli altri ospiti.
   In particolare è **obbligatorio** rispettare il silenzio dalle 23.00 alle 07.00 e dalle 13.30 alle 15.30.
6. Una persona **adulta** deve accompagnare i bambini ai **servizi igienici**. Gli adulti **sono responsabili** del comportamento dei **minori** loro affidati.

3 📖 È permesso o no?

Leggete ancora il regolamento e scrivete accanto sì o no.

portare animali in campeggio ......no......   stendere fili ....   entrare con la macchina ....

andare in bagno ....   usare il grill ....   guardare la TV di notte ....

4 Le parole del regolamento

*Collegate al suo sinonimo ogni parola evidenziata in **neretto** nel regolamento in C2.*

dà ....

dentro ....

chi ha meno di 18 anni ....

non si può ....

bagni ....

si deve ....

usare le auto ....

chi ha più di 18 anni ....

devono garantire ....

5 Ehi, tu!

Che cosa dice il direttore del campeggio alla ragazza?
Riordinate le parole di ogni frase.

1. Bambino - andare - non - da solo - in bagno!

Bambino, non andare da solo in bagno! ....

2. accendere - fuochi! - Non

....

3. tenere - Non - il gatto - qui!

....

4. con - disturbare - quella - radio - Non - gli ospiti!

....

5. Non - canalette! - scavare - e non - stendere fili

....

Esercizio 1: *A coppie: dite cosa è possibile fare in treno e cosa no? E cosa si deve fare?*

Espressioni utili:	
Si può… È permesso Si deve… È obbligatorio…	fare il biglietto - convalidare il biglietto prima di salire portare animali - parlare a voce alta - buttare gli oggetti dal finestrino utilizzare il computer - mettere i bagagli nel corridoio mettere i piedi sul sedile - mangiare e bere - usare il cellulare
Non si deve… È vietato… Non si può… Non è consentito…	ascoltare musica - aprire il finestrino - andare al bagno sporgersi dal finestrino - aprire le porte durante il viaggio - fumare leggere - cantare - consegnare il biglietto al controllore - chiedere informazioni

Unità
7

Esercizio 2: *Immaginate di dover fare un viaggio in treno con un amico o un'amica un po' distratti e dateglifle tutte le indicazioni di comportamento nella forma dell'imperativo diretto o informale.*

Fai il biglietto. Non fumare.

Usare il dizionario monolingue (3)

Il dizionario indica con un'abbreviazione accanto alla parola che cerchiamo la categoria grammaticale. Per esempio, nel caso della parola regolamento *troviamo* **s. m.** *che significa* **sostantivo maschile**. *Provate ad associare queste abbreviazioni al loro significato.*

s.f.	agg.	avverbio	....	sinonimo	....
s.m.	pl.	plurale	....	verbo riflessivo	....
v.tr.	sin.	sostantivo femminile	....	verbo transitivo	....
v.intr.	part. pass.	sostantivo maschile	....	verbo intransitivo	....
avv.	v. rifl.	aggettivo	....	participio passato	....

D

 1 🎧 2.12 **Stop al traffico!**

Alessia intervista alcuni napoletani. Leggete l'annuncio
qui accanto. Poi ascoltate e rispondete alle domande.

1. Di quale provvedimento parlano?
   Che cosa ha ordinato il sindaco di Napoli?
   ....

2. Conoscete iniziative simili nel vostro paese? Secondo voi quali
   provvedimenti sono utili per migliorare la qualità dell'aria in città?
   ....

24 APRILE
DOMENICA ECOLOGICA
STOP ALLE AUTO E ALLE MOTO
DALLE 8,30 ALLE 13,30

2 🎧 2.12 **La parola ai napoletani**

Ascoltate di nuovo l'intervista di Alessia e ricostruite la sintesi collegando le parti delle frasi.

1. ☐ Oggi a Napoli è vietato
2. ☐ Il signore è
3. ☐ La signora suggerisce di
4. ☐ Il ragazzo dice che il suo motorino
5. ☐ Il ragazzo non è d'accordo

a. lasciare le auto in garage per una settimana.
b. perché qualche ora senza macchine non serve.
c. assolutamente d'accordo con il provvedimento.
d. usare auto e moto.
e. è rotto, ma Alessia non ci crede.

3 🎧 2.12 🔍 **Mettiamo a fuoco**

Ascoltate e leggete ancora. Poi sottolineate tutti i verbi che secondo voi esprimono un invito a fare qualcosa e tutte
le forme dell'imperativo che riconoscete. Poi completate le tabelle.

Alessia:	Scusatemi, permettete una domanda?
Un signore:	Certo, come no?
Una signora:	Sì, sentiamo.
Alessia:	Ditemi un po': siete d'accordo con questo provvedimento del vostro sindaco?
Il signore:	Il divieto di circolazione delle auto? Assolutamente sì! Napoli senza traffico è un sogno.
La signora:	È vero, guardatela quant'è bella! Ma mezza giornata di stop alle auto e alle moto forse non serve a niente.
Alessia:	Cosa suggerirebbe di fare allora, signora?
La signora:	Be', se vogliamo veramente l'aria pulita, le macchine lasciamole un po' più spesso in garage, almeno una settimana, direi.

Alessia:	Scusami, ti posso chiedere una cosa?
Un ragazzo:	Dimmi pure!
Alessia:	Che cosa fai con il motorino? Lo sai che oggi non si può?
Il ragazzo:	Lo so. Infatti non lo sto usando, lo sto portando a piedi da un amico perché dobbiamo ripararlo.
Alessia:	Ma fammi il piacere! Non ci credo. Tu non sei molto d'accordo con questo divieto, vero?
Il ragazzo:	No, proprio per niente. Napoli senza traffico, senza rumore, non è più divertente, non è più Napoli.
Alessia:	E alla salute non ci pensi? È importante, dammi retta!
Il ragazzo:	Sì, ci penso, ma qualche ora senza macchine non cambia niente.

Espressioni idiomatiche

Fa' attenzione!   Dimmi pure!

Ma fammi il piacere!   Dammi retta!

Come si dice nella vostra lingua?
....

La particella **ci** *si usa anche per sostituire*
un'espressione con la preposizione **a**.

Non ci credo. (a quella cosa)

E alla salute, non ci pensi?

Grammatica attiva

Imperativo (2)

Le forme di base per un invito o un ordine al plurale sono uguali a quelle dell'indicativo. Completate.

	scusare	prendere	sentire	finire
(noi)	scusiamo	....	....	finiamo
(voi)	....	prendete	....	....

Leggete di nuovo l'intervista di Alessia e completate le frasi. Fate attenzione alla posizione dei pronomi atoni e all'ortografia! Secondo voi, quando si raddoppia la lettera del pronome?

Scusate .... , permettete una domanda?

Dite .... un po': siete d'accordo?

Guardate .... quant'è bella!

Le macchine, lasciamo .... in garage!

Scusa ...., ti posso chiedere una cosa?

Di .... pure!

Ma fa .... il piacere!

Da .... retta!

Esercizio: *Leggete l'e-mail di Valentina e completatela con questi verbi.*

☐   ▤ ◱ ▤

☒ Invia adesso   ☒ Invia più tardi   ✎ Aggiungi allegati   ✍ Firma ▾

Ciao Gianni,
.... se questa mattina non sono venuta ma c'era il blocco delle auto. Tu lo sapevi? Io no, l'ho sentito alla radio quando mi sono svegliata. .... sapere com'è andata la partita, avrei proprio voluto vederti giocare. Io questa sera rimango a casa, se vuoi .... tu per favore perché io non ho credito, come sempre, e il telefono fisso, qui nella casa nuova non me l'hanno ancora messo.
.... sentire presto.
Ah! Dimenticavo: per favore, chiama tu Angela e .... che domenica si va tutti al mare.
Un bacione
Valentina

chiamami

scusami

Fatti

Fammi

dille

Scambio di idee: La città ideale

A. *In piccoli gruppi: decidete le 5 cinque regole fondamentali per la vostra città ideale. Usate la fantasia e create anche regole originali, ad esempio: "Tutti quando si incontrano devono sorridersi."*

B. *In classe: confrontate le vostre regole con quelle degli altri gruppi, discutete per scegliere le cinque regole fondamentali comuni a tutta la classe.*

E

1 🎧 2.13 **Più o meno gentile**

Le frasi con l'imperativo non sono sempre ordini autoritari, ma anche richieste o suggerimenti gentili. Dipende dal contesto e dall'intonazione. Ascoltate le frasi e segnate l'interpretazione più giusta.

	1.	2.	3.	4.	5.	6.	7.	8.
Gentile:	☐	☐	☐	☐	☐	☐	☐	☐
Autoritario:	☐	☐	☐	☐	☐	☐	☐	☐

2 🎧 2.14 **Dicono a Napoli...**

Sentite questo famoso modo di dire pronunciato in napoletano. Che cosa può significare?

Chi ha avuto, ha avuto, ha avuto, chi ha dato ha dato ha dato.... Scordammoci u passato simmo e' Napoli paesa'!

Sono *famosi*

I concerti del Mediterraneo

Che cosa sapete della musica napoletana? Ricordate il titolo di alcune canzoni?

Leggete le presentazioni dei tre concerti. Poi rispondete alle domande.

Il concerto di **Peppe Barra** apre la stagione del **Trianon**, appuntamento nel teatro della canzone napoletana, sabato 16 e domenica 17 ottobre alle ore 21. Grande interprete di canzoni e tammurriate*, di liriche teatrali e poesie, Peppe ci accompagna in un affascinante viaggio musicale melodico e ritmato tra passato e futuro, che si fonde* con i moderni ritmi del Mediterraneo. Vincitore del Premio Luigi Tenco nel 1993, Barra è stato scelto da Fabrizio De André per adattare e cantare in dialetto napoletano la sua canzone "Bocca di rosa", che lui ha interpretato dal vivo e per l'incisione* con estrema emozione.

Che il Mediterraneo Sia, lo spettacolo di **Eugenio Bennato** incluso dall'Unione Europea tra le manifestazioni ufficiali per celebrare il "2005: Anno del Mediterraneo", è il primo concerto euro-mediterraneo per il dialogo tra le culture. Da sempre affascinato dai ritmi della musica etnica, Bennato ha fondato la Taranta Power un movimento musicale che risponde al crescente interesse per la musica popolare da parte di un pubblico sempre più giovane e internazionale. Nel concerto Bennato è accompagnato dalla moglie, Pietra Montecorvino, donna dalla voce potente e sensuale, che è stata indicata al Premio Tenco come l'erede di Gabriella Ferri.

A Sud! A Sud! è il nuovo concerto di una tra le figure più importanti dell'area napoletana, la cantautrice **Teresa De Sio**. Passione, ritmo, dialetto sono gli elementi che formano il cuore di questo nuovo grande progetto. Il tour mette in risalto* gli strumenti fondamentali della tradizione, chitarre, mandolini e tammorre*, e invita il pubblico a percorrere un "sud" metaforico: non soltanto quello nostro, mediterraneo, ma anche un luogo dell'anima, un modo di essere e di pensare comune al sud di tutto il mondo.

- *Che cosa hanno in comune i tre concerti? Quale vi piacerebbe andare a vedere? Perché?*
- *Nelle tre presentazioni trovate il nome di alcuni artisti che avete già conosciuto nelle unità precedenti. Chi sono? Che cosa vi ricordate di loro?*

Per entrare nella magica atmosfera dei ritmi del mediterraneo visitate i siti:

www.peppebarra.altervista.org

www.tarantapower.it

www.teresadesio.com

Vocabolario: <u>fondersi</u>: collegarsi per formare una sola cosa; <u>incisione</u> (f.): produzione in studio di registrazione; <u>mettere in risalto</u>: sottolineare, mettere in primo piano; <u>tammorra</u> (napol.): grosso tamburo; <u>tammurriata</u>: ballo cantato popolare di origine campana, accompagnato dal suono di tamburelli.

Ischia: la nuova frontiera del termalismo

Una delle mete preferite dai vacanzieri termali è senz'altro Ischia, la più grande delle tre splendide isole del Golfo di Napoli. Per la sua origine vulcanica, l'isola* d'Ischia ha un patrimonio* idro-termale fra i più ricchi ed interessanti del mondo ed è considerata una tra le più importanti località nel mercato europeo del termalismo. Le sue acque sono naturalmente calde, con temperature che variano da 55° a 72°C e vengono utilizzate nei tantissimi centri benessere, presenti in tutta l'isola, con le più moderne tecniche di massaggio, fisioterapia ed estetica. Le terme rappresentano per Ischia una delle principali

attività economiche e oggi sono frequentate sempre più da una clientela molto diversa da quella tradizionale: non più, o non solo, persone anziane bisognose di cure per specifiche malattie, ma soprattutto giovani (in grande aumento l'età compresa fra i 18 e i 45 anni) interessati ai pacchetti "salute e bellezza" che hanno creato nuovi modelli di consumo più sofisticati* rispetto a quelli di qualche anno fa. Oggi chi va in una stazione termale desidera praticare sport, tonificarsi*, migliorare la propria salute e il proprio aspetto fisico e, allo stesso tempo, ottenere serenità* ed equilibrio interiore. Insomma le terme oggi si stanno sempre più trasformando in veri e propri "Centri di estetica e benessere"* con grandissime possibilità di sviluppo sul mercato.

1. *Tutte queste affermazioni sono contrarie a quello che si dice qui sopra su Ischia. Per ognuna trovate nel testo le frasi che danno l'informazione giusta e scrivete accanto la sintesi.*

Affermazioni: Non è vero perché...

Le terme non sono la più importante risorsa economica.   ....

Per riscaldare le acque termali c'è bisogno di molta energia. ....

In Europa ci sono molte località termali migliori di Ischia. ....

Alle terme vanno solo le persone anziane.   ....

2. *Trovate nel testo le parole relative alla bellezza e alla salute e completate l'elenco. Alcune parole vanno bene per tutte e due le categorie.*

Salute: benessere, massaggio,
....

Bellezza: estetica, massaggio,
....

3. *È vero, secondo voi, che gli italiani danno troppa importanza alla propria immagine? Com'è da voi?*

Curiosità

La caffettiera napoletana Togliere ad un napoletano la tazzina di caffè al mattino è assolutamente impossibile. Sarà superstizione* ma una giornata non può andare bene se non comincia col caffè. Il caffè napoletano è sicuramente il migliore, soprattutto se è preparato con la caffettiera napoletana. Cara alle nostre nonne, questa macchinetta si usa anche nel resto d'Italia. Come la moka, è composta da tre parti: la parte per scaldare l'acqua, il filtro dove si mette il caffè e la parte con il beccuccio dove si fa scendere il caffè e poi lo si serve. Si riempie d'acqua e si montano i tre pezzi con il filtro pieno di caffè non pressato. Quando l'acqua bolle* la si toglie dal fuoco e la si gira. Dopo qualche minuto il caffè è pronto.

Vocabolario: <u>centro di estetica e benessere</u>: luogo in cui si praticano cure per la salute e la bellezza; <u>isola</u>: terra circondata dal mare; <u>patrimonio</u>: il capitale, la ricchezza; <u>serenità</u>: tranquillità; <u>sofisticati</u>: (qui) complicati, raffinati; <u>bolle</u>: raggiunge i 100 gradi; <u>superstizione</u> (f.): atteggiamento irrazionale che attribuisce fatti negativi a cause e influenze soprannaturali; <u>tonificarsi</u>: mettersi in forma fisica.

Che cosa ne pensi?

A

1 **Una foto, un messaggio**

A coppie: descrivete la foto e interpretate il messaggio con l'aiuto del testo.

2 **Di che cosa si tratta?**

A coppie: UNAR è l'acronimo di Ufficio Nazionale Antidiscriminazioni Razziali. Secondo voi, che tipo di servizi offre questo ufficio governativo?

3 **Positivo o negativo**

Le parole di queste coppie si distinguono per la loro connotazione positiva o negativa, rispetto ai valori di una società multietnica e rispettosa delle diversità. Se è necessario cercate il loro significato in un dizionario e poi classificatele in due gruppi.

1. convivenza / discriminazione
2. emarginazione / integrazione

3. accoglienza / isolamento
4. razzista / interetnico

Positivo: ....

Negativo: ....

4 📖 **Informazioni**

Nel sito del Ministero delle Pari Opportunità (www.pariopportunita.gov.it) si trovano queste informazioni.
Associate a ogni testo il titolo più adatto.

La funzione dell'UNAR   La nostra storia ci aiuta   Una regola fondamentale

1. ....

Negli ultimi venti anni l'Italia da paese di emigrazione si è trasformata in un paese meta di immigrazione. Il Ministero ritiene che la stessa esperienza di emigrazione degli italiani possa rappresentare un punto ~~di vista~~ fondamentale per capire cosa significa l'accoglienza degli immigrati e la loro integrazione nella vita civile e politica del paese.

2. ....

Il Governo italiano ha creato l'Ufficio Nazionale Antidiscriminazioni Razziali con l'obiettivo di realizzare le condizioni concrete per efficaci politiche di integrazione che garantiscano una convivenza pacifica basata tanto sulla tutela dei diritti inviolabili dell'uomo quanto sul rispetto della nostra cultura.

3. ....

Il principio di parità di trattamento fra le persone comporta che non sia praticata nessuna discriminazione, diretta o indiretta, a causa dell'origine razziale o etnica.

5 📖 **Che cosa fa il Ministero delle Pari Opportunità?**

Quali di queste affermazioni non sono vere? Leggete il testo e rispondete. Poi correggete o approfondite l'informazione con quello che avete letto.

1. Il primo obiettivo dell'Ufficio Antidiscriminazione del Ministero è quello di organizzare convegni.

☐ *Vero*   ☐ *Falso*   Infatti, ...

2. L'ufficio aiuta le vittime di discriminazione razziale.

☐ *Vero*   ☐ *Falso*   Infatti, ...

3. L'Ufficio collabora con altre associazioni che lavorano contro la discriminazione.

☐ *Vero*   ☐ *Falso*   Infatti, ...

Uno dei compiti fondamentali dell'Ufficio per il contrasto delle discriminazioni razziali è l'assistenza alle persone che pensano di essere vittime di discriminazione. Per questo motivo, la prima linea di attività dell'Ufficio è stata l'attivazione di un contact center, attivo tutti i giorni dalle 10.00 alle 20.00, contattabile via web o tramite un numero verde telefonico (800 90 10 10), multilingue e gratuito.

La seconda linea di attività dell'Ufficio è quella di coinvolgere quelle associazioni non-profit che si occupano di questi problemi.

La terza linea di attività dell'Ufficio è rappresentata da una vasta campagna di sensibilizzazione dell'opinione pubblica. Questa è stata, infatti, la finalità del convegno sul tema "Tutti diversi, tutti uguali: al via il nuovo Ufficio Nazionale contro le Discriminazioni Razziali". [Adattato da: www.pariopportunita.gov.it]

Unità **8**

6 **Le parole dei testi**

Ritrovate queste parole nei testi che avete letto e collegatele alla loro definizione.

1.	etnico	a. (agg.) che parla diverse lingue
2.	la vittima	b. lo scopo, l'obiettivo
3.	la sensibilizzazione	c. il modo di pensare della gente, dei cittadini
4.	l'opinione pubblica	d. (agg.) proprio di una razza, di un popolo
5.	multilingue	e. fare in modo che si realizzi qualcosa
6.	la tutela	f. iniziativa, attività per fare conoscere un problema
7.	garantire	g. la protezione, fare in modo che una cosa sia rispettata
8.	la finalità	h. la persona che soffre per un'azione negativa

B

1 📖 Notizie di cronaca

A coppie: leggete i titoli e fate delle ipotesi sull'argomento di questi due stralci di notizie di cronaca italiana. Poi cercate di capire il significato delle parole nuove.

Nuovo sbarco di clandestini in Puglia

Una nave di immigrati sbarca sulle coste pugliesi.
A bordo circa 150 curdi, tutti uomini e in buone condizioni. I clandestini hanno dichiarato di fuggire dalle persecuzioni subite in Iraq.

[Adattato da: *Il Corriere della sera*, 24/08/2002]

Tra i Cavalieri anche una badante

ROMA – Il Capo dello Stato conferisce onorificenze al Merito della Repubblica ad alcuni cittadini per il lavoro svolto nella società. Oltre a personaggi famosi l'elenco comprende una «collaboratrice di assistenza familiare»: la «badante» Marioara Halip, nominata Cavaliere della Repubblica.

[Adattato da: *La Gazzetta del Mezzogiorno*, 2/06/2005]

---

2 🎧 2.15 Stranieri in Italia

Ecco il primo contributo di Alessia per questa unità, ascoltate la prima parte e rispondete alle domande.

1. Dove si trova Alessia? ~~Bari~~ Capoluogo china puglia
2. Che cosa dice di questa regione? Gloria
3. Quanti sono i cittadini stranieri regolarmente residenti in Italia? 3 milioni
4. Il numero di immigrati tende ad aumentare o a diminuire?
5. Da dove vengono prevalentemente gli stranieri che si stabiliscono in Italia? europa dell'est, cina africa, cina america latino
6. Che cosa significa "indice di dinamismo culturale e arricchimento umano"?
7. Quali possono essere i problemi collegati a questo fenomeno?
8. Che cosa possono fare le associazioni e gli enti pubblici che se ne occupano?

3 🎧 2.16 La voce della gente comune

Ascoltate le risposte raccolte da Alessia e prendete appunti su ogni persona che parla e sulle sue idee.

	Chi parla? (età ca./lavoro?)	Che cosa dice? (opinione personale/paure/ipotesi)
1.	magistrati	prima di aiuto è necessario poter capire e poterlosi capir
2.		
3.		
4.		
5.		

4 🎧 2.16 🔍 **Mettiamo a fuoco**

Ascoltate di nuovo le risposte e completate le frasi con le espressioni che introducono opinioni, paure o ipotesi degli intervistati. Poi sottolineate le forme nuove dei verbi e completate la tabella.

1. *Credo* che questo sia un tema molto complesso. […]
   Quindi *ritengo* che abbiano bisogno di imparare prestissimo la nostra lingua.
   Insomma *mi sembra* che la comunicazione e lo scambio si trovino alla base di una convivenza civile. […]
   Ma dall'altro *trovo* che si debba cercare anche di risolvere i problemi nei paesi di origine di queste persone. Infatti, *non credo* che possano continuare a emigrare tutti. *Non mi pare* che sia questa la strada.

2. *A me pare* che molti di loro vivano onestamente senza dare fastidio, anzi ci aiutano. Chi si prenderebbe cura degli anziani e delle persone malate senza le badanti straniere, ad esempio? Il problema è che molti italiani *hanno paura* che gli stranieri gli portino via posti di lavoro.

3. Ma… senti, io sono infermiera da 25 anni e ti dico che ormai ci sono molti stranieri tra i miei colleghi. […] Nel lavoro *non credo* di avere difficoltà o conflitti con i colleghi stranieri. Però, *credo* anche che il fenomeno dell'immigrazione in generale porti necessariamente grossi problemi da risolvere: per esempio la diversità nelle tradizioni e nella religione. Forse non sarà giusto, ma *mi sembra* normale in fondo che la gente abbia paura di entrare a contatto con abitudini e regole di vita molto diverse e lontane. Però *penso* che gli stranieri stessi lo capiscano e cerchino di farsi conoscere meglio e accettare.

4. Guarda io lavoro nei cantieri, faccio le case insomma. Tanti compagni sono stranieri e con loro non c'è problema, *mi sembra*. È che tanti altri hanno magari meno fortuna, o prendono una brutta strada e poi succedono i guai. Mah!

5. *Penso* gli adulti che arrivano qui anche soli all'inizio si sentano molto isolati, lontani dalla famiglia di origine, soli ad affrontare una vita comunque dura.

*are → i
ere → a
ire → a*

Grammatica attiva

Congiuntivo presente (1) *Completate.*

	avere	essere	potere	dovere	cercare	vivere	sentirsi	capire
che io	abbia	sia	possa	*debba*	cerchi	viva	mi senta	*capisca*
che tu	abbia	sia	possa	*debba*	*cerchi*	*viva*	*ti senta*	*capisca*
che lui/lei/Lei	abbia	*sia*	possa	debba	*cerchi*	*viva*	*si senta*	capisca
che (noi)	abbiamo	siamo	possiamo	dobbiamo	cerchiamo	viviamo	ci sentiamo	capiamo
che (voi)	abbiate	siate	possiate	dobbiate	cerchiate	viviate	vi sentiate	capiate
che (loro)	*abbiano*	siano	*possano*	debbano	*cerchino*	*vivano*	*si sentano*	*capiscano*

- *La vocale tipica per il congiuntivo regolare dei verbi in -are è la -i. Per quelli in -ere e -ire è la* ....

- *Quando il soggetto nelle due frasi è lo stesso, la forma del verbo della seconda è* ....
Non credo (io) di avere (io) difficoltà o conflitti con i colleghi stranieri.

- *Dopo il verbo* dire *la forma del verbo non è al congiuntivo, ma all'indicativo. Trovate in B4 la frase con* dire *e scrivetela qui:* ....

---

5 ✏️ **Ora tocca a voi!**

A coppie: scrivete alcune affermazioni con le vostre opinioni. Poi presentatele alla classe.

- Quale delle opinioni sul tema dell'immigrazione in B3 è più vicina alla vostra?

- Ci sono altre idee importanti che non avete trovato nelle risposte degli intervistati?

6 **Nazionalità e stereotipi**

A coppie: aggiungete nella tabella almeno altri tre stereotipi e, se manca, la vostra nazionalità. Poi discutete gli stereotipi secondo l'esempio. Usate le espressioni che avete trovato in B4.

Penso che gli italiani parlino veramente troppo e ad alta voce.
Non mi sembra che i tedeschi lavorino troppo.

Italiani • Spagnoli • Giapponesi • Latino-americani • Gli americani degli USA • Inglesi • Tedeschi

Sono riservati e un po' freddi.	Prendono tutti il tè alle 17.	Lavorano moltissimo.
Parlano troppo e ad alta voce.	Non parlano altre lingue.	Viaggiano in tutto il mondo.
Sono romantici e sentimentali.	Masticano sempre chewing-gum.	Hanno un carattere focoso.
Hanno la musica nel sangue.	Arrivano sempre in ritardo.	Molti hanno più di tre figli.
....	....	....
....	....	....

C

1 **Senti questa!**

A coppie: leggete le notizie di cronaca, rispondete e poi trovate un titolo per ogni articolo.

A quale di questi tre articoli possiamo reagire solo positivamente? Quale invece contiene sia una notizia positiva che una negativa? Quale dà solo notizie negative?

Bisceglie – "Per un punto Martin perse la cappa". È il caso di addebitare alla sfortuna la perdita della Bandiera Blu nel corso del 2002: ricordiamo che fu a causa della temporanea sospensione del servizio di raccolta differenziata dei rifiuti che fu compromessa l'assegnazione dell'ambito vessillo alla nostra Città. Il 2003 è l'anno della rivincita. Unica in Provincia di Bari, protagonista con altre "perle" della costa pugliese come Ostuni, Isole Tremiti, Rodi Garganico, Peschici, Mattinata e Castrignano del Capo, Bisceglie ha riconquistato la Bandiera Blu per la sezione Spiagge.

[Adattato da: www.biscegliesweb.it]

TRANI – Completata e riaperta la biblioteca comunale. La più grande opera incompiuta della città resta il parcheggio sotterraneo della piazza della stazione. Un progetto che avrebbe dovuto "liberare" centinaia di posti auto in centro e garantire, dunque, una migliore mobilità urbana. Un progetto su cui si dicono tante cose, ma nessuna in modo ufficiale. Una di queste è che quel parcheggio non sarà mai aperto. Non si sa, però, il perché.

[Adattato da: Barisera, 13/5/ 2005]

ROMA – Con lo sciopero nazionale di 24 ore dei treni, da stasera alle 21 di venerdì, inizia un fitto calendario di proteste nel settore trasporti. Dagli aerei ai trasporti pubblici urbani, alle autostrade, all'Anas. Intanto, la Commissione di garanzia ha concentrato sei agitazioni nel settore aereo nella giornata del 28 maggio. Per informazioni sul programma predisposto da Trenitalia, telefonare al call center 892021 o visitare il sito www.trenitalia.com.

[Adattato da: Il Corriere della Sera, 13/5/ 2005]

2 **2.17** **Questa è bella!**

A coppie: ascoltate il dialogo una volta e rispondete alle domande.

Quante persone parlano? Dove sono? Come sono? (Felici, tristi, arrabbiate, …)

Che relazione c'è tra loro? (amici, marito e moglie, fratelli, colleghi di lavoro, …)

3 **2.17** **Non ne posso più!**

Ascoltate ancora e rispondete: quali dei tre articoli sopra ha letto l'uomo? Com'è la sua reazione? Perché?

4 🎧 2.17 🔍 **Mettiamo a fuoco**

Ascoltate ancora e completate il dialogo con le espressioni date. Poi completate la tabella.

| non ci posso credere | Non ce l'ho con te. | non prendertela! | Non ne posso più! |
| scusami tanto! | Questa è bella! | Non ne parliamo più. | Ma va' là |

- Ma .... !
- Cosa c'è?
- Hanno bloccato i lavori del parcheggio!
- Quello della stazione?
- Sì! E poi si lamentano che usiamo troppo la macchina...
- Forse ci sono problemi di soldi, come sempre.
- .... Quelli se li intascano i soldi te lo dico io!
- .... , come esageri! Vedrai che le cose si sistemeranno.

- E poi guarda: scioperi su scioperi! ....
- Ma quello è un altro problema!
- Sì, ma prima il parcheggio e poi anche gli scioperi.
- Ma dai, ...
- Come non prendertela? Lo sai che devo farmi tutti i giorni un'ora di viaggio per andare al lavoro e arrivo in ufficio già stanco.
- E torni a casa già arrabbiato...
- Hai ragione, ...
  .... Sono solo un po' stressato.
- OK. D'accordo. ....

Per reagire con sorpresa a una notizia:	....
Per cercare di calmare chi è arrrabbiato:	....
Per scusarsi di un comportamento stressato:	....
Per accettare le scuse:	....

5 **Ora tocca a voi!**

Leggete queste tre frasi che corrispondono a quelle in C4 nella forma di cortesia. Poi guardate la scenetta e immaginate il dialogo fra le due persone delle immagini. Usate la forma di cortesia.

Non ce l'ho con Lei! • Non se la prenda! • Mi scusi tanto!

D

1 🎧 2.18 **Lavoro in un centro di accoglienza**

Leggete e completate l'intervista di Alessia ad un volontario di un centro di accoglienza per immigrati con queste forme dei verbi. Poi ascoltate e verificate. Attenzione: ci sono due verbi in più, quali?

arrivino	dia	dormano	facciate	funzioni	parlino

Alessia: Luca, tu lavori in un centro d'accoglienza, vero?

Luca: Sì, sono uno dei tanti volontari.

Alessia: Ci puoi raccontare come funziona?

Luca: Beh, spero che ....*funzioni*.... bene, noi facciamo il possibile: cerchiamo di aiutare queste persone appena arrivano, gli diamo un alloggio, dei pasti caldi

Alessia: Ma mi auguro che qualcuno vi ......*dia*......... una mano, che non ....*facciate*.... tutto da soli.

Luca: Beh, devo dire che la gente spesso ci porta vestiti, cibo e anche il sindaco ci ha promesso un aiuto economico. Non vediamo l'ora che questi soldi ....*arrivino*... perché ne abbiamo proprio bisogno.

Alessia: Ve lo auguriamo di cuore. In bocca al lupo!

Luca: Crepi!

2 🎧 2.18 🔍 **Mettiamo a fuoco**

A coppie: ascoltate e leggete ancora. Poi completate le tabelle.

Grammatica attiva

Congiuntivo presente (2)

Altri verbi che chiedono l'uso del congiuntivo. Fate l'elenco.

....

....

....

Qual è il significato comune a queste espressioni?

....

Alcune forme irregolari. Completate.

	fare	volere	dare	stare
che io	faccia	voglia	dia	stia
che tu	....	voglia	....	stia
che lui/lei/Lei	....	voglia	....	stia
che (noi)	facciamo	vogliamo	diamo	stiamo
che (voi)	....	vogliate	....	stiate
che (loro)	....	vogliano	....	stiano

Espressioni idiomatiche

Dare una mano a qualcuno

Non vediamo l'ora che + *congiuntivo*

Ci sono espressioni simili nella vostra lingua? ....

In bocca al lupo! *Ricordate quest'espressione? Ora sapete anche come si risponde:* ....

3 **Ora tocca a voi!**

Immaginate questa situazione. Parlatene con un compagno e poi riferite alla classe.

Per un anno dovete rimanere in un un paese di cui non parlate la lingua, da soli, in una città nuova dove non avete amici. Avete un lavoro ma non potete ritornare nel vostro paese. Che cosa vi augurate di trovare in città? Che cosa sperate che facciano per voi le persone di quel paese, i colleghi o i vicini di casa per darvi una mano?

4 🖉 **Una ricerca su Internet**

Cercate su Internet due di questi concetti a scelta, prendete appunti sulle informazioni che trovate. Poi confrontate le informazioni con i vostri compagni.

Centri di accoglienza immigrati • Stranieri in Italia • Economia in Puglia • Bandiera Blu

Scambio di idee: **Che cosa ne pensate?**

Il sindaco della vostra città propone cinque novità per il prossimo anno. Tutte sembrano molto improbabili, ma forse a pensarci bene qualcuna potrebbe essere realizzata.

Le cinque proposte del sindaco:

1) Gli affitti delle case diminuiranno del 30%.

2) Una volta alla settimana un pasto al ristorante sarà gratis per tutti.

3) Non si potrà più fumare in nessun luogo tranne che in casa propria, nemmeno per strada.

4) Non si pagheranno più i biglietti dell'autobus o del tram.

5) La benzina costerà la metà.

A. In piccoli gruppi: discutete seguendo le domande guida.

Che cosa ne pensate? Quale proposta vi sembra del tutto irrealizzabile? Quale invece possibile?

Qual è la proposta che, anche se assurda, corrisponde di più a quello che voi sperate?

B. 🖉 *In classe: confrontate le vostre idee e cercate di raggiungere un accordo. Poi scrivete una lettera al sindaco per comunicargli le vostre scelte.*

E

1 🎧 2.19 **Le vocali**

L'italiano è famoso per essere una lingua molto musicale. È vero che le parole italiane sono molto ricche di vocali e queste si collegano senza stacchi. Ascoltate il dialogo e fate attenzione a come si collegano le parole. Poi ascoltate ancora e ripetete.

- Sei mai andata al mare in Puglia?
- Sì. I miei amici hanno una bella casa a Vieste.
- Io invece sono stata alle Isole Tremiti.
- Ah! Penso che siano molto belle.
- È stata una vacanza splendida. Credimi!
- Perché non ci andiamo insieme quest'anno?
- Tutti insieme? Io con i miei e tu con i tuoi?
- Certo. Le vacanze si fanno in famiglia!

2 🎧 2.20 **I dittonghi**

Più vocali di seguito all'interno di una parola formano un dittongo o un trittongo. La pronuncia è continua, senza stacco. Una delle vocali però porta l'accento principale. Ascoltate e segnate l'accento principale in queste parole. Poi ascoltate di nuovo e ripetete.

Viene Paola.	L'auto nuova	Che bei fiori!
Nel mio paese.	I miei e i tuoi	Mauro è a scuola.

🎧 2.21 **Gioco:**

A gruppi di 4: vince chi riesce a dire per primo, in fretta e senza leggere, questo scioglilingua. Avete 3 minuti di tempo per prepararvi, poi scegliete il migliore dei 4 e sfidate gli altri gruppi.

Lo scioglilingua:

Sul mare ci sono nove navi nuove
una delle nove non vuole navigare.

Unità
8

Sono *famosi*

Nel blu dipinto di blu

Sapevate che *Nel blu dipinto di blu* è il vero titolo della famosa canzone *Volare*? L'ha scritta nel 1958 Domenico Modugno, autore e interprete tra i più grandi d'Europa, nato a Polignano a Mare in provincia di Bari.

Volare ha rivoluzionato la canzone italiana, è stata tradotta in tutte le lingue, e ha raggiunto la vetta delle classifiche di tutto il mondo.

Volare

Scrivete su un foglio tutte le parole che associate a questo verbo e confrontatevi con un compagno. Poi ascoltate la canzone una volta senza leggere il testo. Nella canzone ci sono alcune delle parole che avete scritto?

Ora controllate meglio leggendo il testo.

🎧 2.22   **Nel blu dipinto di blu** di Modugno e Migliacci © Curci Milano

Penso che un sogno così non ritorni mai più
mi dipingevo le mani e la faccia di blu
poi d'improvviso venivo dal vento rapito
e incominciavo a volare nel cielo infinito

Volare oh, oh
cantare oh, oh
nel blu dipinto di blu
felice di stare lassù
e volavo, volavo felice più in alto del sole
ed ancora più su
mentre il mondo pian piano spariva lontano laggiù
una musica dolce suonava soltanto per me

Volare oh, oh
cantare oh, oh
nel blu dipinto di blu
felice di stare lassù

Ma tutti i sogni nell'alba svaniscon perché
quando tramonta la luna li porta con sé
ma io continuo a sognare negli occhi tuoi belli
che sono blu come un cielo trapunto di stelle

Volare oh, oh
cantare oh, oh
nel blu degli occhi tuoi blu
felice di stare quaggiù
e continuo a volare felice più in alto del sole
ed ancora più su
mentre il mondo pian piano scompare negli
occhi tuoi blu
la tua voce è una musica dolce che suona per me

Volare oh, oh
cantare oh, oh
nel blu degli occhi tuoi blu
felice di stare quaggiù
nel blu degli occhi tuoi blu
felice di stare quaggiù
con te

Scegliete il significato corretto.

dipingevo

☐ coloravo   ☐ lavavo   ☐ sporcavo

rapito

☐ baciato   ☐ caduto   ☐ portato via

alba

☐ mattina presto   ☐ pomeriggio   ☐ sera

svaniscon

☐ nascono   ☐ crescono   ☐ muoiono

Perché non scrivete voi una canzone o una poesia dove raccontate un sogno?

Sbarchi e accoglienza nel Salento

I flussi di ingresso* di immigrati nel territorio italiano, già molto numerosi negli anni '80, sono esplosi a causa delle tragedie dei popoli della ex-Jugoslavia, del Kosovo e dell'Albania, e delle persecuzioni* sempre più crudeli* subite dal popolo curdo. Il Salento diventa quindi terra di sbarchi e di accoglienza.

È nato così a Lecce nel 1985 il CTM. Si tratta di un'associazione di volontariato e cooperazione internazionale che in 20 anni ha promosso* l'educazione alla mondialità, realizzato progetti di cooperazione internazionale, offerto iniziative per favorire l'integrazione dei cittadini stranieri.

Il CTM-Lecce lavora con scuole e associazioni, promuove corsi di formazione e di educazione allo sviluppo, coinvolgendo l'opinione pubblica e gli Enti locali. Dà inoltre agli immigrati consulenza legale, aiuto nella ricerca di alloggi* e nell'inserimento lavorativo, e garantisce anche assistenza sanitaria in collaborazione con le ASL* cittadine. Il CTM è inoltre sostenitore di "VITA non-profit", importante settimanale europeo esclusivamente dedicato al volontariato e al non-profit.

[Adattato da: www.ctm-lecce.it]

---

1. *Riassumete il testo seguendo questa traccia.*

Gli immigrati che arrivano nel Salento vengono da ....

Il CTM è nato a .... nel .... ed è ....

Le principali attività del CTM sono ....

Il CTM sostiene .... che è ....

2. *Conoscete un altro centro di accoglienza immigrati in Italia o nel vostro paese? Parlatene.*

3. *Conoscete degli italiani che sono emigrati? Che cosa sapete di questo fenomeno? Parlatene.*

Curiosità

I trulli sono un esempio straordinario di architettura popolare.

Questo tipo di costruzioni sembra essere presente già in epoca preistorica, ma nel corso del tempo la sua funzione è cambiata: da semplice riparo* di fortuna si è trasformato in una vera abitazione con tutti i comfort.

Alberobello, meraviglioso paesino in provincia di Bari, è l'esempio più rappresentativo e pittoresco della "cultura del trullo": solo qui infatti i trulli si ritrovano raggruppati a formare un vero e proprio paese. L'importanza storico-artistica dei trulli è stata riconosciuta dall'UNESCO il 5 Dicembre 1996 quando ha dichiarato i trulli di Alberobello patrimonio* dell'intero pianeta, inserendo questa città nella lista del Patrimonio Mondiale (World Heritage List).

Unità **8**

Vocabolario: alloggio: casa; ASL: Azienda Sanitaria Locale, l'ufficio locale del servizio sanitario nazionale; crudele: malvagio, senza pietà; ingresso: entrata; patrimonio: capitale, ricchezza; persecuzione (f): azione sì forza contro una minoranza etnica, politica o religiosa; promosso: part. pass. di promuovere, dare impulso, fare avanzare; riparo: ciò che serve a proteggere, ad esempio dal freddo e dalla pioggia.

Intervallo 4

A. 🎧 2.23 **Un dialogo autentico.** *Ascoltate questa conversazione fra una signora e un giovane uomo che si incontrano in treno. Riuscite a capirli? A pagina 210 trovate la trascrizione del dialogo.*

1. Di dov'è la donna?

....

2. Di dov'è l'uomo?

....

3. Dove stanno andando le due persone?

....

4. Che cosa va a fare l'uomo? Perché?

....

....

....

5. Che cosa dice la donna di Milano e dei Milanesi?

....

....

6. Quanti consigli dà la donna? Quali?

....

....

....

B. 📖 **Un po' di economia.** *Completate il testo con le parole date. Potete confrontare le vostre risposte a pagina 217.*

artigianale - aziende - disoccupazione - economia - finanziario - imprese
Made in Italy - materie - produzione - turistico

L'Italia ha un'economia industriale: la maggioranza delle grandi .... si trova nel nord e nel centro del paese, mentre nel sud la .... è principalmente di tipo agricolo e .... Queste attività però non riescono a dare lavoro a tutta la popolazione in età lavorativa. Nel sud la .... è intorno al 20% mentre nel nord è del 4% circa.
L'................................ italiana è formata soprattutto da piccole e medie .... : le poche grandi imprese che ci sono appartengono normalmente alle famiglie dei fondatori, pensiamo ad esempio alla Fiat, oppure sono gestite da gruppi stranieri. Anche in campo .... le dimensioni delle banche italiane sono sicuramente inferiori in confronto ai grandi gruppi europei.
La maggior parte delle .... prime e dell'energia è importata da altri paesi. In Italia, infatti, non ci sono grandi giacimenti di materie prime. C'è invece una grande produzione .... che va dai prodotti alimentari alla moda, con una qualità e una cura dei dettagli altissima. Questo settore è conosciuto e identificato in tutto il mondo con l'espressione ....

Leggete le istruzioni a pagina 215.

GIOCO A TEMPO

1

Come si può chiamare in altro modo?

Una città a capo di una regione?

....

L'Italia del Sud?

....

2

Tre parole che riguardano l'autostrada:

1. ....
2. ....
3. ....

3

Una richiesta di scusa perché siete arrivati in ritardo:

....
....
....
....
....

4

Tre cose che non deve fare in albergo un amico o un'amica che divide la camera con voi:

1. ....
....
2. ....
....
3. ....
....

5

Frasi da completare:

In treno è consentito

....
....

In aereo è vietato

....
....

6

Un brevissimo testo in un giornale sotto questo titolo:

Nuovo sbarco di clandestini

....
....
....
....

7

Uno slogan contro le discriminazioni:

....
....
....
....

8

Uno stereotipo per ogni categoria:

Penso che i bambini

....
....

Penso che gli anziani

....
....

9

Come dite?

Per reagire con sorpresa a una notizia:

....

Per dire che siete molto stanchi

Stili di vita

A

1 Come vivono?

A coppie: osservate le immagini e fate le vostre ipotesi per rispondere a queste domande.

- Cosa stanno facendo le persone? Che relazione c'è fra loro? Come vivono?

2 Come vivono

Associate le parole alle descrizioni.

| Single | Coppia di fatto | Matrimonio | Convivenza con amici |

1. .... due persone legate da un rapporto sentimentale che vivono insieme, ma non sono sposate.
2. .... due o più persone legate da un semplice rapporto di amicizia o conoscenza che condividono una casa o un appartamento.
3. .... persona che non è sposata e nemmeno fidanzata e che, normalmente, vive da sola.
4. .... l'unione fra due persone che si impegnano con un rito ufficiale davanti a un funzionario dello Stato o a un ministro del culto religioso.

3 Ora tocca a voi!

In quale delle descrizioni in A2 vi riconoscete di più personalmente? Quale stile di vita è più diffuso nel vostro paese? Parlatene in classe.

4 📖 Come cambia la famiglia italiana

A coppie: cercate nell'articolo i dati che descrivono la famiglia italiana di oggi e, su un foglio, fate una tabella che li riassuma.

Trentenni senza figli né marito che rimangono a vivere con i propri genitori; è questo un primato che l'Italia detiene rispetto agli altri paesi europei. La formula tradizionale italiana di famiglia ha subito infatti molte trasformazioni, lasciando il posto ad una pluralità di altre situazioni: famiglie unipersonali, coppie senza figli e famiglie monogenitoriali. È questo uno dei dati che emergono dall'indagine voluta dall'Eurispes in occasione della festa della donna dell'8 marzo.

Conciliare i tempi di vita e di lavoro ha sempre presentato per le donne un grande problema e la cura dei figli e della famiglia è quasi sempre risultata penalizzante sul versante professionale, nel quale la donna, sottolinea l'Eurispes, soffre spesso discriminazioni da parte del datore di lavoro. Così, anche se il modello familiare classico della coppia con figli resiste saldamente e rappresenta la scelta del 72,4% delle trentenni italiane, tra queste, il 9,3% ha formato una coppia senza figli. E quest'ultimo rappresenta secondo l'indagine un modello familiare *"in continuo aumento a partire dai primi anni Ottanta"*: le donne si sposano sempre più tardi e per il lavoro possono decidere anche di rinunciare ai figli. Il numero medio di figli per donna è sceso infatti dal 2,42% del 1970 all'1,2 del 1999, anche se il 2000 ha fatto registrare un incremento della natalità (543.039 nati contro i 500.021 del 1999). Si sceglie di sposarsi soprattutto al Sud (91,9% contro l'87,3 del Nord e l'86,3 del Centro), mentre la convivenza in coppie di fatto predomina al Centro (il 10% contro il 6,4 del Nord e il 3% del Sud).

Anche la cifra totale dei single non sposati è considerevole, e ripartita equamente tra celibi (840.000) e nubili (806.000). Ma tra le nubili ci sono soprattutto anziane signore al di sopra dei 65 anni, piuttosto che giovani donne con meno di 25 anni. [Adattato da: www.edscuola.it Fonte: E*urispes*, 2002]

5 📖 Che disordine!

Leggete queste affermazioni e ricostruite l'ordine giusto per la sintesi dell'articolo in A4.

☐ Anche se il modello tradizionale di famiglia formato da una coppia con più figli resta forte,

☐ Questa informazione ci arriva dall'indagine condotta dall'Eurispes per l'8 marzo.

☐ Sono infatti sempre di più le donne che si sposano verso i 30 anni e scelgono di non fare figli per riuscire meglio nel loro lavoro.

☐ Aumenta anche il numero delle convivenze di persone non sposate e coppie di fatto,

☐ il numero delle coppie, anche sposate, che non hanno figli tende a aumentare.

[1] La famiglia italiana sta cambiando: ormai ci sono diversi tipi di famiglia.

☐ soprattutto nel Centro, mentre il numero maggiore dei matrimoni resta al Sud.

☐ Sono molte ormai anche le persone che vivono sole, ma bisogna considerare tra queste molte donne anziane.

Usare il dizionario monolingue (4)

In genere il dizionario utilizza alcuni simboli per dare ulteriori informazioni sulle parole. Provate ad associare i simboli che trovate qui accanto al loro significato. Poi cercate nel vostro dizionario una parola per ogni simbolo.

†	contrario
//	marchio registrato
®	trascrizione fonematica
↔	parola arcaica

Unità
9

B

1 🎧2.24 **Alessia è a Cefalù**

A Cefalù Alessia intervista una giovane coppia. Ascoltate il dialogo e rispondete alle domande.

1. Quanti giorni rimangono a Cefalù i due intervistati?
2. L'appartamento dove alloggiano è in affitto o è di loro proprietà?
3. Sono sposati?
4. Perché vogliono andare in Mongolia?
5. Dove passano in genere le loro vacanze?
6. Dove non vogliono andare in viaggio di nozze?
7. Perché non cambiano posto per le vacanze?
8. Che cosa augura Alessia ai due giovani?

2 🎧2.24 **Vogliamo che sia indimenticabile**

Ascoltate di nuovo il dialogo e completatelo con queste espressioni.

Non c'è che   la luna di miele   mete turistiche   chiacchierata

Con quel che   il viaggio di nozze   Diciamo di sì   buon soggiorno

Alessia:	Salve, ragazzi. Posso farvi qualche domanda?
Giuseppe:	Certo, fai pure!
Alessia:	Siete in vacanza?
Mariangela:	Non proprio, siamo qui solo per il fine settimana. *Con quel che* costa la vita, bisogna risparmiare! Ma non vediamo l'ora che arrivino le ferie, quelle vere.
Alessia:	Siete in albergo?
Giuseppe:	No, abbiamo un appartamento di famiglia.
Alessia:	Ah, allora le vacanze le passate sempre qui?
Mariangela:	Sì, perché il posto è meraviglioso e abbiamo paura che cambiare costi troppo. Poi, sai, ci dobbiamo sposare e stiamo risparmiando per *la luna di miele*
Alessia:	Che romantico! Allora bisogna che mi parliate un po' anche dei vostri progetti per *il viaggio di nozze* Avete già pensato dove farlo?
Mariangela:	*Diciamo di sì* io mi aspetto che sia qualcosa di molto speciale, in un luogo molto diverso dalle solite *mete turistiche*
Giuseppe:	Insomma, puoi capire… vogliamo che sia indimenticabile.
Alessia:	Come no? Vi capisco bene e vi auguro che sia proprio così! E dunque a cosa pensate?
Mariangela:	Alla Mongolia.
Alessia:	Oh, sicuramente diverso. *Non c'è che* dire!
Giuseppe:	Già…
Alessia:	Bene, grazie per la *chiacchierata buon soggiorno* e in bocca al lupo per tutto!
Mariangela e Giuseppe:	Crepi! Grazie a te, ciao.

3 🎧2.24 🔍 **Mettiamo a fuoco**

Rileggete e riascoltate l'intervista di Alessia e sottolineate tutte le forme dei verbi al congiuntivo. Poi cercate le espressioni che ci sono prima del congiuntivo e completate la tabella della pagina accanto.

Grammatica attiva

Congiuntivo presente (3)

Oltre all'espressione di opinioni personali e ipotesi, anche queste espressioni richiedono il congiuntivo. Completate.

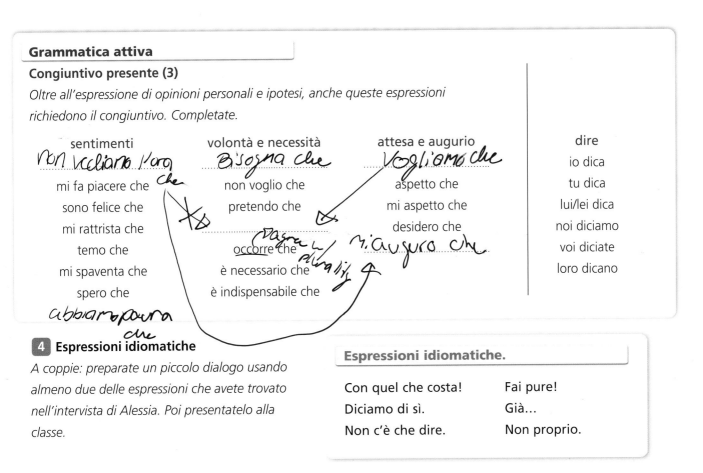

sentimenti	volontà e necessità	attesa e augurio	dire
Non vediamo l'ora	*Bisogna che*	*Vogliamo che*	io dica
mi fa piacere che *che*	non voglio che	aspetto che	tu dica
sono felice che	pretendo che	mi aspetto che	lui/lei dica
mi rattrista che		desidero che	noi diciamo
temo che	occorre che *Vogna li*	*mi auguro che*	voi diciate
mi spaventa che	è necessario che *plurali?*		loro dicano
spero che	è indispensabile che		
abbiamo paura che			

4 **Espressioni idiomatiche**

A coppie: preparate un piccolo dialogo usando almeno due delle espressioni che avete trovato nell'intervista di Alessia. Poi presentatelo alla classe.

> **Espressioni idiomatiche.**
>
> | | |
> |---|---|
> | Con quel che costa! | Fai pure! |
> | Diciamo di sì. | Già… |
> | Non c'è che dire. | Non proprio. |

Esercizio: Il luogo ideale

Descrivete in una frase la caratteristica che ritenete più importante per ognuna di queste cose usando le espressioni che richiedono il congiuntivo come nell'esempio.

Il luogo ideale dove passare il tempo libero per me è così: voglio che sia un posto tranquillo.
Il luogo ideale dove comprare casa per me è così: è importante che ci sia molto verde.
Il luogo ideale dove…

… comprare una casa ....

… passare il tempo libero ....

portare in vacanza i bambini ....

… aprire un negozio di abbigliamento ....

… aprire una ditta di import-export ....

… organizzare un corso di italiano ....

… organizzare un appuntamento romantico ....

… costruire un aeroporto ....

5 **Ora tocca a voi!**

A coppie: cercate una casa per le vacanze, come la volete? Prendete appunti e poi riferite alla classe.

Domande utili:	Io...	Il mio compagno...
Dove è necessario che sia?	....	....
Come vuoi che sia?	....	....
Cosa temi che non abbia?	....	....
Quanto ti aspetti che sia grande?	....	....
Cosa pretendi che abbia assolutamente?	....	....
....	....	....

Unità **9**

C

1 📖 Le vacanze degli italiani

Leggete l'articolo e completate la tabella.

---

www.repubblica.it/2005

Le famiglie italiane continuano a spendere meno per le vacanze. Una prima conferma arriva dall'Istat: nel periodo pasquale 2005 gli alberghi italiani hanno registrato una flessione del 4,7% negli arrivi della clientela italiana rispetto al periodo pasquale 2004.

Gli affitti nelle località marine. Gli italiani non ce la fanno più a fare la vacanza lunga. Il tempo medio della vacanza si riduce progressivamente: dal mese intero di qualche anno fa siamo scesi ai quindici giorni medi, mentre sempre più spesso i turisti se la cavano con una sola settimana. Un nuovo fenomeno che può definirsi il "discount" della casa/vacanze: la famiglia media cerca una casa in affitto per una quindicina di giorni spostandosi dalla zona più vicina al mare leggermente all'interno dove gli affitti sono più bassi, oppure in località meno note e più a buon mercato.

Le compravendite. Rimane forte la domanda per l'acquisto. Si registra che per ogni compravendita realizzata siano almeno due i potenziali compratori, mentre nel mercato della prima casa il rapporto è ormai di 1,5 a uno.

Le scelte. Le motivazioni che spingono all'acquisto di una casa in una zona di mare si dividono equamente tra investimento e desiderio di qualità della vita. Vediamo prima l'investimento. La seconda casa media ha una dimensione di circa 50 mq. per un investimento di 170-200 mila euro. Gli italiani ce la mettono tutta per pagare subito, usando investimenti finanziari precedenti. La seconda motivazione di acquisto di una seconda casa è quella della qualità della vita. Sempre più si utilizza la seconda casa nel fine settimana e nel corso dell'anno, mentre durante l'estate si fanno viaggi (quando ci sono le risorse) oppure si affitta un appartamento.

I NUMERI DEL 2005	
Arrivi in alberghi tasso di diminuzione (rispetto al 2004)	... %
Numero medio di giorni per una vacanza	... / ...
Durata media di un affitto in una casa/vacanze	ca. ... gg.
Compravendite (potenziali acquirenti per ogni casa/vacanze in vendita)	... a uno
Motivazioni per l'acquisto di una casa/vacanze:	
1)	
2)	
Quando si utilizza la seconda casa?	

2 ✎ In sintesi, come fanno a risparmiare per le vacanze?

Rileggete l'articolo. Rispondete alla domanda e poi preparate qualche appunto scritto per riassumere oralmente le informazioni principali. Aiutatevi anche con la tabella che avete compilato in C1.

3 Mettercela tutta, cavarsela, farcela

Ritrovate nell'articolo le tre espressioni e abbinate ai significati.

1. Fanno tutto il possibile, si impegnano a fondo.   .... | Non ce la fanno |

2. Non riescono, non hanno successo.   .... | Se la cavano |

3. Trovano una soluzione, non ottima ma abbastanza buona.   .... | Ce la mettono tutta |

4 🔍 Mettiamo a fuoco

Avete notato? Il significato dei tre verbi "fare", "cavare" e "mettere" cambia in combinazione con i pronomi atoni.
Ricostruite queste frasi, osservate bene i pronomi e poi completate la tabella.

1. [f] Non ce la faccio più a stare in questa stanza.
2. [ ] Me la cavo abbastanza a nuotare,
3. [ ] Come va Giuseppe in matematica?
4. [ ] Le lingue straniere sono importanti!
5. [ ] Ragazzi ce la fate a tradurre in tedesco?
6. [ ] Se ce la mettete tutta,

a. ma non mi fido ad andare in mare aperto.
b. Credimi, io ce la metto tutta con l'italiano.
c. Beh, non è un genio, ma se la cava.
d. ve la caverete anche voi.
e. Sì, dai qua. In tedesco ce la caviamo.
f. Vado via!

Grammatica attiva

Mettercela tutta - Cavarsela - Farcela

Quale dei tre verbi si comporta come un verbo riflessivo e cambia il primo pronome
a seconda del soggetto? ....

	Cavarsela	Farcela	Mettercela tutta
(io)	me .... cavo	ce .... faccio	ce .... metto tutta
(tu)	.... la cavi	ce la	ce la .... tutta
(lui/lei/Lei)	se la	ce .... fa	ce la .... tutta
(noi)	ce .... caviamo	.... la facciamo	.... la mettiamo tutta
(voi)	.... la cavate	ce la	ce .... mettete tutta
(loro)	se .... cavano	ce la	ce la .... tutta

Esercizio 1: *A coppie: ricomponete le frasi.*

Mi piace la musica,	al mare	e ce la caviamo col giardinaggio.
Quando cucina lui	ma io con il flauto	come ve la cavate?
E tu	amiamo curare la casa	non me la cavo tanto bene.
Lea e Pia non sono molto sportive	la cena è un incubo:	come te la cavi a nuotare?
Ragazzi, lì in cucina	con il pesce	se la cava malissimo.
Io e lui	ma con la vela	se la cavano.

Esercizio 2: *A coppie: scegliete un'immagine e descrivetela raccontando una breve storia. Usate una o*
più espressioni idiomatiche che avete trovato in queste pagine.

Unità
9

D

1 ⏺ 2.25 **Norme di circolazione**

A coppie: Patrizia è a Taormina e cerca di parcheggiare la macchina ma un vigile la blocca. Ascoltate il dialogo e rispondete alle domande. Poi confrontatevi con i compagni.

- Che cosa dice di fare e di non fare il vigile a Patrizia?

Fare: torni indietro   *non lasci la macchina, cerchi un parcheggio li, torni indietro terra alla prima a destra*

Non fare: Non lasci la macchina qui   *non la può parcheggiar qui, non insista*

- E che cosa chiede Patrizia al vigile? *(cercate di scrivere le sue frasi)*

la prego mi ascolti, faccia una eccezione per favore

2 ⏺ 2.25 🔍 **Mettiamo a fuoco**   *Non si arrabi*

Ascoltate, leggete il dialogo e verificate le vostre risposte. Poi sottolineate le forme dei verbi che servono a chiedere di fare o non fare qualcosa e completate la tabella.

☞ imperativa = congiuntivo formale

Vigile: Signorina, senta, non lasci la macchina qui! Non vede il segnale? È divieto di sosta!

Patrizia: Mi scusi, ma non so proprio dove metterla.

Vigile: Torni indietro, prenda la prima a destra e cerchi un parcheggio lì.

Patrizia: Ci sono già stata ma è tutto pieno. Non c'è qualcosa di meglio?

Vigile: Allora, provi nelle vie interne, ma fuori dal centro storico. Qui comunque non la può parcheggiare.

Patrizia: Faccia un'eccezione, per favore, sono qui per lavoro e sono già in ritardo.

Vigile: Signorina, Le pare il caso? Non insista o sarò costretto a farLe una multa.

Patrizia: La prego mi ascolti..

Vigile: Ha ancora qualcosa da dire? Guardi che io scrivo, eh?

Patrizia: Va bene, va bene, non si arrabbi, vado via.

Grammatica attiva

Imperativo formale (forma di cortesia) (3)

Completate lo schema delle forme e rispondete.

A quale altra forma del verbo è uguale la forma dell'imperativo di cortesia?

A quella del singolare del ....

Verbi in -are:	non lasc........... la macchina qui!
Verbi in -ere:	prend........... la prima a destra!
Verbi in -ire:	Sent ....! / La finisca!
Con i pronomi:	non .... arrabbi! / .... ascolti!
Fare:	fa........... un'eccezione, per favore!

Esercizio: *Completate con l'imperativo del Tu o del Lei a seconda del contesto. Attenzione alla posizione dei pronomi.*

1. (La mamma a suo figlio) - Siamo in ritardo. (fare) .... in fretta!

2. (Il direttore alla segretaria) - Signorina, (ricordarsi) .... di spedire questo fax!

3. (A un pranzo d'affari) - Le piacciono i crostini? (prenderne) .... ancora.

4. (Al telefono con il fidanzato) - Amore, ti prego, non (arrivare) .... in ritardo!

5. (La moglie al marito) - Mario, se esci, (comprarmi) .... il giornale, per favore!

6. (La fidanzata al padre di lui) – C'è ancora un po' di pasta, (finirla) .... Lei!

Gioco:

A coppie: in 5 minuti di tempo formulate il maggior numero di consigli da dare al vostro capo, che si trova nelle situazioni descritte qui sotto. Poi presentatele alla classe. Vince la coppia che ha scritto il maggior numero di frasi corrette.

Il capo deve andare in Giappone per lavoro e per questo...
- vuole imparare a parlare giapponese, ma ha solo un mese di tempo;
- vuole sapere le norme di comportamento più importanti per non fare gaffe con i giapponesi;
- deve smettere di fumare perché in tutti i luoghi che frequenterà c'è il divieto di fumo;
- deve convincere la moglie a non essere gelosa della segretaria ventenne che lo accompagna.

Scambio di idee:

A. 📖 *A coppie: leggete queste informazioni sullo scambio casa e parlatene.*
- È un'idea che vi piace? L'avete già sperimentata?

🔲 www.scambiocasa.it

Scambio casa: per saperne di più

Ti piacerebbe organizzare la vacanza dei tuoi sogni senza spendere un occhio della testa?

Ti attrae l'idea di disporre anche quando sei in vacanza di tutte le comodità di una casa?

Ti interessa conoscere meglio i luoghi che visiti, facendo la spesa nei negozi del posto e scambiando due chiacchiere con i vicini?

Sei disposto, perché tutto ciò sia possibile, a permettere che qualcun altro viva a casa tua?

Lo **scambio casa** è un modo diverso e divertente di organizzare le tue vacanze. Lo scambio può riguardare la propria **residenza abituale** o una **seconda casa** e può comprendere, se lo desideri, anche lo scambio della macchina.

B. ✏️ *In due gruppi: descrivete dettagliatamente la casa che volete offrire specificando anche il luogo e la grandezza. Disegnate anche la piantina. Proponetela all'altro gruppo e valutate la loro proposta. Riuscite a mettervi d'accordo?*

E

1 🎧 2.26 **Parole composte: accento secondario**

Ascoltate le parole composte e segnate l'accento principale e quello secondario.

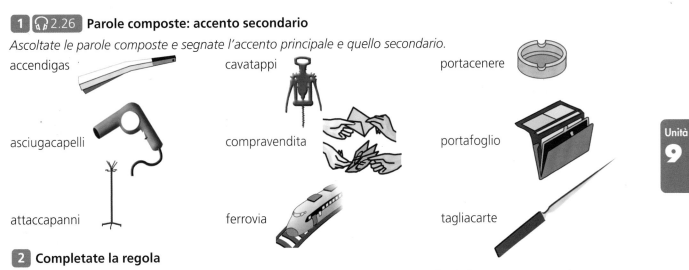

accendigas   cavatappi   portacenere

asciugacapelli   compravendita   portafoglio

attaccapanni   ferrovia   tagliacarte

Unità 9

2 **Completate la regola**

Ogni parola composta ha .... accenti. L'accento più importante è quello dell' .... parola.

Sono famosi

Il commissario Montalbano

Salvo Montalbano è il commissario più famoso d'Italia. Nato a Catania, vive e lavora a Vigata, paesino siciliano nato, esattamente come Montalbano, dalla fantasia dello scrittore Andrea Camilleri.

Leggete i brani tratti da due romanzi di Andrea Camilleri sul Commissario Montalbano. Che idea vi fate di lui? Descrivetelo, usando anche la fantasia. Quanti anni ha? È sposato? Com'è il suo carattere? Come ve lo immaginate fisicamente? Se volete, potete disegnarlo. Poi parlatene in classe.

"Amore? Sono Livia. Come ti senti?"

"Bene. Perché?"

"Ti ho appena visto in televisione."

"Oh Gesù! Mi hanno visto in tutta Italia?"

"Credo di sì. Ma è stata una cosa breve, sai?"

"Si è sentito quello che dicevo?"

"No, parlava solo lo speaker. Di te si vedeva però la faccia ed è per questo che mi sono preoccupata. Eri giallo come un limone."

"C'erano magari i colori?"

"Certo. Ogni tanto ti mettevi la mano sugli occhi, sulla fronte."

"Avevo mal di testa e le luci mi davano fastidio."

"Ti è passato?"

"Sì."

[*Il cane di terracotta*, pag. 70, © Sellerio 1996]

"Commissario Montalbano? Sono Luciano Acquasanta del giornale "Il Mezzogiorno". Vorrebbe essere tanto cortese da concedermi un'intervista?"

"No."

"Non le farò perdere tempo, lo giuro."

"No."

[*Il cane di Terracotta*", pag. 69, © Sellerio 1996]

A Montalbano la giovane rimetteva le sue confidenze, i suoi problemi, e lui fraternamente e saggiamente la consigliava: era una sorta di padre spirituale - ruolo che aveva dovuto imporsi a forza, Ingrid suscitando pensieri non precisamente spirituali.

[*Il cane di terracotta*, p. 80, © Sellerio 1996]

All'osteria San Calogero lo rispettavano, non tanto perché fosse il commissario quanto perché era un buon cliente, di quelli che sanno apprezzare. Gli fecero mangiare triglie di scoglio freschissime, fritte croccanti e lasciate un pezzo a sgocciolare sulla carta da pane.

[*La forma dell'acqua*, p. 67, © Sellerio 1994]

Livia dice a Montalbano "Eri giallo come un limone." Fate altri paragoni associando gli aggettivi dati alle parole a destra. In quali situazioni usereste espressioni come queste?

Rosso come	un'acciuga
Bianco come	una balena
Nero come	il carbone
Pallido come	un fantasma
Magro come	un lenzuolo
Grasso come	un peperone

Nella letteratura del vostro paese esiste un personaggio come il Commissario Montalbano?

Il Ponte sullo stretto

Una strada per l'Europa o un monumento all'inutilità?

La costruzione del ponte sullo stretto di Messina, che unirà la Sicilia al resto dell'Italia, dovrebbe iniziare entro il 2010. Il ponte dovrebbe essere operativo* al più tardi nel 2020.

Il presidente della società Stretto di Messina l'ha giudicata *"Un'impresa seconda solo allo sbarco dell'uomo sulla luna". "Un ponte che entrerà a far parte della storia dell'Europa,* - secondo i sostenitori* del progetto - *renderà più veloce il traffico dei treni, smaltirà* il traffico di automobili giornaliero, darà lavoro a 10 mila persone."*

Insomma, il ponte porterebbe grandi vantaggi a tutto il sud. Ma è sufficiente un ponte sullo stretto, per dare la possibilità a Calabria e Sicilia, due tra le regioni più belle ma più povere d'Italia, di avvicinarsi all'Europa? Aumenteranno davvero i turisti che decideranno di arrivare in Sicilia in macchina sapendo che, alla fine del ponte, le strade e le autostrade che li aspettano non sono fra le più facili e comode del paese? E, in che modo si renderà più veloce il traffico dei treni se la rete ferroviaria siciliana è quasi esclusivamente a binario unico*? Queste le domande più frequenti fra chi, invece, vede il ponte sullo stretto come un grande monumento tra due regioni che di monumenti già ne sono ricchissime ma dove ancora mancano ospedali, scuole, autostrade e, in estate, anche l'acqua. *"Sono tutti lavori che dovranno avvenire insieme alla costruzione del ponte altrimenti rischiamo di fare un'opera isolata"*, dichiara la Società Stretto di Messina.

1. *Leggete il testo e elencate gli argomenti pro e contro la costruzione del ponte. E voi che cosa pensate?*

Pro	Contro

2. *Fra i grandi progetti, opere, monumenti di tutto il mondo, quali ritenete assolutamente inutili, e quali invece utilissimi?*

Curiosità

La fuitina

È la più classica delle fughe* d'amore, in uso in tutto il sud e in particolare in Sicilia. Quando una coppia di innamorati non può sposarsi perché una o entrambe le famiglie non sono d'accordo, i due fuggono di casa aiutati dagli amici di lui. La fuga dura circa una settimana e al loro ritorno i fidanzati sono "costretti"* ad un matrimonio riparatore* per evitare lo scandalo*. È da notare come anche oggi in Sicilia la *fuitina* sia considerata una specie di istituzione, capace di favorire matrimoni altrimenti impossibili soprattutto per motivi economici. La fuga d'amore permette alle ragazze meno ricche di realizzare un matrimonio veloce ed economico, tant'è vero che spesso la ragazza fugge con la benedizione* della madre e con la finta rabbia del padre.

Tra il '600 e il '700, si sviluppa la "Commedia dell'arte" e in Sicilia prende vita un particolare tipo di marionetta: il pupo siciliano.

Vocabolario: <u>benedizione</u> (f.): (qui) consenso, approvazione; <u>binario unico</u>: c'è una sola via ferrata, perciò due treni non possono passare contemporaneamente nello stesso percorso; <u>costretto</u>: part. pass. di costringere, far fare qualcosa a qualcuno con la forza, senza il suo accordo; <u>fuga</u>: l'andar via senza che gli altri lo vedano, in segreto; <u>operativo</u>: funzionante; <u>riparatore</u>: che risolve un problema; <u>scandalo</u>: azione o fatto contrario alla morale, alla decenza, alle regole che si ritengono giuste; <u>smaltire</u>: rendere meno intenso; <u>sostenitore</u> (m.): chi pensa che sia una cosa positiva.

Unità
9

Prima che sia troppo tardi

A

1 Ambienti naturali

A coppie: prima cercate di descrivere ogni immagine con le vostre parole. Poi leggete queste descrizioni e collegate a ognuna la sua immagine.

1. ☐ Negli spazi aperti e selvaggi della savana africana vivono libere specie animali uniche e di rara bellezza. Da territorio di caccia ora la savana è diventata meta di viaggi per vedere e fotografare animali da proteggere e da tutelare, perché a rischio di estinzione.

2. ☐ Nelle giornate più limpide, col cielo di un azzurro intenso, si possono vedere in lontananza le macchie bianche dei ghiacciai, le rocce scure e, sotto alle cime, grandi prati verdi. Un paradiso che, purtroppo, è sotto la costante minaccia dell'effetto serra.

3. ☐ Gran parte delle immense vastità e delle meraviglie della foresta più vasta del mondo è ancora sconosciuta. Quello che possiamo fare è proteggere l'ultimo grande "polmone" del pianeta dal rischio di un progressivo disboscamento.

4. ☐ Atolli da sogno, protetti dalle barriere coralline che creano un paradiso naturale. Ed è il corallo che ha creato una riserva naturale straordinaria da conservare: l'inquinamento potrebbe mettere a rischio questa fauna acquatica unica nel suo genere.

2 Caccia all'intruso

Trovate l'intruso e scrivete accanto una frase che lo contiene.

grande • piccolo • immenso • vasto ....

parco • riserva • paradiso naturale • rischio ....

proteggere • tutelare • conservare • minacciare ....

raro • unico • straordinario • normale ....

3 Ora tocca a voi!

Cosa minaccia i paradisi naturali raffigurati a pagina 110? Quale ambiente è più unico nel suo genere? Parlatene.

B

1 📖 Che cosa si vuole comunicare?

A coppie: leggete il testo sulla Sardegna e rispondete alla domanda seguente.

- Questo testo sulla Sardegna ha due obiettivi principali. Quali?

Tutta la Sardegna può essere considerata un immenso, unico parco marino e terrestre dove, alla bellezza solare delle coste si unisce quella più aspra dell'interno. La costruzione, semplice e poco costosa, di un "sistema di grandi sentieri" attraverso le montagne e le coste stesse, seguendo gli antichi percorsi dei nuraghi e dei pastori, potrebbe per esempio attirare un gran numero di appassionati. Vale la pena di spendere due parole sul rispetto ecologico che è dovuto a questa terra straordinaria, dove è stato possibile conservare miracolosamente molti aspetti naturali scomparsi nelle altre regioni italiane: coste solitarie, montagne, foreste mediterranee, animali rari e piante "endemiche", cioè particolari ed esclusive di piccole aree geografiche. E ancora vasti paesaggi dove l'uomo si inserisce armonicamente col suo lavoro, spesso duro e ingrato come quello dei pastori. Non ci sembra inutile dunque raccomandare ai visitatori e ai sardi stessi di non abbandonare rifiuti sulle spiagge, nei boschi e sulle strade, di non tagliare gli alberi per accendere fuochi, pericolosissimi soprattutto d'estate, a causa della facilità con cui si propagano le fiamme nelle terre secche, in particolare nel periodo più caldo dell'anno.

[Adattato da: www.sardegnaweb.it]

2 📖 Un immenso parco naturale

Leggete ancora e segnate quali sono, secondo voi, le cose importanti per poter dire che la Sardegna può essere considerata "un unico parco marino e terrestre".

☑ Il mare e le coste   ☐ I grandi alberi secolari

☐ Le barriere coralline   ☑ L'interesse archeologico dei "nuraghi"

☑ Le montagne e le foreste mediterranee   ☑ I vecchi mestieri come quello dei pastori

☐ I ghiacciai   ☑ Animali e piante rare

3 ✏️ Ora tocca a voi!

A coppie: completate la tabella e rispondete alle domande. Poi scrivete su un foglio poche frasi che riassumano la vostra opinione su questo tema e confrontatevi con i compagni.

Quali sono le norme di comportamento più importanti per il rispetto dell'ambiente?

Quali sono i problemi ecologici più gravi del pianeta?

Norme di comportamento:	Problemi ecologici:
Non buttare rifiuti sulle spiagge.	L'inquinamento dell'aria.
Non cacciare specie animali protette.	L'estinzione di specie rare.
Non tagliare alberi.	Il disboscamento.
Non accendere fuochi nei boschi.	Gli incendi.
....	....
....	....

Per me il rispetto per l'ambiente in cui vivo è ....

....

....

Unità
10

c

1 🎧2.27 **Ehi! Ma cosa sta facendo?**

Alessia è al parco dell'Asinara in Sardegna. Ascoltate il dialogo e rispondete alle domande.

1. Perché si arrabbia Alessia?
2. Nel parco ci sono i cestini?
3. Gianni raccoglie la carta?
4. Gianni vuole veramente litigare?
5. Che cosa dice Gianni per fare pace?
6. Tra l'inizio e la fine del dialogo c'è un cambiamento nel rapporto fra Gianni e Alessia. Quale? *introdotti lei in verbo al presente il congiuntivo passato*

2 🎧2.27 🔍 **Mettiamo a fuoco**

Ascoltate di nuovo il dialogo e inserite nei vuoti i verbi che sentite. Poi completate la tabella.

Alessia: Ehi!! Ma cosa sta facendo?

Gianni: Beh, niente, perché?

Alessia: Niente? Sta scherzando? Mi sembra proprio che Lei ..._abbia buttato_... una carta per terra. Ma non ci sono i cestini?

Gianni: Sì che ci sono. Mi scusi.

Alessia: Adesso immagino che Lei almeno la raccolga.

Gianni: Ma, scusi, Lei ce l'ha con me? In fondo è solo una carta. Non Le sembra di stare un po' esagerando?

Alessia: Quello che voglio farLe capire è che il parco è di tutti e bisogna tenerlo pulito. Non pensa agli altri?

Gianni: Senta, non litighiamo. Se Lei pensa che ..._mi sia comportato_.. male non ha tutti i torti. Le vengo incontro: ora raccolgo questa carta e non ci pensiamo più.

Alessia: Ma come si fa a sporcare un parco così bello?

Gianni: Ma come si fa a litigare con una ragazza così bella? Dai, non prendertela. Troviamo un accordo: raccolgo anche questa bottiglia di plastica che non ho buttato io e pace è fatta.

Alessia: Già, in fondo non mi pare che ..._sia andata_.. così male.

Gianni: Ma sì. Io sono Gianni e tu come ti chiami?

Alessia: Alessia. Piacere. *(a noi) Ci mi pare che siano arrivati alla id zione pena che abbia finito (Lei)*

Grammatica attiva

Se vogliamo esprimere un'azione passata dopo i verbi che richiedono il congiuntivo usiamo il **Congiuntivo passato.** *Completate con le forme giuste.* *+ participio passato*

	buttare	andare	comportarsi
che io	abbia _buttato_	sia andato/a	mi _sia_ comportato/a
che tu	_abbia_ buttato	_sia_ andato/a	_ti_ sia comportato/a
che lui/lei/Lei	abbia _buttato_	sia _andato_	si _sia_ comportato/a
che (noi)	_abbiamo_ buttato	_siamo_ andati/e	_ci_ siamo comportati/e
che (voi)	abbiate _buttato_	siate _andati/e_	vi _siate_ comportati/e
che (loro)	_abbiano_ buttato	siano _andati/e_	si _siano comportati/e_

Gioco:

A coppie: pensate ad un'azione rumorosa: telefonare, bere, tagliare della carta, ecc. Poi andate dove gli altri non vi possono vedere ma solo sentire, per esempio dietro la lavagna, e fate l'azione. Gli altri devono ascoltare e indovinare dicendo la frase: "Crediamo che…".

Crediamo che abbiano telefonato.

3 🎧 2.27 🔍 Espressioni idiomatiche

A coppie: ascoltate ancora il dialogo, concentratevi sulle espressioni idiomatiche e immaginate per ognuna un mini dialogo o una situazione in cui si può usare.

Espressioni idiomatiche		
Ma come si fa a… ?	Non ci pensiamo più	*Come si dice nella vostra lingua?*
Non ha tutti i torti	Sta scherzando?	....
In fondo, …	Le vengo incontro	....

4 Se l'è presa? Con chi ce l'ha?

Ricordate queste espressioni che avete già visto nell'Unità 8?

A coppie: completate le loro definizioni, le frasi di esempio e la tabella.

1. prendersela con qualcuno = ... / ....

    per qualcosa che qualcuno ha fatto

    Io non .... prendo ma Lucia si è arrabbiata perché

    ieri sei uscito senza salutare.

2. avercela con qualcuno = ... / ....

    contro qualcuno

    Perché non mi parli? .... hai con me? Che cosa ti ho fatto?

essere aggressivi

reagire male

offendersi

avere antipatia

Frasi più aggressive:	Frasi più concilianti:
Ma cosa sta facendo?	Le vengo incontro.
....	....
....	....
....	....

Esercizio: *A coppie: scrivete quello che fa arrabbiare voi e il vostro compagno.*

Ce l'ho con i fumatori che non chiedono il permesso di fumare.

Io ce l'ho con…	Il/La mio/a compagno/a ce l'ha con…
....	....
....	....
....	....
....	....

5 Ora tocca a voi!

A coppie: scegliete il ruolo, immaginate di essere in treno e fate il dialogo da presentare alla classe.

Ruolo A: *Trova un'altra persona che ha occupato il tuo posto. Prima reagisci in modo aggressivo, ma poi ti calmi e cerchi di spiegare che il posto è prenotato e l'aiuti a spostarsi.*

Ruolo B: *Reagisci alle parole dell'altro passeggero cercando di calmarlo e chiedi aiuto per spostarti.*

Unità
10

D

1 🎧 2.28 **Che cosa significa?**

A coppie: cercate di associare ogni parola alla definizione giusta. Poi ascoltate il dialogo e verificate.

1. conferma
    ☐ la prova che c'è stato un accordo
    ☐ la cosa che blocca un'azione

2. avvenuta
    ☐ arrivata
    ☐ successa

3. non mi risulta
    ☐ non arrivo a una soluzione
    ☐ non trovo l'informazione corrispondente

4. riconoscere
    ☐ individuare qualcosa che si conosce
    ☐ conoscere qualcuno per la seconda volta

5. risolvere
    ☐ trovare una soluzione
    ☐ aiutare una persona

6. inconveniente
    ☐ incontro con amici
    ☐ piccolo problema

2 🎧 2.28 **Abbiamo prenotato a nome Giansante**

Riascoltate il dialogo e rispondete alle domande.

1. Dove sono i signori Giansante?

....

2. Qual è il problema?

....

3. Quando hanno fatto la prenotazione?

....

4. Come pensa di risolverlo l'addetto alla ricezione?

....

3 🎧 2.28 **Eppure...**

Ascoltate ancora il dialogo e leggete. Verificate le vostre risposte in D2. Poi scrivete voi la fine.

● Buongiorno, signori. Come posso esservi utile?

● Buongiorno, abbiamo prenotato un bungalow dal 15 al 31 a nome Giansante.

● Un attimo che controllo. Giansante... Giansante... mi dispiace signori, ma qui non risulta nessun Giansante.

● Com'è possibile? Abbiamo fatto la prenotazione circa un mese fa e ci è arrivata conferma dell'avvenuta prenotazione.

● Sono spiacente signori, ma non ho...

● Senta, scusi se la interrompo, ma io ho qui la copia della conferma.

● Vedo, vedo, eppure non mi risulta... suppongo che il computer abbia commesso un errore.

● Beh, questo mi sembra proprio strano. Comunque riconosce la carta intestata del villaggio, no?

● Beh sì, ma in questo momento siamo al completo...

● Cosa? Non dirà mica sul serio?

● Sono desolato signore...

● Ma noi siamo qui con tutti i bagagli e... senta, siccome il problema lo avete creato voi, adesso dovete risolverlo!

● Ha perfettamente ragione. Ora chiamo il direttore, stia certo che riusciremo a risolvere l'inconveniente...

● Non ci posso credere!

....
....
....
....

Espressioni idiomatiche

Le tre parole in neretto aggiungono una sfumatura particolare alle frasi. Come le tradurreste nella vostra lingua?

Vedo vedo, **eppure** non mi risulta.

....

Mi sembra **proprio** strano.

....

Non dirà **mica** sul serio!

....

4 Ora tocca a voi!

A coppie: osservate le due situazioni sotto, sceglietene una, poi create un dialogo tra le due persone.

Ho prenotato un tavolo per due.

Mi dispiace ma ora non c'è posto.

L'ingresso uomo è 15 euro.

Ma qui dice: serata gratuita!

5 🖉 Un reclamo

A coppie: scrivete la lettera di reclamo del signor Giansante seguendo le indicazioni.

Il signor Giansante è già ritornato a casa e ora scrive al Direttore del "Natural Village" per:
- descrivere brevemente quello che è successo;
- dire che l'equivoco sulla prenotazione del bungalow ha creato un disagio iniziale, infatti...
  [indicare quali problemi hanno avuto i signori Giansante];
- dire che si aspetta dalla Direzione del villaggio una forma di risarcimento per il disagio subito.

Espressioni utili:	
Generali:	**Per la lettera:**
Avevamo prenotato…	<u>Oggetto</u>: reclamo per nostro soggiorno dal… al…
Desideriamo sottolineare il disagio causato da questo equivoco.	Egregio Direttore, … / Egregi Signori, …
Purtroppo dobbiamo dire che non siamo affatto soddisfatti.	[…]
È veramente strano che…	Restiamo in attesa di una vostra risposta.
Vorremmo chiedere di…	Distinti saluti, …
Ci aspettiamo che…	

Unità
10

E

1 🎧2.29 **La scheda di un vino**

In Sardegna Alessia è andata a intervistare la signora Lai, proprietaria dell'enoteca Il Nuraghe. Parlano delle qualità del Cannonau, il vino sardo più conosciuto.

Ascoltate e completate la scheda.

Il Cannonau

Zona di produzione: *Sardegna*

Gradazione alcolica: *13 gradi*

Abbinamenti gastronomici: *pecorino e pane*
carne

Temperatura di consumo: *16 - 18*

Origine: *Spagnola*

2 🎧2.29 **Gli appunti di Alessia**

Ascoltate di nuovo. Leggete gli appunti di viaggio di Alessia e completate.

Il Cannonau è un vino rosso sardo buonissimo ma piuttosto forte ed è meglio che io .... a stomaco vuoto perché potrebbe girarmi la testa. È necessario che la temperatura .... ed è importante che *si stappi* .... un'ora prima di servirlo. È probabile che il suo nome .... dalla dominazione spagnola. Non è proprio niente male!

3 🎧2.29 🔍 **Mettiamo a fuoco**

A coppie: ascoltate di nuovo e leggete questa parte dell'intervista. Poi sottolineate le espressioni che precedono il congiuntivo e completate la tabella.

Signora Lai: Eh, intorno ai 13. È meglio che non lo beva a stomaco vuoto, potrebbe girarLe la testa. Aspetti che Le do un po' di pane e del pecorino sardo. Sa, i formaggi stagionati e la carne vanno molto d'accordo con il Cannonau. Assaggi, assaggi!

Alessia: Grazie, Lei è troppo gentile. Intanto Le faccio un'altra domanda: a che temperatura lo dobbiamo bere?

Signora Lai: Beh, è necessario che non superi i 18 gradi. Sì, direi che fra i 16 e i 18 è la temperatura ideale. Ed è importante che si stappi sempre un'ora prima di servirlo.

Alessia: Senta, un'ultima cosa: da dove viene il nome Cannonau?

Signora Lai: Mah, Le dico, è molto probabile che il Cannonau sia una varietà spagnola introdotta tra il XV e il XVI secolo durante la dominazione degli spagnoli e che quindi il nome abbia origine proprio da lì.

Alessia: Bene, allora grazie di tutto e...

Signora Lai: Aspetti! Prima che se ne vada Le voglio regalare una bottiglia. [...]

Grammatica attiva

Altre espressioni con il congiuntivo

È meglio che non lo beva a stomaco vuoto.

È necessario che non superi i 18 gradi.

È importante che si stappi un'ora prima di servirlo.

È probabile che sia una varietà spagnola.

Eccezioni: solo le espressioni impersonali che esprimono certezza non vogliono il congiuntivo:

È certo che il Cannonau è un ottimo vino.

È sicuro che in Sardegna ci sono molti turisti.

Osservate gli esempi e completate la regola.

Prima che se ne vada Le voglio regalare una bottiglia.

Bisogna stapparlo un'ora **prima di** servirlo.

Dopo **prima che** il verbo è *congiuntivo*.

Dopo **prima di** il verbo è *infinito*.

Trovate il soggetto dei due verbi nelle due frasi con prima che ....

Osservate invece qual è il soggetto dei verbi nelle frasi con prima di ....

Esercizio: *Completate con* prima di *o* prima che.

1. Faccio la spesa ....*prima di*.... tornare a casa.
2. ....*Prima di*.... partire voglio salutare Valentina.
3. Carlo lava i piatti ....*prima che*.... arrivi sua madre.
4. Giorgia mi ha telefonato ....*prima di*.... venire a trovare te.
5. Voglio andare un po' al mare ....*prima che*.... finisca l'estate.

4 Ora tocca a voi!

A coppie: scambiatevi informazioni su un prodotto tipico del vostro paese o della vostra regione.

Usare il dizionario monolingue (5)

In genere, il dizionario indica l'accento di parola con il segno grafico sulla vocale accentata di ogni parola che cerchiamo. Inoltre, l'accento grave ['] indica la pronuncia aperta delle vocali /ɛ/ e /ɔ/ mentre l'accento acuto ['] indica le vocali chiuse /e/ e /o/. Questi sono tuttavia strumenti speciali del dizionario, ricordate che per la grafia vale la regola che è normale, ma anche obbligatorio, scrivere l'accento solo sull'ultima vocale di una parola quando è accentata.

Attenzione alle parole che cambiano di significato a seconda dell'accento, come àncora e ancòra. Cercate nel dizionario le seguenti parole e trovate, in base al differente accento, il loro significato:

leggere – pesca – principi – pero – subito – tendine.

D'ora in poi ricordatevi di annotare tutte le parole che incontrate con due accenti e due significati.

Scambio di idee: Bisogna festeggiare!

A. Ed ecco che avete concluso anche questo corso di italiano. Complimenti! Ora dovete organizzare la serata di fine corso. In piccoli gruppi discutete e scegliete tra le seguenti alternative.

Luogo:	Orario:	Persone da invitare:
Bar con aperitivo italiano a buffet	Mezzogiorno	Solo gli studenti della vostra classe
Ristorante e cinema italiano	Prima di cena	Anche partner e figli
Pizzeria e discoteca	Orario di cena	Anche amici
Picnic al parco	Cena e dopocena	Anche gli insegnanti
Altro:	Solo il dopocena	Altro: ....
	Tutto il giorno	
	Altro:	

B. Confrontatevi con tutta la classe, quindi organizzate la festa aggiungendo tutti i dettagli. Ad esempio: tipo di musica, abbigliamento, quanto volete spendere, ecc. Alla fine informate l'insegnante.

F

1 ♫2.30 Da dove vengono?

Ascoltate queste persone: capite che cosa dicono? Sapete riconoscere il loro accento regionale?

	Nord Italia	Roma	Toscana	Sud Italia
1.	☐	☐	☐	☐
2.	☐	☐	☐	☐
3.	☐	☐	☐	☐
4.	☐	☐	☐	☐

2 ♫2.31 Homine solu non est bonu a niunu

Chiudiamo con un motto in sardo che significa: "L'uomo isolato non è utile a nessuno." Ascoltate.

Unità 10

Sono *famosi*

Paolo Fresu

Leggete l'elenco dei premi vinti da Paolo Fresu, grande artista sardo e provate a ricostruire la sua biografia, aiutatevi anche con la vostra fantasia. Provate inoltre a descriverlo fisicamente e a disegnare il suo ritratto.

Punti fondamentali per la biografia: anno di nascita, formazione e studio, esperienze professionali, caratteristiche personali.

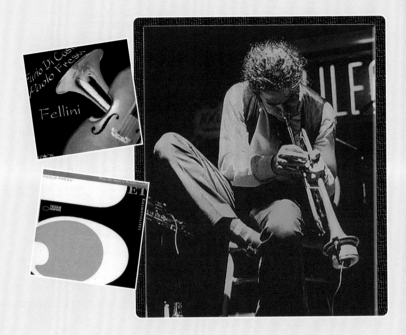

1984: Miglior nuovo talento del jazz italiano (Musica Jazz)

1995: Premio "Bobby Jaspar" della "Académie du jazz" francese

1990: Miglior musicista italiano, miglior gruppo (Paolo Fresu Quintet) e miglior disco "Live in Montpellier" (Musica Jazz).

1991: Riconoscimento Presidente Giunta Regionale Sardegna per l'attività artistica svolta.

1995: Premio "Concorso Golfo degli Angeli/Lyons" di Cagliari.

Confrontate la vostra biografia con quella che hanno scritto gli altri compagni. Poi andate a leggere la biografia di Paolo Fresu a pagina 217.

- Chi di voi ha scritto la biografia più fantasiosa?

- Chi quella più vicina alla realtà?

Per conoscere la sua musica visitate il sito www.paolofresu.it .

Il turismo in Sardegna

Il turismo in Sardegna è stato da sempre orientato al mare e, dagli anni '60 ad oggi, è stato gestito da operatori non sardi che hanno creato villaggi turistici estranei al territorio mentre la speculazione edilizia ha portato avanti una politica aggressiva di alberghi e di seconde case.

Questo processo di falso sviluppo ha prodotto un impoverimento culturale e false attese di crescita economico-sociale e ha sottoposto parti del territorio al collasso* delle deboli* infrastrutture di servizio e di trasporto.

A questo punto è intervenuto il WWF con una simpatica ed efficace iniziativa: ha distribuito nei bar e nei ristoranti di via Roma a Cagliari, generalmente frequentati dai consiglieri* regionali, migliaia di bustine di zucchero con l'immagine di una costa sarda e la scritta "La tutela delle coste è un dovere civile e morale di tutti i sardi!"

Questo appello è stato ascoltato: il 25 novembre 2004 la giunta* regionale sarda ha promosso una legge per la protezione delle coste della Sardegna chiamata appunto "legge salvacoste" che impedisce* di continuare l'attività edilizia nei 2 km vicini alle coste.

Grazie a questa legge si sta portando avanti nell'isola un'idea di "turismo sostenibile*", in altre parole un turismo che resti in armonia con l'ambiente naturale e umano e quindi possa conservare nel tempo le qualità e le caratteristiche locali. Infatti il turismo non è vendere terra e coste, il turismo è la spiaggia, il paesaggio, è la grande cultura sarda fatta di chiese, storia e nuraghi.

1. *Leggete le informazioni e indicate quelle che non sono presenti nel testo, anche se sono corrette.*
a. Il turismo, in Sardegna, è localizzato soprattutto sulle coste.
b. In Sardegna sono stati costruiti troppi alberghi e seconde case che hanno messo in pericolo la natura.
c. Il WWF interviene spesso in Sardegna per protestare contro la speculazione edilizia.
d. La "legge salvacoste" della giunta regionale sarda è nata grazie all'iniziativa del WWF.
e. Cagliari è il capoluogo della Sardegna.

2. *Completate le frasi con l'alternativa giusta.*

La speculazione edilizia è
- ☐ un'iniziativa che protegge l'ambiente
- ☐ l'operazione che sfrutta tutte le possibilità per guadagnare

Le infrastrutture sono
- ☐ l'insieme dei servizi che un luogo offre
- ☐ l'insieme dei mezzi di trasporto in un luogo

La tutela delle coste significa
- ☐ creare nuovi alberghi per aumentare il turismo
- ☐ proteggere le coste dalla costruzione di case e edifici senza regole

Curiosità

Il sardo ha un posto particolare nel sistema delle lingue romanze perché, mentre le altre, come l'italiano, il francese, ecc., si sono trasformate molto nei secoli, il sardo ha mantenuto caratteri molto conservativi e quindi simili al latino classico, per il suo isolamento. I sardi sono molto orgogliosi della loro lingua e fanno di tutto per proteggerla. Ad esempio nel comune di Quartu Sant'Elena è stato creato un assessorato* alla lingua sarda che ha dato vita anche a una Scuola di lingua sarda.

Il nuraghe, tipica costruzione preistorica ancora presente in Sardegna

Unità
10

Vocabolario: <u>assessorato</u>: nella giunta regionale corrisponde al Ministero del Governo statale; <u>collasso</u>: (fig.) forte caduta, blocco; <u>consigliere regionale</u>: (m.) una persona che rappresenta un gruppo politico nel Consiglio regionale (istituzione politico-amministrativa della regione); <u>debole</u>: il contrario di forte; <u>giunta regionale</u>: istituzione politico-amministrativa di governo della regione; <u>impedire</u>: (qui) vietare; <u>sostenibile</u>: che si può sopportare, che non pesa troppo.

Lunedì

8
9
10
11
12
13
14
15
16
17
18

Martedì

8
9
10
11
12
13
14
15
16
17
18

Mercoledì

8
9
10
11
12
13
14
15
16
17
18

Giovedì

8
9
10
11
12
13
14
15
16
17
18

Venerdì

8
9
10
11
12
13
14
15
16
17
18

Sabato

8
9
10
11
12
13

Domenica

U1, A e B:

1 **Caro diario...** *Leggi la pagina di diario di Valentina e completa il testo con le parole date.*

Genova, 26 giugno

Questa sera sono andata a fare una passeggiata al .... con i miei amici
di Milano e ho incontrato Francesca con il suo nuovo ragazzo, Enrico. Carino!
Fa il .... e lavora su una .... inglese. Siamo andati insieme fino alla
Lanterna perché i miei amici milanesi erano curiosi di vedere da vicino com'è fatto un
.... e poi li ho portati a prendere un gelato nella solita gelateria. Francesca ed Enrico
hanno preferito tornare a casa perché domani mattina devono alzarsi presto per andare a pescare
con il nonno di Francesca, che è un bravissimo .... e ha una vecchia .... un
po' particolare: è tutta blu con il nome Francesca scritto in rosso su un fianco. Simpatico, no?

| barca |
| faro |
| marinaio |
| nave |
| pescatore |
| porto |

2 **Vocabolario**

A. *Elimina in ogni gruppo la parola che non ha nessuna relazione con le altre e con questa scrivi una frase.*

1. creatura	faro	animale	....
2. pescare	compiere	fare	....
3. nave	barca	automobile	....
4. sale	mare	neve	....
5. pesce	marinaio	acquario	....

B. *Abbina le parole della prima colonna con l'aggettivo che ti sembra più adatto e scrivi un breve testo con almeno tre coppie di parole.*

squalo	verde	....
nave	nuova	....
pinguino	feroce	....
delfino	elegante	....
scoperta	simpatico	....
albero	affollata	....

3 **La mia città.** *Dividi gli aggettivi in positivi e negativi. Poi scegli quelli adatti e descrivi la tua città.*

pericoloso • affollato • rumoroso • silenzioso • inquinato • romantico • tranquillo • stressante • salubre • rilassante

Positivi:	Negativi:	La mia città ....
....	....	....
....	....	....
....	....	....
....	....	....
....	....	....

U1, D:

4 **I ricordi di Anna.** *Completa il racconto con le forme dell'imperfetto. Poi scrivi su un foglio un testo di circa 50 parole con i tuoi ricordi di infanzia.*

Quando (avere) .... 15 anni, (essere) .... molto diversa sia nell'aspetto che nel carattere. (portare) .... i capelli lunghi, (vestirsi) .... senza interesse per la moda: mi (piacere) .... stare comoda. (fare) .... molto sport, soprattutto (giocare) .... spesso a tennis. Naturalmente (abitare) .... con i miei. Mia sorella e io (dormire) .... nella stessa stanza. In fondo (andare) .... d'accordo, ma in camera (litigare) .... spesso: mentre lei (studiare) .... io (ascoltare) .... la radio, o viceversa: le solite cose. A vent'anni ho deciso di andare a vivere da sola, perché (volere) .... una camera tutta per me.

5 *Completa i mini dialoghi con i verbi al passato prossimo.*

essere (2) • vivere • conoscere • vedere • morire • accorgersi

1. ● Come mai Marcella parla così bene il tedesco?
   ● .... per molti anni a Berlino.
2. ● Giacomo, ...
   i miei occhiali?
   ● No, mi dispiace. Prova a cercare in bagno.
3. Il pubblico .... che quella cantante ha molto talento.

4. ● Signora, ... già .... il fidanzato di sua figlia?
   ● No, purtroppo. Io vorrei tanto, ma lei è molto riservata.
5. ● Voi .... mai .... a un concerto dal vivo di De André?
   ● Una volta a Genova. .... un'esperienza bellissima.
6. ● Quando .... De André?
   ● Nel 1999.

6 **Paolo Villaggio.** *Completa al passato. Scegli quando usare l'imperfetto o il passato prossimo.*

(Iniziare) .... a lavorare come attore nel cabaret.
Poi (diventare) .... famoso in TV, dove all'inizio
(fare) .... il presentatore. Quando (avere)
.... 31 anni (girare) .... il suo
primo film per il cinema. Ma l'idea geniale (arrivare)
.... con il ragionier Ugo Fantozzi: un piccolo
impiegato pieno di paure, soprattutto nel rapporto con il suo
direttore che lo tratta sempre malissimo.

Villaggio (creare) .... questo personaggio
tragicomico, mentre lui stesso (lavorare) .... come
impiegato in una ditta genovese. (passare) ....
ormai 30 anni da quando (uscire) .... il primo film
con Fantozzi ma le sue sfortunate avventure fanno ancora ridere e
meditare gli italiani.
Villaggio (interpretare) .... anche ruoli drammatici.
Nel 1989 Fellini lo (scegliere) .... per un ruolo in *La Voce della Luna* e nel 1996 (recitare)
.... il ruolo di Arpagone, ne *L'Avaro* di Molière.
Mentre (continuare) .... a raccogliere successi e onori come attore comico, Villaggio non ha mai
smesso di lavorare anche come scrittore e (pubblicare) .... con regolarità libri di buon successo.
Per lui la comicità è un modo come un altro per superare le paure e le difficoltà della vita.

7 *Guarda le immagini, completa la prima frase e poi trasforma come nell'esempio.*

1.

Mentre Paolo _guidava_ sulla corsia di destra, _c'è stato_ un incidente, un tamponamento sulla corsia di sinistra: per fortuna a Paolo non è successo niente.

→ Paolo _guidava_ sulla corsia di destra, quando _c'è stato_ un incidente sulla corsia di sinistra.

2.

Mentre Marcella .... da scuola, ... un'amica e sono andate insieme al parco.

→ Marcella .... da scuola, quando .... un'amica.

3.

Mentre Antonio .... , ... un black out. È rimasto al buio e si è addormentato.

→ Antonio .... , quando .... un black out.

4.

Mentre Gigliola .... al telefono, il postino .... alla porta, ma lei non l'ha sentito.

Quando il postino .... alla porta,

→ Gigliola .... al telefono e non ....

8 **Le indagini del commissario Rocca.** *Nell'appartamento accanto a quello della signora Rossi c'è stato un furto. Leggi le risposte e ricostruisci le domande del commissario. Poi prova a immaginare che cosa è successo: scrivi su un foglio un testo di circa 185 parole.*

Commissario: ....
Signora Rossi: Ero in casa, preparavo la cena.
Commissario: ....
Signora Rossi: Mentre io cucinavo, lui era in bagno a lavarsi.
Commissario: ....
Signora Rossi: Ho sentito un forte rumore.
Commissario: ....

Signora Rossi: Veniva dall'appartamento a fianco.
Commissario: ....
Signora Rossi: Ho subito chiamato mio marito.
Commissario: ....
Signora Rossi: Sì, anche lui lo ha sentito.
Commissario: ....
Signora Rossi: Abbiamo deciso di andare a bussare alla porta della vicina.
Commissario: ....
Signora Rossi: No, non ha risposto nessuno.
Commissario: ....
Signora Rossi: Abbiamo chiamato la polizia.
Commissario: ....
Signora Rossi: Va bene, arrivederci.

U1, E:

9 **È buonissima!** *Completa il dialogo tra Valentina e sua madre con le espressioni date.*

Valentina: Mamma, quanto zucchero hai messo in questa torta?

Mamma: .... due cucchiai, perchè?

Valentina: Non mi sembra tanto dolce. Ma hai aggiunto anche del cioccolato?

Mamma: .... un po' per decorarla. Ma perché non ti piace?

Valentina: Sì che mi piace. È buonissima, ... già una fetta.
Adesso però la metto in frigo perché, se .... ancora un po',
questa sera non entro nei jeans nuovi.

Ne ho usato
Ne mangio
Ne ho messi
Ne ho presa

10 *Completa.*

1. ● Quanto aglio ha usato la signora Carla?
   ● Ne ha usat .... due spicchi.
   ● Purtroppo non posso mangiare l'aglio.
2. ● Quante aranciate hai bevuto?
   ● Ne ho bevut .... due. Perché?
3. ● Quanto pane avete comprato?
   ● Ne abbiamo .... un chilo.

4. ● Hai mangiato la pizza?
   ● Sì, ne ho .... una ai funghi.
5. ● Quanti cucchiaini di zucchero hai messo?
   ● Ne ho .... uno, va bene?
6. ● Buono questo prosciutto!
   ● Ne vuoi ancora un po'?
   ● No, grazie ne ho già .... tre fette.

11 *Rispondi alle domande utilizzando il pronome ne e le indicazioni di quantità date.*

1. ● Quanti caffè hai bevuto ieri? .
2. ● Quanti CD hai comprato in Italia?
3. ● Quante bruschette hai preparato?
4. ● Quanti soldi hai speso in vacanza?
5. ● Quante fotografie hai fatto al mare?
6. ● Quante ragazze hai conosciuto in discoteca?

● ....
● ....
● ....
● ....
● ....
● ....

troppe
molti
solo uno
molte
troppi
poche

12 *Leggi il biglietto che la signora Franca ha scritto al marito e completa con i **pronomi diretti atoni** (lo, li, la, le) oppure con **ne**. Poi prova a immaginare il dialogo fra marito e moglie, quando la moglie rientra a casa e scrivilo su un foglio.*

Giorgio! Sei andato al supermercato ma hai dimenticato tutto! Ti ho detto di comprare due litri di latte e tu .... hai comprato uno. Non trovo il caffè! .... hai comprato? Dove .... hai messo? E i biscotti? Perché .... hai comprati al cioccolato? .... sai che non mi piacciono! E poi tutto quello zucchero! .... abbiamo comprati due chili la settimana scorsa. Ah, ultima cosa: mi ha telefonato la cassiera del supermercato, devi andare a prendere la carta di credito .... hai dimenticata alla cassa quando hai pagato.
Basta, ora vado a fare una passeggiata! Quando torno ne riparliamo!

13 Lidia: un'amica. *Completa con le espressioni date.*

| perciò | Siccome | perché | Quando | Dopo | Prima |

.... l'ho conosciuta, Lidia aveva 21 anni. Ci siamo incontrate in un corso all'università. ....
tutt'e due avevamo interesse per il cinema, abbiamo cominciato a uscire insieme per vedere qualche bel film.
.... tre mesi eravamo grandi amiche, non solo .... ci piacevano gli stessi film, ma anche perché
avevamo molte cose in comune. .... di Lidia, non avevo mai avuto un'amica con cui parlare di tutto e
così piacevolmente. Infine ci siamo laureate e Lidia è andata a Parigi a completare i suoi studi, ...
non ci siamo più viste per tre anni. Ora che è tornata, ci frequentiamo di nuovo. Insieme ci divertiamo sempre.

14 *Collega le frasi.*

1. ☐ Era in ritardo,
2. ☐ Hanno cambiato appartamento,
3. ☐ Ho guardato la TV per un po',
4. ☐ Non eri mai andato a Roma
5. ☐ Ero sotto la doccia
6. ☐ Dopo pranzo
7. ☐ Prima della festa in maschera
8. ☐ Quando andavano in discoteca
9. ☐ Siccome ho pochi soldi
10. ☐ Il film non ci è piaciuto

a. perché quello che avevano era troppo rumoroso.
b. dopo aver mangiato.
c. perciò ha telefonato per informarci.
d. quando hai telefonato.
e. prima di quest'anno?
f. Marina si è truccata da indiana.
g. perciò non ti consigliamo di vederlo.
h. bevo sempre un caffè.
i. Laura e Silvia si vestivano di nero.
j. non compro niente.

15 *Collega con le espressioni date.*

| Mi ricordo che | Tu c'eri quando | Allora |
| Quando è stato che | Ti ricordi quando | Forse mi sbaglio ma |

Andrea: Ciao, Filippo! Da quanto tempo non ci vediamo. .... sono passati sei o sette anni, mi sembra.
Filippo: Non ti sbagli, è da quando ho cambiato città per lavoro che non ci vediamo più. Ora resto per un paio di giorni.
Sono qui per lavoro.
A: .... andavamo al liceo come ci siamo divertiti?
F: Eh, sì tanto! .... abbiamo fatto quella gita a Genova?
A: Al terzo anno. .... il professore ha quasi perso il treno?
F: Sì, certo, è stata colpa mia. Gli ho raccontato che non trovavo il biglietto e lui mi ha aiutato. Ma in realtà non era vero.
A: .... giocavamo tutti i sabato a calcio. .... ero molto più veloce. E tu giochi ancora?

16 Preposizioni. *Completa con le preposizioni adatte e l'articolo quando è necessario.*

1. La maggior parte .... persone che conosco, vorrebbe vivere .... mare. Io invece
preferisco abitare ...... pianura, ma non troppo lontano .... costa.
2. Un giro ...... porto ...... Genova è un viaggio .... scoperta .... un universo ricco ...... vita.
3. ● Allora ...... dov'è Fabrizio De André? ● È di Genova, ... Liguria.
4. .... 1956 .... poi Villaggio e De André si sono frequentati intensamente.
5. Allora, ... fare il pesto .... genovese devo prendere 3 mazzetti .... basilico fresco, un
bicchiere .... olio .... oliva e che altro?
6. Le foche sono simpatici animali .... lunghi baffi.

U1, autovalutazione:

17 **Sai fare una proposta e reagire?**   ☐ Bene   ☐ Abbastanza bene   ☐ Male

Ormai conosci molte alternative per questa situazione comunicativa. Rileggi il dialogo dell'esercizio 15 e prova a continuarlo tu secondo le indicazioni qui sotto. Poi scegli la tua valutazione.

Andrea propone a Filippo di fare qualcosa insieme questa sera.

● ....
....

Andrea allora fa un'altra proposta dice a che ora vuole incontrare Filippo.

● ....
....

Andrea dice a Filippo dove lo andrà a prendere e poi lo saluta.

● ....
....

Filippo stasera ha già un altro impegno, ma dice che per lui va bene domani sera.

● ....
....

Per Filippo va bene, ma un po' più tardi perché lavorerà molto domani. Saluta Andrea.

● ....
....

18 **Sai usare la forma di cortesia?**   ☐ Bene   ☐ Abbastanza bene   ☐ Male

Prendi un foglio di quaderno e trasforma il dialogo fra Filippo e Andrea in un dialogo fra il signor Rossi e il signor Bianchi che si danno del "Lei". Poi scegli la tua valutazione.

19 **Sai parlare dei tuoi ricordi?**   ☐ Bene   ☐ Abbastanza bene   ☐ Male

Raccogli qui sotto le frasi adatte, prova a parlare di qualcosa che ricordi, senza scrivere e usando le frasi che hai scritto. Se vuoi registra la tua voce e ascoltati. Poi scegli la tua valutazione.

Ricordare: ....

Chiedere conferma di un ricordo: ....

20 **Sai scrivere una storia al passato?**   ☐ Bene   ☐ Abbastanza bene   ☐ Male

Completa questo racconto usando la fantasia. Poi scegli la tua valutazione

Molto tempo fa, in un piccolo paese di pescatori, ho conosciuto un giovane ragazzo che si chiamava Nicola. Siccome la sua famiglia era molto povera, lui ....
.... Prima dei 18 anni Nicola era sempre felice, ma
.... Questa vita a Nicola non piaceva. Desiderava lasciare il suo paese e andare per il mondo perché .... Era un ragazzo molto simpatico, aperto e spiritoso perciò .... Un giorno è arrivata in paese una bella ragazza e quando Nicola l'ha vista .... Dopo tre giorni
....

21 **Vocabolario.** *Scegli uno di questi due temi e fai una scheda con tutti i vocaboli collegati.*

Cantanti, muscisti e generi musicali.   Illustrare una ricetta di cucina.

22 **Espressioni idiomatiche.** *Scegli l'espressione idiomatica dell'Unità 1 che più ti piace e scrivila qui.*

....

23 **È il momento del bilancio:** *rivedi tutta l'Unità 1 e annota ciò che hai imparato e ciò che ancora ti sembra un po' difficile.*

È chiaro. Capisco! ....

Non è chiaro. Non capisco!

....

U2, A e B:

1 *Completa le parole nelle frasi. Rimetti in ordine le lettere nelle caselle grigie per ricostruire una tipica espressione di augurio italiana.*

1. In Italia si fa spesso un **M** ▢▢▢ ▢▢ ▢▢ in chiesa.

2. Maradona è stato un grande **C** ▢▢ ▢ ▢ ▢▢ argentino.

3. Carla è una **B** ▢▢▢▢▢▢▢ bravissima, ha ballato in molti teatri in Europa.

4. La Ferrari è una **A** ▢▢▢▢▢▢ ▢ molto veloce.

5. Alla fine dell'università gli studenti prendono la **L** ▢ ▢▢▢ .

6. Michele è **P** ▢▢ ▢▢ d'aereo. Ama molto il suo lavoro anche se è un po' faticoso.

L'augurio: __ __ _____ __ ____ !

2 *Scopri i verbi nascosti, risolvendo gli anagrammi.*

GROSANE _____   NARACTE _____

LEVORE _____   ULARASERI _____

SEREDADIRE _____   SAPORISS _____

3 *Completa ogni dialogo con il modo di dire adatto.*

chi cerca trova

In bocca al lupo

Sogni d'oro

un sogno nel cassetto

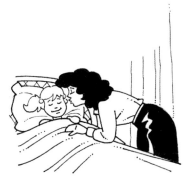

1. ● Buona notte, mamma.
   ● .... !

3. ● Tu hai .... ?
   ● Certo: un viaggio in Sud America.

2. ● Domani finalmente ho un colloquio di lavoro.
   ● .... !

4. ● E così difficile trovare lavoro!
   ● Dai, devi avere pazienza: .... !

4 **Come è andato il colloquio?** *Leggi l'e-mail di Clara e scegli l'alternativa giusta.*

Invia adesso   Invia più tardi   Aggiungi allegati   Firma ▼

Ciao Giulia,

come stai? Io sono un po' ☐ **contenta** ☐ **demoralizzata**.   Ieri ho fatto un   ☐ **colloquio** ☐ **intervista** di lavoro e non è andata molto bene. Era per un posto di segretaria in una compagnia import-export.

Mi hanno fatto molte domande e alla fine mi hanno chiesto se conoscevo il tedesco.

Ma, dico: non hanno letto il mio   ☐ **curriculum** ☐ **passaporto**? C'è scritto in modo chiaro che le lingue che conosco sono l'inglese e lo spagnolo. Sono davvero arrabbiata! Poi c'erano tanti   ☐ **studenti** ☐ **candidati** con molta più   ☐ **esperienza** ☐ **laurea** di me. Così non ho speranze.

Domani, quando ci vediamo ti racconto meglio.

Baci, Clara

Scrivi qui la risposta di Giulia all'e-mail di Clara.

....

....

....

5 *Completa con le consonanti per trovare i nomi delle professioni.*

Lavora con la legge: A __ __ O __ A __ O   Lavora con fiori e piante: __ IA __ __ I __ IE __ E

Guida il taxi: __ A __ __ I __ __ A   Costruisce le case: __ U __ A __ O __ E

U2, C:

6 *Completa con i verbi al condizionale semplice.*

1. ● Oggi sono molto stanco: (dormire)

    .... tutto il giorno.

    ● Io invece (preferire) .... andare

    a fare una bella passeggiata all'aria fresca.

2. ● Stasera Paolo (volere) ....

    andare al cinema. Tu verresti con noi?

    ● Ehm, non so. Non (voi/volere)

    .... invece guardare un film

    in DVD a casa mia?

    ● D'accordo. Se per te è meglio, grazie dell'invito.

3. ● Giovanna (accompagnare)..........................

    volentieri suo figlio all'acquario, ma non sa

    niente sui pesci. (tu/andare) .... con loro?

    ● Va bene. Per quando (essere)

    .... ?

4. ● Io (prendere) .... un gelato.

    Signora Rossi, Lei (avere)..............................

    voglia di fare una pausa?

    ● Veramente, (preferire) ....

    continuare a lavorare: ci (essere)

    .... ancora mille cose da decidere.

7 *Continua con un desiderio espresso al condizionale.*

1. Ho fame: mangerei un piatto di pasta.

2. Ho sete: ....

3. Ho mal di testa: ....

4. Sono nervoso: ....

....

5. Sono stanco: ....

6. Sono triste: ....

7. Sono felice: ....

8. Non ho voglia di camminare: ....

....

U2, D:

8 *Completa lo schema poi usa le forme adatte dei verbi* **potere** *e* **dovere** *per completare le frasi.*

	potere	dovere
(io)	....	dovrei
(tu)	potresti	....
(lui/lei/Lei)	....	dovrebbe
(noi)	potremmo	....
(voi)	potreste	dovreste
(loro)	potrebbero	....

Dovere:

1. Luisa non ha niente in frigo: .... fare la spesa.
2. Sei molto malata: .... andare a letto.
3. Voi due avete giocato a calcio tutto il pomeriggio:
   ora .... fare i compiti!
4. Le ragazze ascoltano la musica a volume troppo alto: ....
   abbassare il volume, è tardi.
5. Che confusione nella tua camera: .... mettere in ordine.

Potere:

1. Che fai quest'anno a Capodanno? .... venire a Vienna
   con noi, che ne dici?
2. Ora che sono in pensione, ... dormire fino a tardi e
   invece mi sveglio alle sette tutte le mattine.
3. Senti Pino, in agosto .... prenderci una settimana di
   ferie per stare un po' insieme?
4. Hanno chiamato Graziella e Daniele: loro .... venire
   stasera. Va bene per te?

9 **Tu che cosa faresti?** *Completa con il condizionale.*

Cara Giorgia,
sono un po' in crisi perché non so come risolvere un problema. Mi (tu/aiutare) *aiuteresti* ?
Si tratta di questo: (io/desiderare) *desidererei* passare qualche giorno di vacanza al mare e
(preferire) *preferirei* andarci con la mia migliore amica Silvia, ma anche Marco, il mio
fidanzato, (desiderare) *desidererebbe* stare con me. Veramente in questi giorni al mare
(io/volere) *vorrei* divertirmi, uscire con i vecchi amici, fare sport e non mi (piacere)
piacerebbe passare il tempo solo con il mio fidanzato. Io e Silvia (avere)
avremmo voglia di fare un corso di windsurf e abbiamo già organizzato tutto. Ho chiesto
a Marco cosa (volere) *vorrebbe* fare lui e mi ha detto che (lui/passare)
passerebbe volentieri il tempo a prendere il sole e non c'è niente che (lui/fare)
farebbe in particolare.
Cosa dici, al mio posto tu gli (chiedere) *chiederesti* di restare a casa? Boh?
Un bacione e a presto,
Roberta

10 **Un consiglio da amica.** *Completa la risposta di Roberta con le parole date.*

.... Roberta,

non chiedere a Marco di restare a casa: .... arrabbiarsi. Al tuo posto io

.... con il tuo fidanzato e sarei sincera. Gli .... che ho già

organizzato la vacanza con la mia migliore amica. Secondo me tu ....

dirgli che .... fare un po' di sport per la tua salute e dovresti chiedergli

se vuole fare anche lui il corso di windsurf.

Un .... saluto.

Alessia

| caro |
| parlerei |
| potrebbe |
| dovresti |
| desidereresti |
| direi |
| cara |

11 **Un'idea buona per ogni problema.** *Completa le frasi con il condizionale e collega a ogni consiglio il problema corrispondente .*

1. ⬡ Al tuo posto (io/iniziare) .... a cercare lavoro.

2. ⬡ (tu/dovere) .... andare dal meccanico.

3. ⬡ Al tuo posto (io/chiedere) .... più soldi.

4. ⬡ (loro/dovere) .... chiedere dei soldi in banca.

5. ⬡ (tu potere) .... mandarlo in Inghilterra in vacanza.

6. ⬡ (voi/potere) .... studiare insieme.

a. A scuola mio figlio non ha imparato bene l'inglese.

b. Il mio stipendio è troppo basso, non mi basta.

c. La mia macchina non funziona bene.

d. I miei figli vorrebbero comprare una casa.

e. Abbiamo l'esame fra una settimana.

f. Fra un mese finisco l'università.

12 *Scegli l'alternativa giusta.*

1. C'è un concerto di musica rock
☐ **a.** mi piace tanto andarci.   ☐ **b.** mi piacerebbe tanto andarci.   ☐ **c.** mi piacciono tanto andarci.

2. Perché non resti ancora un po'?
☐ **a.** Resto, ma mi aspetiano.   ☐ **b.** Resterebbe, ma mi aspettano.   ☐ **c.** Resterei, ma mi aspettano.

3. Questo pianoforte è vecchio,
☐ **a.** dovresti cambiarlo.   ☐ **b.** doveresti cambiarlo.   ☐ **c.** debresti cambiarlo.

4. Devo dimagrire
☐ **a.** mangiarei di più, ma sono a dieta.   ☐ **b.** mangio di più, ma sono a dieta.   ☐ **c.** mangerei di più, ma sono a dieta.

5. Tutti
☐ **a.** volerebbero un buon lavoro, è difficile trovarlo.   ☐ **b.** vorrei un buon lavoro, ma oggi è difficile trovarlo   ☐ **c.** vorrebbero un buon lavoro, ma oggi è difficile trovarlo

6. Luisa ha molto tempo libero
☐ **a.** facerebbe un corso di computer.   ☐ **b.** farebbe un corso di computer.   ☐ **c.** faresti una corso di computer.

U2, E e F:

13 *Scegli l'alternativa giusta.*

Per praticare lo sport della vela .... amare il mare e la vita all'aria aperta, naturalmente.

Poi effettivamente, ... anche molti soldi perché le barche a vela costano. Oppure

.... avere gli amici giusti. Per imparare a tenere bene la barca, poi, ... un

po' di tempo: sarebbe meglio frequentare un corso. Quanto all'abbigliamento: non ....

niente di speciale, ... soprattutto scarpe con fondo di gomma, pantaloni comodi e

una giacca impermeabile. Poi naturalmente .... il giubbotto salvagente.

| occorre |
| ci vuole |
| bisogna |
| ci vogliono |
| bisogna |
| ci vogliono |
| ci vuole |

14 Un consiglio da amica. *Completa la risposta di Roberta con le parole date.*

Completa la lista con **ci vuole, ci vogliono, hai bisogno** *o* **ne**.

● Cosa .... per trovare un buon lavoro?

● .... le idee chiare. Hai bisogno di un lavoro subito?

● Sì, ... ho bisogno, ma non c'è tutta questa urgenza. Anche se .... due mesi

   per trovare il lavoro, va bene. Ho parlato di questo problema con i miei e hanno detto che per trovare un buon

   lavoro .... pazienza.

● Ah, se .... hai parlato con i tuoi va bene. Se non .... di guadagnare subito al tuo

   posto farei uno stage in azienda. .... più tempo, ma hai la possibilità di imparare bene il lavoro.

15 Richieste gentili e situazioni. *Completa le frasi con* potere *e* dovere *al condizionale. Poi scrivi accanto a ogni frase la situazione corripondente.*

| A tavola | Al mare | In treno | In libreria | Al telefono | Al bar | A teatro | In gelateria |

Le frasi: La situazione:

1. (voi) .... fare prima lo scontrino alla cassa.   ....

2. (io) Signori, ... vedere il vostro biglietto?   ....

3. Sono Bianca Muti. (io) .... parlare con il Signor Rossi, ...
   per favore?

4. (tu) .... passarmi il sale?   ....

5. Tutti gli spettatori .... spegnere il telefonino, prima dell'inizio   ....
   dello spettacolo.

6. Ehi Riccardo! .... darmi la mia crema solare? È lì sotto l'ombrellone.   ....

7. ● Che gusti desidera?   ....

   ● (Lei) .... metterne tre? Cioccolato, crema e pistacchio?

8. (Lei) .... aiutarmi a cercare *Il nome della rosa* di Umberto Eco?   ....

16 Preposizioni. *Completa con le preposizioni adatte e l'articolo quando è necessario.*

1. ● .... quando abita .... questa città?

   ● Mi sono trasferito qui a Milano .... Bari 20 anni fa. .... 15 anni abito .... questo quartiere.
      Ormai conosco tutti.

2. Il mio orario .... lavoro mi piace, ho un part time di 6 ore: sono .... ufficio .... otto ....
   due del pomeriggio.

3. ● E Lei signorina, che cosa vorrebbe fare .... futuro?

   ● Sogno .... aprire un negozio .... abbigliamento.

   ● E non pensa .... matrimonio.

   ● .... il momento no. Forse più avanti, vediamo.

4. ● Mi sai dare un consiglio .... come convincere la mia ragazza .... seguirmi a Parigi.

   ● Prova .... dirle che la ami!

5. Mi piacerebbe tanto andare .... Cina. Ma non vorrei partecipare .... un viaggio organizzato.
   Forse dovrei imparare il cinese.

6. Sai giocare .... basket? Ti va .... giocare .... noi stasera?

7. Signora, suo figlio sarebbe anche bravo in matematica. Ma .... volte non si concentra.
   Sta lì seduto e sogna .... occhi aperti.

8. Requisiti: esperienza .... gestione aziendale, disponibilità .... straordinari, conoscenza ....
   una lingua straniera.

U2, autovalutazione:

17 **Sai esprimere sogni e desideri?**   ☐ Bene   ☐ Abbastanza bene   ☐ Male

Osserva le immagini e scrivi sotto che cosa desidererebbero fare le persone. Usa le forme del verbo al condizionale. Poi, su un foglio, scrivi anche un testo (minimo 100 parole) per dire che cosa vorresti e che cosa ti piacerebbe fare in questo momento e nel futuro. Poi scegli la tua valutazione.

....

....

18 **Sai parlare di un lavoro e della ricerca di lavoro?**   ☐ Bene   ☐ Abbastanza bene   ☐ Male

Completa il dialogo con le battute mancanti. Poi scegli la tua valutazione.

● Marco ho saputo che hai cambiato lavoro, ma cosa fai esattamente?

● ....

● Che bello! E qual è il tuo orario di lavoro?

● ....

● Beh, mi sembra abbastanza comodo. Sei fortunato.

● .... ?

● No, io sto sempre cercando. Ho fatto mille colloqui ma non ho ancora trovato niente.

● ....

● Sì lo so, infatti non mi demoralizzo. Anzi, ho un colloquio anche la settimana prossima.

● ....

● Barista in un pub. Il Lime, lo conosci?

● ....

● Ok, adesso vado perché ho un appuntamento in Corso Buenos Aires e sono già in ritardo.

● D'accordo, a presto e .... !

● ....

19 **Sai chiedere di qualcuno al telefono?**   ☐ Bene   ☐ Abbastanza bene   ☐ Male

Completa con le frasi giuste. Poi scegli la tua valutazione.

Presentarsi e chiedere di una persona: ....

Chiedere di aspettare mentre si cerca la persona: ....

Chiedere di lasciare un messaggio: ....

20 **Vocabolario.** *Per ognuno di questi temi fai una scheda con le parole e le espressioni collegate.*

Sogni e desideri • La ricerca di lavoro • Mestieri e professioni • Problemi e soluzioni

21 **Espressioni idiomatiche.** *Scegli l'espressione idiomatica dell'Unità 2 che più ti piace e scrivila qui.*

....

22 **È il momento del bilancio:** *rivedi tutta l'Unità 2 e annota ciò che hai imparato e ciò che ancora ti sembra un po' difficile.*

È chiaro. Capisco! ....

Non è chiaro. Non capisco! ....

U3, A e B:

1 Le parole dell'arte. *Associa ogni parola alla definizione giusta.*

1. ◯ Quadro   **a.** Dipinto sul muro
2. ◯ Mostra   **b.** Una persona che crea opere d'arte
3. ◯ Artista   **c.** Dipinto su tela, o comunque non fisso al muro
4. ◯ Dipinto   **d.** Esposizione pubblica di opere d'arte
5. ◯ Affresco   **e.** Arte dello scolpire materiali per creare statue
6. ◯ Scultura   **f.** Immagine realizzata con piccoli pezzi colorati
7. ◯ Mosaico   **g.** Immagine realizzata con disegno, colori e pennelli

2 Cercaparole. *Trova nella griglia 3 verbi, 2 aggettivi e 8 nomi utili per parlare di mostre d'arte. Le lettere che restano completano il nome di un famoso artista del Rinascimento italiano.*

L	I	A	F	F	R	E	S	C	O	E	S	P	O	R	R	E	M
M	O	S	A	I	C	O	T	L	U	M	I	N	O	S	O	P	O
R	E	S	T	A	U	R	A	R	E	O	P	E	R	A	R	U	S
G	U	I	D	A	A	R	T	I	S	T	A	N	E	L	L	E	T
Q	U	A	D	R	O	S	U	C	S	C	U	L	T	U	R	A	R
A	N	T	I	C	O	H	A	D	I	P	I	N	G	E	R	E	A

FI __ __ __ P O

B __ __ __ __ __ __ __ __ __ __ __ __ I

è scultore e architetto.

Conoscete una sua famosa opera?

3 Organizza una mostra. *Usa il riquadro vuoto a destra per creare il cartellone di una mostra.*

Segui le indicazioni guida che leggi a sinistra.

Titolo e argomento della mostra

Luogo, periodo e orario

Ingresso

Costo del biglietto intero

Riduzioni

Condizioni per l'ingresso gratuito

4 Gioco: *preparati a casa e gioca in classe.*

Scegli a casa l'immagine di un'opera d'arte. Preparati a descriverla la prossima volta in classe. Devi far capire di che opera si tratta senza mostrarla.

È colorato, ci sono molti fiori, posso vedere le montagne. È un artista francese.

Vince 1 punto chi indovina che è il quadro di un paesaggio e 2 chi dice il nome dell'artista.

U3, C:

5 **Le chiacchiere del lunedì.** *Completa con il condizionale composto.*

● Che bella giornata è stata ieri! Noi siamo stati al mare tutto il giorno. E tu Filippo cosa hai fatto?

● Io (uscire) .... tanto volentieri, ma purtroppo dovevo studiare.

● E tu Alberto?

● Anch'io (dovere) .... studiare con Filippo, ma volevo anche stare un po' con Marina e così sono uscito con lei.

● Allora siete stati bene un po' da soli!

● No, abbiamo litigato subito: lei (fare) .... una gita in campagna in bici, mentre io (stare) .... volentieri in città e (andare) .... a visitare una mostra.

● E allora?

● Non abbiamo fatto né l'una né l'altra cosa e (passare/noi) .... sicuramente tutto il giorno a litigare. Ma per fortuna, abbiamo incontrato degli amici che avevano organizzato un pic-nic in montagna. Siamo andati con loro e ci siamo anche divertiti!

6 **Rimpianti.** *Completa liberamente le frasi.*

1. Carlo sarebbe partito ieri, ma ....

2. Ti avrei aspettato, ma ....

3. Avrei pagato volentieri io, ma ....

4. Saremmo andati al concerto di Marco, ma ....

5. Avrei voluto studiare, ma ....

6. ...., ma avevo troppo lavoro da fare.

7. ...., ma non aveva la macchina.

8. ...., ma mi doveva accompagnare dal dottore.

9. ...., ma era troppo tardi.

10. ...., ma faceva troppo freddo.

U3, D:

7 *Completa con l'aggettivo dimostrativo giusto.*

1. .... ragazzo ha tredici anni.

2. .... bambine sono le figlie di Luisa.

3. .... studenti sono dell'Università di Pisa.

4. .... insegnante è italiano?

5. .... bambini sono amici di mio figlio.

6. .... donna è la segretaria della scuola.

7. .... ingegneri lavorano alla Ferrari.

8. .... autobus va in centro?

9. .... aranciata è buonissima.

10. .... stadio è molto grande.

11. Conosci .... persone?

12. .... libro non mi è piaciuto per niente.

13. Ho incontrato .... scrittore a Londra.

14. .... scultura è famosa. Chi l'ha fatta?

quell'
quella
quei
quegli
quelle
quello
quel
quel
quell'
quello
quell'
quegli
quelle
quella

8 *Completa con le forme adatte dell'aggettivo* **bello** *davanti ai nomi.*

1. Sono tuoi questi bambini? Che .... bambini che hai!
2. Che .... orecchini! Dove li hai comprati?
3. Hai le scarpe nuove? Ma che .... scarpe! E come ti stanno bene!
4. Guarda come è bella oggi Laura. Che .... vestito che si è messa!
5. In camera ho proprio bisogno di un .... armadio.
6. Quello specchio è antico, ma soprattutto è un .... specchio.
7. L'anno scorso in Sicilia ho passato proprio una .... estate!
8. Guarda che .... arance! Ne compro un chilo.

U3, E:

9 **I conti degli italiani.** *Completa con le espressioni date.*

.... per le casalinghe che tutti i giorni devono fare i conti .... Di conseguenza perfino la spesa per i generi alimentari è in diminuzione: ora la gente .... anche per mangiare, dopo che le spese per il tempo libero e .... di vestiti erano già diminuiti negli anni scorsi. Però, anche se c'è questa .... qualche dato positivo rimane: ad esempio per le feste gli italiani continuano a comprare di più per preparare cibi tradizionali, gustosi e abbondanti. E anche le località di vacanza sono sempre affollate. Forse anche se gli italiani .... l'Italia resta il "paese della dolce vita"?

gli acquisti

Aumentano i problemi

spende meno

risparmiano di più

con il carovita

variazione di spesa

10 **Strategie di risparmio.** *Ecco gli appunti di spesa relativi alla mattinata di un sabato abbastanza normale. Leggili con attenzione e rispondi alle domande.*

Pesce 23€

Supermercato:
Confez. 6 brioches   1,70€
insalata   1€
Cotte   1,30€
pomodori   3,5€
acqua (2 pacchi)   6,20€

Quotidiano   0,90€
Macchinina giocattolo   7,98€
"Motosprint" per Giorgio   3,50€

Caffè al bar   0,80€

Parrucchiere 35€

Casalinga, pensionato, impiegato o studente? *Secondo te, a quale di queste categorie appartiene la persona che ha fatto questi acquisti?*

....
....
....

Al posto suo, che cosa non avresti comprato tu per risparmiare?

....
....
....

Che cosa, invece, manca? Insomma che cosa avresti comprato tu al posto suo?

....
....
....

U3, F:

11 *Completa le risposte con i pronomi atoni combinati che corrispondono agli elementi sottolineati.*

1. ● Hai chiesto al gondoliere quanto costa un giro in gondola? ● No, ora glielo chiedo.
2. ● Quando mi mandi il fax per prenotare l'albergo? ● .... oggi.
3. ● Quando porti i libri a Marco? ● .... domani.
4. ● Ci fate vedere le foto che avete fatto a Venezia? ● .... stasera a cena.
5. ● Mi dici la verità? – Certamente! ● .... sempre.
6. ● Scriviamo una cartolina ai tuoi genitori? ● No, ... da Venezia.
7. ● Quando compri il regalo a Marta? ● .... la prossima settimana.
8. ● Chi ci dice come è andata la partita ieri sera? ● .... io!
9. ● Mi presteresti il tuo orologio, per favore? ● .... perché ne ho bisogno io.
10.● Quando ci mandate una foto di Anna? ● .... mandiamo subito per e-mail, ok?

12 **Saldi.** *Rimetti in ordine il dialogo fra la cliente e la commessa.*

- ☐ Non è possibile. È già scontata: ci sono i saldi, non ha letto il cartello in vetrina?
- ☐ Buongiorno. 25 euro.
- ☐ 1 Buongiorno. Bella quella camicetta. Quanto viene?
- ☐ Mi fa uno sconto?
- ☐ Bene, se ne prendo due mi fa un buon prezzo?
- ☐ Certo, dello stesso tipo c'è questa a fiori blu e questa a righe.
- ☐ Potrei farle al massimo 69 in tutto.
- ☐ Grazie a Lei. Arrivederci.
- ☐ Solo per Lei. Le faccio 45 euro.
- ☐ Allora ne prendo solo due. Ecco qua 45 euro contanti.
- ☐ E se le prendo tutte e tre?
- ☐ Grazie signora. Arrivederci.
- ☐ Ah sì, l'ho letto. La camicetta è bella, ma non mi convince. Non l'avrebbe di un altro colore?

13 *Completa le frasi con* **ne** *e il pronome personale.*

1. A mia sorella piacciono molto le penne e io gliene regalo una.
2. Certo che vi spediamo un cartolina, ... spediamo sempre diverse dalle vacanze.
3. Devo comprare un CD per Claudio. .... compro uno di De André o di Fossati?
4. Ti piace questa torta? .... posso dare un'altra fetta?
5. Vorrei un po' di prosciutto di Parma. .... può dare un etto e mezzo?

14 *Completa le frasi con i pronomi atoni combinati.*

1. Io gli chiedo sempre di farmi lo sconto, ma lui non .... fa mai.
2. Signora, quante mele desidera? Va bene se .... do un chilo?
3. 20 Euro? Ma sì, Maria, ... presto, non ti devi preoccupare.
4. I ragazzi non ricordano bene la regola dei pronomi doppi. Domani .... rispiego.
5. Se vado a Venezia Le porto il depliant dell'Hotel Danieli, avvocato. Anzi, ... porto diversi anche di altri alberghi, così può scegliere meglio.
6. Ho chiesto la macchina a mio padre ma non .... vuole prestare. Perciò vado in autobus.
7. Preparo una torta al cioccolato e poi .... do una parte per i tuoi. Vuoi?
8. ● Quanti anni hai? ● Quanti .... dai?

15 *Roberto deve andare a un colloquio di lavoro ma non ha abiti eleganti. Guarda le immagini e racconta la sua storia in un foglio.*

16 *Marina e Andrea stanno facendo la valigia e non si trovano molto d'accordo. Completa.*

Marina: Andrea, ma cosa hai messo in questa valigia. Un maglione?! Ma siamo in luglio!

Andrea: Un maglione .... sempre. La sera potrebbe fare freddo.

Marina: Ma andiamo a Venezia, non al Polo Nord. Hai messo il costume da bagno?

Andrea: Sì, uno.

Marina: Uno? Un solo costume non .... Ne .... almeno tre. Ti sei dimenticato che andiamo a Jesolo per un paio di giorni?

Andrea: Va beh, ne metto due. A me ne .... due, tu metti quello che vuoi.

Marina: Ho capito. La valigia la faccio io: è meglio!

| serve |
| servono |
| basta |
| bastano |

17 Preposizioni. *Completa con le preposizioni adatte e l'articolo quando è necessario.*

1. La mostra è dedicata .... Botticelli. I dipinti vengono tutti .... prestigiose collezioni d'arte.

2. Alessia parla .... una coppia .... Milano. Le raccontano qualcosa .... mostra.

3. Alessia fa un servizio .... turismo .... Italia e in particolare .... città .... arte.

4. Mario sarebbe andato volentieri .... vacanza .... inizio .... fine di agosto.

5. Le spese .... la casa sono sempre più alte. Gli italiani comprano tutto .... supermercato e non vanno più .... negozi del centro storico.

6. Devo comprare un paio .... pantaloni. Telefono .... Michela e le chiedo di accompagnarmi.

7. Mi piacerebbe andare .... Venezia presto. Non ho mai fatto un giro .... gondola.

8. Questa sera c'è la cena .... Francesca. Tu pensi .... dolce e io .... vino.

U3, autovalutazione:

18 **Sai parlare di arte e descrivere oggetti artistici?**   ☐ Bene   ☐ Abbastanza bene   ☐ Male

Osserva le tre immagini e completa le schede sulle opere d'arte. Poi scegli la tua valutazione.

Tipo:	Tipo:	Tipo: ....
Autore:	Autore:	Autore: ....
Periodo storico:	Periodo storico:	Periodo storico: ....
Dove si trova:	Dove si trova:	Dove si trova: ....
Breve descrizione:	Breve descrizione:	Breve descrizione:
....	....	....
....	....	....

19 **Vocabolario.** *Se ti interessa particolarmente l'arte, fai una scheda nel tuo quaderno con tutte le parole e le espressioni associate all'arte che conosci già. Poi continua ad aggiungere tutte le parole che incontri nel futuro.*

20 **Sai parlare dei tuoi rimpianti?**   ☐ Bene   ☐ Abbastanza bene   ☐ Male

Scrivi su un foglio almeno tre cose che avresti voluto fare nel tuo passato e non ti è stato possibile. Poi scegli la tua valutazione.

21 **Sai trattare sul prezzo per ottenere uno sconto?**   ☐ Bene   ☐ Abbastanza bene   ☐ Male

Decidi che cosa ti interessa comprare e scrivi qui un dialogo fra te e il commesso in cui cerchi di fare abbassare il prezzo dell'oggetto che ti interessa. Poi scegli la tua valutazione.

....
....
....

22 **Vocabolario.** *Nell'unità 3 hai letto l'articolo sul carovita. Se ti interessa parlare di prezzi ed economia, rileggi ancora una volta l'articolo e riassumi qui le informazioni principali.*

....
....
....

23 **Espressioni idiomatiche.** *Scegli l'espressione idiomatica dell'Unità 3 che più ti piace e fai una frase.*

24 **È il momento del bilancio:** *rivedi tutta l'Unità 3 e annota ciò che hai imparato e ciò che ancora ti sembra un po' difficile.*

È chiaro. Capisco! ....

Non è chiaro. Non capisco! ....

U4, A:

1 *Collega le parole alle loro definizioni.*

1. ⬜ Contratto
2. ⬜ Operazione
3. ⬜ Bonifico
4. ⬜ Ricarica
5. ⬜ Bolletta

a. Mettere dei soldi nel cellulare.
b. Modulo per pagare luce, gas e telefono di casa.
c. Documento che firmano due o più persone per certificare un accordo.
d. Fare qualcosa in banca.
e. Dare ordine alla banca di mettere dei soldi nel conto di un'altra persona.

2 Che cosa ha fatto in banca? *Scrivi accanto a ogni frase l'operazione che hanno fatto le persone.*

1. Sergio è tornato da New York e aveva ancora 250$ nel portafogli. ....
2. Giorgia è dentista. Oggi tre clienti hanno pagato con assegni il suo lavoro. ....
3. Come ogni mese Michele deve pagare l'affitto sul conto del signor Giovannini. ....
4. Daniela ha venduto la sua vecchia Punto a Gianni che le ha dato 2500€ in contanti. ....
5. Filippo e Chiara si sposeranno e hanno trovato una casa da comprare ma non hanno tutti i soldi. ....
6. Victor è arrivato in Italia per un semestre di studio e aveva bisogno di un conto corrente italiano. ....

U4, B:

3 Che cosa faranno? *Abbina ogni immagine alla sua frase.*

1. ⬜ È andato a letto alle nove, perché domani si sveglierà prestissimo, alle 5.
2. ⬜ Ci incontreremo in Piazza Grande. Avrò un cappello Borsalino e sarò seduto al Caffè Centrale.
3. ⬜ ● Quando vi sposerete? ● Se va tutto bene, a maggio.
4. ⬜ Oggi si annoiano, ma domani alla festa di Luca si divertiranno moltissimo.
5. ⬜ Ora devo finire questo lavoro, mi riposerò stasera a casa.
6. ⬜ Perché hai rotto il vaso cinese? Tuo padre si arrabbierà.

a

b

c

d

e

f

4 **Progetti per il futuro.** *Osserva le nuvolette con i pensieri di Michela, leggi le frasi e metti in ordine i suoi progetti per il futuro.*

e poi spero che quando ritorneremo

Che bello! Prenderemo il sole tutto il giorno

Siamo finalmente riusciti a mettere da parte i soldi

Ah, non vedo l'ora!

anche per fare il viaggio di nozze in Messico.

Finalmente tra due mesi mi sposerò con Marco.

e alla sera tapas in ristoranti tipici e romantici

mi prenderà in braccio per entrare in casa!

5 **Dopo la maturità.** *Completa il dialogo con le forme dei verbi al futuro.*

● Ciao Tommaso, come stai?

● Benissimo! Lo sai che finalmente ho finito l'esame di maturità!

● Non mi dire! E ora cosa (fare) .... ?

● Tra due giorni (partire) .... per le vacanze.

● Ti (accompagnare) .... qualcuno?

● Beh, (chiedere/io) .... a Michela di venire con me.

● Dove (passare/voi) .... le vacanze?

● Le (passare) .... insieme in Spagna e poi (andare/io) .... a trovare dei miei amici in Toscana. Sai, lì (incontrare) .... tutti gli amici del liceo e (festeggiare/noi) .... il compleanno di Luca.

● Niente male!

● E tu non hai fatto programmi?

● Prima (lavorare/io) .... in un villaggio turistico e poi in autunno (frequentare) .... un corso di inglese a Londra. All'università (avere) .... bisogno di conoscere bene almeno due lingue straniere. L'inglese è indispensabile, non credi?

● Che brava ragazza studiosa!

● Dai non scherzare, perché tu non (studiare) .... ?

● Certo, dopo le vacanze (iniziare/io) .... medicina e credo che lo studio (essere) .... molto faticoso. Per questo in estate non (fare) .... proprio niente.

● Va beh, in ogni caso quando (tornare/noi) .... dai nostri viaggi, (avere/noi) .... molte cose da raccontarci, no?

● Sicuramente. Allora a dopo le vacanze Martina!

6 *Metti al plurale o viceversa.*

1. Farò io il caffè. .... noi il caffè.

2. Mi darai un libro. Mi (voi) .... un libro.

3. Verremo stasera. (Io) .... stasera.

4. Andrà a casa. (Loro) .... a casa.

5. Non vorrà niente. (Loro) non .... niente.

6. Ci andrete domani. Ci (tu) .... domani.

7. Darò l'esame a settembre. (Noi) .... l'esame a settembre.

8. Farai tu la spesa? .... voi la spesa?

U4, C:

7 *Osserva questi due ragazzi. Si chiamano Marco e Laura. Come ti immagini la loro vita di oggi e nel futuro?*

1. Quanti anni avranno?

Marco avrà 10 o 11 anni e anche Laura avrà circa 10 anni.

2. Che cosa potrebbero fare ora? Dove abiteranno ora?

....

....

3. Quale potrà essere il lavoro dei loro genitori ora?

....

....

4. Che lavoro faranno Marco e Laura tra 30 anni?

....

....

5. Dove abiteranno fra 30 anni?

....

....

6. Saranno sposati? Avranno figli?

....

7. Come sarà la loro giornata tipo? ....

....

....

8 **Espressioni idiomatiche.** *Completa con l' espressione più adatta. In qualche caso c'è un'alternativa.*

infatti   non mi interessa proprio.   Quasi quasi   magari   non mi fido di te.   Insomma

non se ne parla neanche.   è un punto di vista interessante.   Cioè?   io sono un po' all'antica.

1. Non vado al concerto di Laura Pausini perché ....

2. Ho lavorato molto e sono molto stanco. .... vado a letto subito.

3. .... Non ho capito che cosa vuoi dire. Puoi spiegarti meglio?

4. Proponi la chiusura del centro storico a tutte le auto? Beh, ...

5. Non vuoi uscire e non vuoi stare a casa. .... non sai che cosa vuoi, mi pare.

6. Un appartamento dove vivono ragazzi e ragazze insieme non mi piace: ....

7. Sì, lo so. È difficile studiare e lavorare: .... lavorerò solo d'estate.

8. Dovrei pulire la tua camera? Assolutamente no, ...

9. Vuoi la mia macchina? No mi dispiace, hai bevuto troppo vino, ...

10. Studierò sicuramente inglese e spagnolo e .... seguo anche il corso di russo.

U4, D:

9 **Problemi in città.** *Completa l'articolo con le parole date.*

Bologna - Nelle zone a traffico .... c'è il problema dei parcheggi.
Le persone che abitano in centro si .... che è difficile trovare un posto per la macchina. I negozianti sono .... a chiudere il centro al traffico e sono invece ....

ai parcheggi.. .
I .... continuano a controllare e dicono che il problema aumenta nei fine settimana, quando arrivano molti automobilisti dall' ....
I cittadini dicono che anche i bar aperti tutta la notte .... con il rumore e con la confusione.

vigili urbani
Hinterland
limitato
danno fastidio
favorevoli
lamentano
contrari
al coperto

U4, E:

10 **Ti consiglio Bologna.** *Scegli l'alternativa corretta delle espressioni impersonali per completare la e-mail di Matteo a Cinzia.*

🖂 Invia adesso   🖂 Invia più tardi   ✎ Aggiungi allegati | ✏ Firma ▾

Devi scegliere una città per studiare? Facile, Bologna!
Te la descrivo in due parole. Comincio dal mio posto preferito: i Giardini Margherita, un grande parco pubblico proprio nel centro della città, dove di giorno .... il sole, ... jogging, ... a calcio; di sera invece .... a ballare allo Chalet, la discoteca dei Giardini. Sai, spesso qui .... quei balli che piacciono a te come salsa, merengue, ecc. E poi ci sono le osterie, i locali più caratteristici di Bologna, dove .... dei primi piatti buonissimi, ... anche ballare anche sui tavoli, quando c'è la musica.
Ah, un'altra cosa! A te piace la moda, giusto? Bene, qui a Bologna c'è il Pavaglione, una grande galleria della moda dove .... abiti degli stilisti italiani più importanti: Gucci, Versace, Armani. Certo, i prezzi sono un po' alti ma guardare le vetrine non costa niente.
Naturalmente .... anche. Lo sai, no, che c'è l'università più antica d'Europa?
Matteo

si studia/si studiano
si fa/si fanno
si vende/si vendono
si va/si vanno
si balla/si ballano
si mangia/si mangiano
si può/si possono
si gioca/si giocano
si prende/si prendono

11 *Aiuta anche tu Matteo a convincere Cinzia. Usa le parole date. Se hai la possibilità cerca in Internet altre informazioni su Bologna e aggiungile.*

mangiare   passeggiare   visitare   le chiese antiche
le tagliatelle al ragù   i caratteristici portici   le due Torri

....
....
....
....
....

12 *Riordina gli elementi e scrivi sotto le frasi.*

1. non • a • si • Bologna • in metropolitana • viaggia

....

2. si • banca • gli • cambiano • in • assegni

....

3. i • mette • elettronico • se • si • aumentare • vigile • bisogna • parcheggi • il

....

4. si • i • con • tortellini • brodo • in • panna • mangiano • o • la

....

5. si • su • libri • Internet • comprano • anche

....

6. si • nelle • beve • osterie • Lambrusco • un • fantastico

....

U4, F:

13 *Completa in modo adatto.*
1. Volevo comprare una macchina nuova ma ....
2. Non abbiamo potuto giocare a tennis perché ....
3. Marco doveva studiare e infatti ....
4. Ho voluto parlare con te perché ....
5. Volevamo andare in discoteca ma ....
6. Non ho potuto telefonargli perché ....

14 Davvero non ho potuto! *Marina è delusa perché Filippo non è andato alla sua festa. Completa.*

Marina: Ieri era il mio compleanno ricordi?

Filippo: Certo che mi ricordo. Lo so, non .... alla tua festa ma davvero non
.... !

Marina: Non .... ? Non .... !

Filippo: No, no, ti giuro, io .... venire, ma all'ultimo momento è arrivato un mio
amico che è in crisi con la sua ragazza e così .... rimanere con lui. Non
.... lasciarlo solo, no?

Marina: No ma .... portare anche lui!

Filippo: Io gliel'ho detto, ma lui era troppo triste e non ....

Marina: Mah, non so perché ma non ti credo.

ha voluto
hai potuto
sono venuto
hai voluto
sono dovuto
potevi
ho potuto
volevo
potevo

15 Stefano Benni: biografia essenziale. *Completa con le preposizioni e l'articolo quando è necessario.*

Stefano Benni è nato .... Bologna .... 1947. Giornalista, scrittore e poeta, scrive .... molti giornali.

Scrive anche .... il teatro e ha organizzato uno spettacolo .... poesia e jazz, *Sconcerto,* .... 1998.

È autore .... molti romanzi che sono tradotti .... tutto il mondo.

.... 1994 ha scritto *L'ultima lacrima*, dove troviamo il racconto *Fratello Bancomat*.

U4, autovalutazione:

16 **Sai orientarti e fare delle operazioni in banca?**   ☐ Bene   ☐ Abbastanza bene   ☐ Male
Scegli una delle cose che si possono fare in banca e crea un dialogo con un impiegato di banca. Poi scegli la tua valutazione.

....

....

....

17 **Vocabolario.** *Quali sono le altre operazioni bancarie che conosci? Scrivile qui.*

....

....

18 **Sai parlare dei tuoi progetti per il futuro?**   ☐ Bene   ☐ Abbastanza bene   ☐ Male
Scrivi su una lettera o una e-mail di circa 180 parole a un/a amico/a lontano/a e racconta. Poi scegli la tua valutazione.

19 **Vocabolario.** *Nella sezione D hai approfondito il problema del traffico a Bologna. Quali sono le espressioni chiave che servono per parlare di questo tema? Scrivile qui sotto.*

....

....

....

20 **Sai prendere posizione e proporre soluzioni su un problema?** ☐ Bene   ☐ Abbastanza bene   ☐ Male
Pensa a un problema della tua città, descrivilo qui e esprimi la tua opinione. Poi scegli la tua valutazione.

....

....

....

....

....

21 **Sai parlare di tradizioni e abitudini in generale?**   ☐ Bene   ☐ Abbastanza bene   ☐ Male
Racconta qual è la festa tradizionale più importante del tuo paese e che cosa si fa per celebrarla. Poi scegli la tua valutazione.

....

....

....

....

22 **Espressioni idiomatiche.** *Scegli due espressioni idiomatiche dell'Unità 4 e crea un piccolo dialogo che le contiene.*

....

....

23 **È il momento del bilancio:** *rivedi tutta l'Unità 4 e annota ciò che hai imparato e ciò che ancora ti sembra un po' difficile.*

È chiaro. Capisco! ....

Non è chiaro. Non capisco! ....

U5, A e B:

1 **Situazioni.** *Completa le espressioni con le parole date.*

esame   seduta   provino   colloquio

.... dallo psicologo   .... universitario

.... di lavoro   .... cinematografico

2 **Stati d'animo e sensazioni.** *Per ogni aggettivo scrivi una situazione in cui ti sentiresti così.*

nervoso: ....   teso: ....

agitato: ..a un esame universitario...............   spaventato: ....

confuso: ....   triste: ....

impassibile: ....   rilassato: ....

felice: ....   emozionato: ....

3 **Come si sentono?** *Guarda l'espressione di queste persone e descrivi le loro sensazioni con l'aiuto degli aggettivi dell'esercizio 2.*

a

b

c

d

....

4 **Ricostruisci il testo.** *Di seguito ritrovi una parte dell'articolo sul colloquio di lavoro che hai letto in B1 nell'unità. Ricordi le parole che servono a completarlo?*

Dopo che avrai superato la .... sulla base delle domande e dei ...., finalmente arriverà anche per te il momento del .... Devi essere in grado di rispondere alle domande dell' .... in maniera accettabile (non necessariamente giusta).

Il colloquio di lavoro dà al .... e al datore di lavoro l'opportunità di fare conoscenza reciproca. Non è il momento adatto per chiedere le prime informazioni di base sull' .... Informati prima su Internet, oppure chiedi a qualche conoscente.

I colloqui di lavoro variano molto: si va da quelli molto .... ad altri piuttosto informali. In generale, però, alcune .... si possono prevedere facilmente. Se sei ben preparato, dovresti riuscire ad evitare la maggior parte delle .... "difficili": se sai già molto sull' .... , hai un'idea abbastanza precisa di ciò che il lavoro ti richiederà e se conosci te stesso, le .... non saranno un problema per te.

U5, C:

5 *Completa con la congiunzione giusta.*
1. ..Quando.... verrai al cinema con me?
2. No grazie, non prendo più niente: .... mangio troppo, poi dormo molto male.
3. Sei molto bella .... sorridi! Perché non lo fai più spesso?
4. .... questa sera esci, ci vediamo in centro alle 8. In caso contrario ci vediamo domani al lavoro.
5. Marisa si arrabbia sempre, ... le dico che dovrebbe studiare di più.
6. .... domani piove, non esco.
7. .... parli in quel modo, non ti sopporto.
8. Paolo ha detto che .... non c'è bisogno di lui in ospedale, viene a cena da noi stasera.

Se
o
quando?

6. *Completa i dialoghi con le espressioni date.*
1. ● Potresti aiutarmi a portare questa valigia? ● ....
2. ● Anche oggi sciopero? ● Eh sì, ... !
3. ● No, non mi va di uscire oggi! ● Uff! Quando fai così, ...

sempre la solita storia

Certo che posso

non ti sopporto

7 **Che esercizio!** *Associa a ogni immagine l'esclamazione giusta.*

Che noia!   Che bello!   Che paura!

a ....   b ....   c ....

U5, D:

8 *Completa con le forme del futuro adatte: semplice o composto.*
1. Appena (tornare/tu) .... dal lavoro, (noi uscire) ....
2. Dopo che (fare/lei) .... colazione, (lavarsi/lei) ....
3. Quando (finire/tu) .... i compiti, (potere/tu) .... andare a giocare.
4. Ti (scrivere/io) .... , quando mi (mandare/tu) .... il tuo indirizzo.
5. (fare/io) .... il colloquio, dopo che mi (telefonare/loro) ....
6. Ragazzi, (potere/voi) .... mangiare, appena (lavarvi/voi) .... le mani.

9 *Trova l'errore, sottolinealo e scrivi accanto la forma corretta.*
1. Dopo che <u>ho fatto</u> l'esame, sarò meno teso. .... *avrò fatto*
2. Quando non mangerai tutto, lo dirò a tuo padre! ....
3. Ti prometto che da domani facevo i compiti tutti i giorni. ....
4. Che noia vederti dopo tanto tempo! Sono proprio felice. ....
5. Spedirò il mio CV, appena lo scriverò. ....
6. Se la notte mi addormento, mi dimentico sempre di spegnere la TV. ....

10 Chissà? *Completa le frasi formulando delle ipotesi al futuro.*
1. ● Che ore sono? ● Boh, ... le 4.
2. ● Paolo non viene? ● Non lo so, forse .... più tardi.
3. Ho fame, magari .... un panino.
4. ● Con chi va Claudia al cinema? ● Mah, ci .... con il suo ragazzo.
5. ● Non sento Michele da molto tempo, forse gli .... presto una e-mail.

U5, E:

11 Offre o cerca? *Leggi questi annunci e decidi se le persone offrono o cercano qualcosa.*

1. ....
BATTERISTA PROFESSIONISTA referenziato, esperienza decennale (live, studio, insegnamento) nei diversi stili, STUDIO PRIVATO professionale attrezzato, insonorizzato, impartisce accurate LEZIONI INDIVIDUALI - programmi personalizzati con metodo veloce ed originale, qualsiasi età e livello.

2. ....
MAGLIONI UOMO O UNISEX prezzo euro 15, in cotone fatti a mano, manica lunga tg. M (44/46) uno bianco - uno molto particolare in cotone; jeans - usati pochissimo - euro 20 cadauno.

3. ....
Clara, 25 anni, di Bologna, carina, allegra, simpatica, ma soprattutto dolce. Sono magra, alta 1,65, occhi neri, capelli lunghi. Lavoro come impiegata in un'azienda. Cerco un ragazzo di Bologna single (non separato o divorziato con figli), carino, dolce, simpatico, pieno di allegria. Non cerco storie passeggere, ma una storia seria. Rispondere al giornale, cod. PR88Z

4. ....
Como - Varese - Milano, segretaria ottima presenza qualsiasi età, richiesta conoscenza PC non oltre 25 anni. Inviare CV a: personale@dittaabc.it

12 Ora tocca a te! *Su un foglio, scrivi un annuncio per ognuno di questi casi.*
Vuoi vendere o offri: a) un lettore DVD nuovo; b) lezioni di matematica.
Stai cercando: a) una chitarra, b) un insegnante di chitarra.

U5, F:

13 *Pierluigi ha appena fatto un colloquio di lavoro. Ora deve andare all'estero per qualche giorno e scrive un promemoria alla sua ragazza. Completa gli appunti di Pierluigi con le finali di parola.*

> Anna, ti scrivo un piccolo promemoria. Se per caso mi cerca il Dottor Fanti, con cui ho fatto il colloquio ieri, devi sapere queste cose:
> il mio curriculum gliel' ho spedit...... ieri per posta,
> le mie referenze gliele avevo dat...... personalmente durante il colloquio,
> i miei numeri di telefono in Germania (in hotel la sera, e cell. di giorno) glieli avevo scritt......
> tutti anche nella lettera di presentazione, che gli ho consegnato, sempre durante il colloquio.
> In ogni caso tutti i documenti che possono servire per la mia assunzione te li ho mess......... in file allegati a una e-mail che ho spedito a te stamattina.
>
> Grazie dell'aiuto. Un bacio Pierluigi

14 *Completa.*

1. Il foglio? Te l' ha chiest..... Sara.
2. La bistecca? Gliel'ho ordinat..... io.
3. La e-mail? Ve l'abbiamo spedit..... noi.
4. Giulia? Te l'ho presentat..... io.
5. Gli spaghetti? Ve li ho preparat..... io.

6. Le foto? Ce le avete fatt.....voi.
7. Gli indirizzi? Me li ha dat.....il direttore.
8. La stanza? Ce l'ha affittat...... la signora Rosi.
9. I soldi? Glieli ho prestat..... io.
10. Il film? Me l'ha consigliat..... tuo fratello.

15 *Riformula le frasi con i pronomi combinati atoni che corrispondono alle parti sottolineate.*

1. Hanno spiegato <u>la strada</u> <u>a Giulio</u>?	→ .... hanno spiegata?	Me l'
2. <u>Mi</u> hai chiesto <u>una sigaretta</u>?	→ .... hai chiesta?	Ce l'
3. <u>Ci</u> avete portato <u>un regalo</u>?	→ .... avete portato?	Te le
4. <u>Vi</u> ho dato <u>l'indirizzo</u>?	→ .... ho dato?	Ce le
5. <u>Ti</u> ho prestato io <u>le chiavi</u>?	→ .... ho prestate io?	Glieli
6. Hai prestato tu <u>i cd</u> <u>ai ragazzi</u>?	→ .... hai prestati tu?	Me le
7. <u>Mi</u> hai chiesto <u>le fotografie</u>?	→ .... hai chieste?	Gliel'
8. <u>Vi</u> ho offerto <u>dei cioccolatini</u>?	→ .... ho offerti?	Ve li
9. <u>Ci</u> avete già ordinato <u>delle birre</u>?	→ .... avete già ordinate?	Ve l'

16 *Sostituisci le parole tra parentesi con i pronomi e completa.*

1. Abbiamo ordinato il caffè freddo e .... hanno portat....... (a noi / il caffè) subito.
2. Fabio ha chiesto delle informazioni e il vigile .... ha dat....... (a Fabio / le informazioni).
3. Lei voleva la macchina fotografica e noi .... abbiamo prestat.......(a lei / la macchina).
4. Marco ha scritto una lettera a Mirella e .... ha spedit....... (a Mirella / la lettera) ieri.
5. Paolo vuole sapere il numero di telefono e io .... ho dett....... (a Paolo / il numero).
6. Tua sorella ha ricevuto una lettera dalla sua amica e .... ha mostrat....... (a me / la lettera).
7. Valeria ha comprato un bel regalo. Non .... dat.......(a voi / il regalo) ieri?
8. Appena abbiamo conosciuto quella ragazza .... abbiamo presentat........(a voi / la ragazza).
9. Ho chiesto lo sconto a quel negoziante e .... ha fatt.......(a me / lo sconto).
10. Volevi sapere la strada per Rimini e .... abbiamo spiegat........(a te / la strada).

17 *Completa il dialogo.*

- Gianni, ... con me stasera?
- Dove .... ?
- Prima .... a bere un bicchiere di vino al bar con Silvia. Forse anche Rossella , quella mia collega simpatica, ... con noi. Poi .... a mangiare qualcosa "Da Toni". Dopo, verso le dieci, ... al cinema.
- Che film .... a vedere?
- L'ultimo film di Benigni.
- Allora .... al cinema con voi, ma non posso .... prima. Perché dopo il film non .... voi a casa mia? Vi preparo un cocktail e ascoltiamo un po' di musica.
- D'accordo, a stasera.

Andare

o

venire?

18 **Grammatica attiva: il pronome relativo.** *In queste frasi, che hai già trovato nelle unità di Caffè Italia studiate fin qui, metti a fuoco i pronomi relativi e completa le definizioni che li riguardano.*

Parlate di un luogo **che** avete visitato →	qui "**che**" è pronome relativo con funzione di **oggetto diretto**
e **che** vi ha dato una grande emozione. →	qui "**che**" è pronome relativo con funzione di **soggetto**
C'erano Mauro De André [...] e Fabrizio, **che** era il più piccolo. →	qui "**che**" è pronome relativo con funzione di ....
Ma due settimane fa mi è successa una cosa **che** non mi aspettavo. →	qui "**che**" è pronome relativo con funzione di ....
In due anni farei una carriera **che** normalmente potrei fare in otto. →	qui "**che**" è pronome relativo con funzione di ....
Non ricordo qual era la volta **in cui** c'era il maxischermo. →	La forma del pronome relativo con le preposizioni è ....

19 **Pronomi relativi e preposizioni.** *Completa le frasi con il pronome relativo corretto e le preposizioni quando è necessario.*

1. Laura, la mia ragazza .... lavora a Milano, non vuole lasciare il suo posto di lavoro.
2. Non so dove mettere tutti i mobili e gli oggetti .... ho comprato.
3. Ti consiglio un negozio .... puoi comprare scarpe bellissime a prezzi convenienti: è in via Mazzini, si chiama "*Tacchi a spillo.*"
4. Alessia cerca un assistente .... andare in giro per l'Italia a fare i servizi.
5. Chiedi cose .... non si può rispondere con un semplice sì o no.
6. Avete una piccola somma in contanti .... volete mettere in banca.
7. Domani ti presento l'amica .... ti ho parlato tanto e .... piacciono i film di Benigni.
8. Sono le materie .... mi interessano di più.

con cui
a cui
di cui
a cui
in cui
che
che
che
che

U5, autovalutazione:

20 **Sai parlare di un colloquio di lavoro?**   □ Bene   □ Abbastanza bene   □ Male

Scrivi qui quali sono le cose da fare e da non fare in un colloquio di lavoro. Se hai fatto un colloquio di lavoro descrivi anche la tua esperienza. Poi scegli la tua valutazione.

....

....

....

....

....

....

21 **Stati d'animo e situazioni.** *Scrivi qui almeno tre stati d'animo che corrispondono a tre situazioni diverse che hai vissuto negli ultimi tempi.*

....

....

22 **Sai formulare promesse?**   □ Bene   □ Abbastanza bene   □ Male

Pensa a una persona cara a cui vuoi fare delle promesse perché le vuoi bene e a un'altra persona a cui vuoi fare promesse per avere in cambio qualche cosa. Scrivi qui le frasi che diresti in ogni caso. Poi scegli la tua valutazione.

A una persona cara: ....

Per avere in cambio qualcosa: ....

23 **Sai scrivere un annuncio economico?**   □ Bene   □ Abbastanza bene   □ Male

Scegli una cosa che vuoi offrire o cercare e scrivi qui un annuncio di almeno 20 parole. Poi scegli la tua valutazione.

....

....

....

....

24 **Sai scrivere una lettera abbastanza formale?**   □ Bene   □ Abbastanza bene   □ Male

Ritorna all'esercizio 11 a pag. 147, scegli un annuncio e scrivi su un foglio una lettera di risposta. Poi scegli la tua valutazione.

25 **Vocabolario.** *Scrivi qui sotto i nomi che ricordi delle categorie in cui si può inserire un annuncio per cercare o offrire qualcosa su un giornale.*

....

....

26 **Espressioni idiomatiche.** *Scegli l'espressione idiomatica dell'Unità 5 che più ti piace e fai una frase.*

....

27 **È il momento del bilancio:** *rivedi tutta l'Unità 5 e annota ciò che hai imparato e ciò che ancora ti sembra un po' difficile. Poi, se vuoi, preparati a fare il test intermedio che trovi a pagina 192.*

È chiaro. Capisco! ....

Non è chiaro. Non capisco! ....

U6, A e B:

1 **Che cosa c'è da fare?** *Osserva le locandine e rispondi alle domande.*

ROMA - INTER
15 MAGGIO
ORE 21.00
STADIO OLIMPICO DI ROMA

Laura Pausini
in concerto
15 Ottobre
Roma Palalottomatica
Biglietto 20 euro

1. Quando ci sarà il concerto? ....
2. Quando ci sarà la partita? ....
3. Quanto costa il concerto? ....
4. A che ora è la partita? ....
5. In quale stadio si giocherà la partita? ....
6. Quali squadre giocheranno? ....
7. Chi è la star del concerto? ....
8. Dove sarà il concerto? ....

2 **Caccia all'intruso.** *Guarda attentamente la tabella: per ogni categoria ci sono una o più parole che non c'entrano. Trovale e riportale nella categoria giusta.*

Calcio	Teatro	Cinema	Musica
il derby	l'allenatore	il monologo	l'attore
la squadra	la prima	il trailer	il soprano
la rappresentazione	lo spettatore	il botteghino	il commediografo
il compositore	il primo tempo	il goal	il direttore d'orchestra
....	....	....	....
....	....	....	
	....		

3 **Una promozione.** *Guarda ancora le locandine dell'esercizio 1 e scrivi una promozione per uno dei due eventi. Usa anche gli elementi dati.*

- Sconto per anziani, bambini e studenti
- Orario di entrata
- Info per prenotazione del biglietto

U6, C:

4 *Completa con il comparativo di maggioranza e rispondi come vuoi tu alle domande.*

1. Marco è _più_ simpatico _di_ Luca. Chi è Marco? ....
2. Il mio cellulare è _più_ vecchio _del_ tuo. Quanto costa il tuo? ....
3. Lo spettacolo è stato _più_ noioso _che_ appassionante. Che spettacolo era? ....
4. La prima sarà _più_ interessante _della_ prova. Quando ci sarà la prima? ....
5. La voce del soprano mi piace _più_ quella del tenore. Chi è il soprano? ....

5 *Completa con il comparativo di uguaglianza.*

1. L'America è _così_ bella _come_ l'Asia.
2. Lucia mangia _tanta_ carne _quanto_ pesce.
3. Nicola è simpatico _come_ Paolo.
4. Giocare a tennis è divertente _quanto_ giocare a basket.

6 *Completa con il comparativo di minoranza.*

1. Questo fiore è _meno_ bello _che_ profumato.
2. Il teatro è _meno_ divertente _del_ cinema.
3. Aldo è _meno_ generoso _di_ Maria.
4. Beatrice è _meno_ bella _che_ simpatica.
5. Ingrid è _meno_ magra _di_ Susan.
6. De Chirico è _meno_ famoso _di_ Giotto.

7 **Tu che dici?** *Formula delle frasi col comparativo esprimendo le tue idee e i tuoi gusti.*

1. Per le scarpe / io / spendo / un milionario
Per le scarpe io spendo come un milionario

2. Le ragazze / imparano le lingue / facilmente / i ragazzi
Le ragazze imparano le lingue così facilmente come

3. Mi piace / stare a casa / uscire con chi non conosco bene
Mi piace più stare a casa che uscire con chi non conosco bene

4. Una casa a Milano / costa / la mia
Una casa a Milano costa più che la mia

5. È / facile / parlare l'italiano / fare gli esercizi
È facile parlare l'italiano che fare gli esercizi
più

8 *Scrivi tre cose per ognuno di questi aggettivi.*

Bollente:	Squisito:	Esotico:	Rapido:	Gelato:	Romantico:	Delizioso:	Terribile:
....	....	....	....	....	....	....	....
....	....	....	....	....	....	....	....
....	....	....	....	....	....	....	....

9 **Esageriamo!** *Trova una parola più forte per esprimere la qualità sottolineata in ogni frase.*

1. Il risotto alla pescatora che ci ha fatto tua madre era <u>molto buono</u>.   →   ....
2. Non andiamo qui per favore, la pizza la fanno <u>molto cattiva</u>.   →   ....
3. Marta, che piacere rivederti! Hai un cappello <u>molto bello</u>.   →   ....
4. Marta, che piacere rivederti! Hai un cappello <u>molto brutto</u>.   →   ....

10 *Osserva le immagini, fai dei paragoni e scrivili su un foglio.*

U6, D:

11 *Cerca la parola che non c'entra in ogni riga.*

1. la laurea	la Facoltà	il colore	la tesi
2. la pagina	la penna	la copertina	il titolo
3. cattivo/a	buono/a	malvagio/a	maligno/a
4. sposarsi	nascere	laurearsi	cucinare
5. piano	forte	a bassa voce	in sordina
6. lo scaffale	i libri	la pubblicazione	il vaso

12 *Parla di un libro con l'aiuto delle domande guida.*

Qual è il titolo? ....

Di che colore è la copertina? ....

È un libro famoso? C'è un'immagine o una foto particolare in copertina? ....

....

Di cosa parla? ....

Ricordi dove l'hai comprato? Come si chiamava la libreria? ....

Quante librerie ha la tua città? ....

Hai mai scritto un diario, oppure poesie o racconti? ....

Che tipo di pubblicazioni ti interessa di più fra queste: giornali, riviste, fumetti, libri? ....

Perché ti piacciono? ....

13 **Un'esperienza speciale.** *C'è un momento particolare della tua vita, in cui ti sentivi poco attivo, ma hai fatto qualcosa di interessante? In un foglio separato, racconta usando circa 100 parole.*

14 *Collega le forme del passato remoto all'infinito del verbo corrispondente. Poi completa le frasi.*

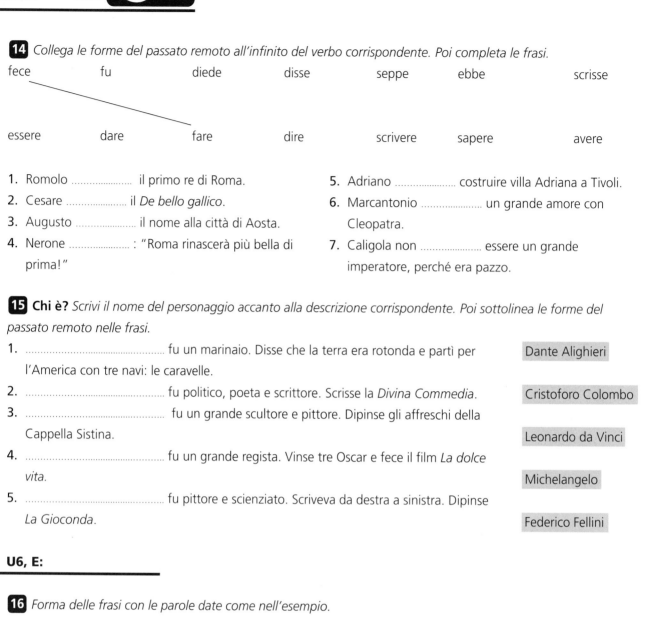

fece   fu   diede   disse   seppe   ebbe   scrisse

essere   dare   fare   dire   scrivere   sapere   avere

1. Romolo .... il primo re di Roma.
2. Cesare .... il *De bello gallico*.
3. Augusto .... il nome alla città di Aosta.
4. Nerone .... : "Roma rinascerà più bella di prima!"

5. Adriano .... costruire villa Adriana a Tivoli.
6. Marcantonio .... un grande amore con Cleopatra.
7. Caligola non .... essere un grande imperatore, perché era pazzo.

15 **Chi è?** *Scrivi il nome del personaggio accanto alla descrizione corrispondente. Poi sottolinea le forme del passato remoto nelle frasi.*

1. .... fu un marinaio. Disse che la terra era rotonda e partì per l'America con tre navi: le caravelle.
2. .... fu politico, poeta e scrittore. Scrisse la *Divina Commedia*.
3. .... fu un grande scultore e pittore. Dipinse gli affreschi della Cappella Sistina.
4. .... fu un grande regista. Vinse tre Oscar e fece il film *La dolce vita*.
5. .... fu pittore e scienziato. Scriveva da destra a sinistra. Dipinse *La Gioconda*.

> Dante Alighieri
>
> Cristoforo Colombo
>
> Leonardo da Vinci
>
> Michelangelo
>
> Federico Fellini

U6, E:

16 *Forma delle frasi con le parole date come nell'esempio.*

1. Il Colosseo	una delle cantanti	grande
2. La basilica di San Pietro	il monumento	amate dagli italiani
3. La Lazio e la Roma	gli animali	importanti
4. I gatti	la chiesa	caratteristici
5. Gabriella Ferri	le squadre	famoso

Il Colosseo è il monumento più famoso di Roma.

....

....

....

....

....

17 *Sostituisci le parole sottolineate con la forma semplice del superlativo assoluto.*

1. Carlo è un ragazzo <u>molto alto</u>. → .... Carlo è un ragazzo altissimo. ....

2. La Traviata di Verdi è un'opera <u>molto bella</u>. → ....

3. Il Derby Roma-Lazio è una partita <u>molto importante</u>. → ....

4. I biglietti dei musei sono <u>molto cari</u>. → ....

5. Quel film ha una storia <u>molto interessante</u>. → ....

6. Il concerto di Venditti è stato <u>molto lungo</u>. → ....

7. La zia di Alessandro è <u>molto ricca</u>. → ....

8. Sabrina Ferilli è un'attrice <u>molto simpatica</u>. → ....

9. Con il "*last minute*" il biglietto è <u>molto economico</u>. → ....

10. Ieri al cinema la gente era <u>molto poca</u>. → ....

18 *Completa i mini dialoghi con le parole date.*

meglio	peggiore	minore	pessimo	migliore	maggiore	ottimo

1. ● Chi è Serena?
   ● È la mia .... amica.

2. ● Stefano è il fratello .... di Claudio?
   ● No è il .... , ha due anni in più.

3. ● Allora cosa dici, mi sta bene questa camicia?
   ● Sì, ma quella bianca ti sta ....

4. ● Si mangia bene in quel ristorante?
   ● No, è un ristorante .... Non ho mai mangiato tanto male in vita mia.

5. ● Com'è questo risotto?
   ● È .... Ne posso avere ancora un po'?

6. ● È vero che la Roma ha perso contro la Juve?
   ● Sì, è stata la partita .... di quest'anno.

19 **Preposizioni.** *Forma le frasi possibili collegando gli elementi dati. Quando è necessario usa la preposizione con l'articolo.*

Ho bisogno	a	monumenti
Roma è la città più ricca		Facoltà di Scienze
Carla lavora	tra	il 10 e il 20%
Mi sono laureata		domicilio
Mario è più simpatico	di	alcune informazioni
Mi piace giocare		suo fratello
Sono stato tutta la mattina	in	calcio
Abbiamo risparmiato		1987

....

....

....

....

....

....

....

U6, autovalutazione:

20 **Sai parlare di un evento culturale o sportivo?**   ☐ Bene   ☐ Abbastanza bene   ☐ Male

Quali sono i tre spettacoli più belli che hai visto? E i più brutti? Presentali e spiega perché ti sono piaciuti o non ti sono piaciuti. Poi scegli la tua valutazione.

....

....

....

....

....

....

....

21 **Vocabolario.** *Scegli il tipo di spettacolo che ti interessa di più e riscrivi qui tutte le parole che hai imparato relative al tema.*

....

....

22 **Sai fare dei paragoni?**   ☐ Bene   ☐ Abbastanza bene   ☐ Male

Scegli almeno due cose da ogni gruppo e confrontale con le forme del comparativo. Poi scegli la tua valutazione.

sci • nuoto • tennis • calcio • ciclismo

....

treno • automobile • motorino • bicicletta • aereo • nave

....

parlare • giocare • leggere • scalare le montagne • organizzare una festa

....

23 **Sai parlare di monumenti artistici, storici e culturali?** ☐ Bene   ☐ Abbastanza bene   ☐ Male

Presenta qui i monumenti più importanti della tua città o della tua nazione. Poi scegli la tua valutazione.

....

....

....

....

24 **Scegli l'aggettivo.** *Tra tutti gli aggettivi che hai trovato in C6, quale vuoi imparare con più urgenza? Scrivi qui tutte le persone, i luoghi e le cose che associ a questo aggettivo.*

....

....

25 **Espressioni idiomatiche.** *Scegli l'espressione idiomatica dell'Unità 6 che più ti piace e fai una frase.*

....

26 **È il momento del bilancio:** *rivedi tutta l'Unità 6 e annota ciò che hai imparato e ciò che ancora ti sembra un po' difficile.*

È chiaro. Capisco! ....

Non è chiaro. Non capisco! ....

U7, A:

1 **La qualità della vita.** *Per ognuna di queste aree tematiche descrivi la città in cui vivi adesso.*

Tempo libero: ....

Tenore di vita: ....

Ordine pubblico: ....

Servizi e ambiente: ....

Popolazione: ....

Affari e lavoro: ....

2 **Un'indagine.** *Scrivi su un foglio un testo di circa 100 parole utilizzando le espressioni date.*

contrapporsi   svetta   invariato   capoluogo   è in recupero   primato   superare

U7, B:

3 **Viaggiare in auto.** *Osserva le immagini e scrivi sotto le parole che servono a descriverle.*

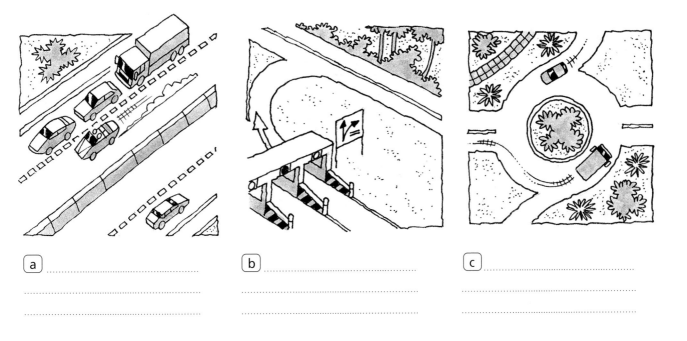

a ....

b ....

c ....

4 *Completa con le forme dell'imperativo informale.*

1. (scusare) .... , mi sai dire a che ora passa l'autobus 21?
2. (dire) .... a tuo fratello di chiamarmi!
3. ● Permesso? ● Prego, (entrare) .... pure.
4. Attenzione, (girare) .... a destra.
5. Nonna, ti prego, (finire) .... di raccontarmi la storia.
6. Per andare all'aeroporto (prendere) .... l'autobus 90B.
7. (dire) .... la verità, questa volta.
8. Marco! (scendere) .... subito da quell'albero, è pericoloso!
9. Per favore, (andare) .... a comprarmi il giornale.
10. (fare) .... attenzione, potresti farti male.

5 **Da' a ognuno il consiglio giusto!** *Usa l'imperativo informale.*

1. A una persona che ha mal di testa e mal di pancia.

....

2. A un giovane laureato che non riesce a trovare lavoro.

....

3. A un ragazzo di 13 anni che fuma.

....

4. A un ragazzo di 25 anni innamorato della propria insegnante di musica.

....

5. A un'amica che ha due uomini che la corteggiano e non sa quale scegliere.

....

6. A un'amica di 30 anni insoddisfatta del proprio lavoro.

....

U7, C:

6 **Regole di percorrenza autostradale.** *Osserva le immagini, decidi per ogni situazione se il comportamento dell' automobilista è corretto o no e collegala al rispettivo comma del regolamento.*

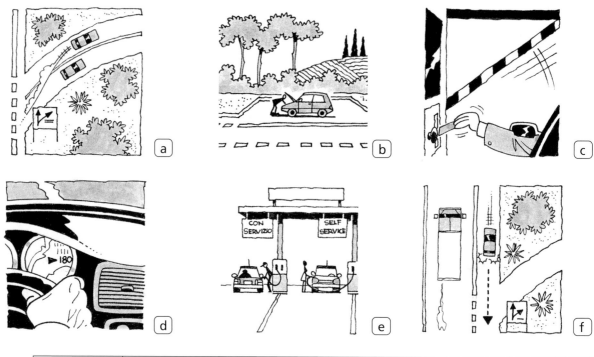

	a	b	c	d	e	f
Corretto:						
Sbagliato:						

1. ◯ Se l'auto non è dotata di Telepass, è obbligatorio prendere il biglietto al casello di entrata.

2. ◯ È vietata una velocità superiore ai 130 Km/h.

3. ◯ Per soste in autostrada utilizzare le apposite piazzole.

4. ◯ È consentito utilizzare le stazioni di servizio (distributori e autogrill), seguendo le indicazioni.

5. ◯ È vietato fare retromarcia in ogni punto dell'autostrada.

6. ◯ Non è consentito il sorpasso negli svincoli di entrata e uscita.

7 *Come sono le regole di comportamento nelle strade e autostrade del tuo paese? Quali differenze ci sono rispetto all'Italia? Scrivi qui quello che si può fare e quello che non è consentito.*

....

....

....

8 *Che cosa dice la moglie al marito in autostrada? Ricostruisci le frasi.*

1. il • Prendi • biglietto! ....

2. guidare • così • Non • veloce! ....

3. la • macchina • alla • piazzola • Ferma • di emergenza! ....

4. di • distributore • benzina • Guarda • fra 2 Km. • c'è • un ....

5. al • qualcosa • autogrill. • Mangiamo • prossimo ....

6. corsia • Svolta • d'uscita. • nella ....

7. nello • sorpassare • Non • svincolo! ....

9 *Cosa dice il marito alla moglie? Formula le frasi con l'imperativo.*

1. Gli serve lo stradario. → *Prendi lo stradario.* ....

2. Gli servono dei soldi per pagare il pedaggio al casello. → ....

3. Proibisce alla moglie di fumare in macchina. → ....

4. Le chiede di chiudere il finestrino. → ....

5. Le dice di parlargli perché si sta addormentando. → ....

6. Le chiede di rispondere per lui al suo cellulare. → ....

7. Proibisce alla moglie di mangiare pop corn in auto. → ....

8. Le chiede di pulire il vetro del finestrino. → ....

9. Le chiede di alzare il volume della radio. → ....

10 Una visita al Museo Capodimonte di Napoli. *Completa il regolamento con gli elementi dati.*

fare il biglietto   parlare a voce alta   portare animali

utilizzare il computer   mangiare e bere   restare a distanza dalle opere

leggere le didascalie   andare al bagno   fumare

lasciare le borse al guardaroba   chiedere informazioni   toccare le opere d'arte

1. È obbligatorio ....   7. Si deve ....

2. È obbligatorio ....   8. Non è consentito ....

3. Si può ....   9. È vietato ....

4. È permesso ....   10. Non si deve ....

5. È permesso ....   11. Non si possono ....

6. È consigliato ....   12. Non si possono ....

11 Buona condotta. *Scrivi qui le 5 regole fondamentali del buon comportamento in classe.*

1. ....

2. ....

3. ....

4. ....

5. ....

U7, D:

12 *Osserva le vignette e completa con i verbi dati.*

spegnete   camminiamo   pulite

13 *Rispondi alle domande con le forme dell'imperativo e i pronomi atoni necessari.*

1. ● Posso prendere in prestito il tuo giubbotto?
   ● Prendilo pure.

2. ● Accendiamo il fuoco per il grill?
   ● Mi sembra ancora presto, ... più tardi.

3. ● Mamma, possiamo accendere la televisione?
   ● Sì, ... ma a basso volume.

4. ● Luca, possiamo usare la tua macchina?
   ● Sì. .... ma riportatemela prima delle sei.

5. ● Possiamo portare il mio cane in campeggio?
   ● No, non .... Gli animali sono vietati.

6. ● Devo accompagnare Laura alla stazione?
   ● Sì, ... tu perché io non ho tempo.

7. ● Posso tenere questa fotografia?
   ● Certo, ... pure.

8. ● Carla, posso buttare questa gonna vecchia?
   ● No, mamma, non ...., mi piace tanto.

9. ● La biglietteria è già chiusa. Dove faccio il biglietto?
   ● .... sul treno. Paghi di più ma è l'unica possibilità.

10. ● Posso andare in discoteca stasera?
    ● .... pure ma non tornare tardissimo.

11. ● Posso dirti una cosa?
    ● .... pure, cosa è successo?

12. ● Mamma, mi hai chiamato?
    ● Sì, ... un favore. Va' a comprare il pane, è finito.

13. ● Quanti soldi devo dare a Matteo?
    ● .... 100 euro.

14. ● Domani ti faccio sapere come è andata.
    ● .... appena finisci l'esame.

15. ● Che cosa devo dire a Giulio?
    ● .... la verità.

16. ● Che cosa devo dire a Cinzia?
    ● .... che domani la chiamo.

14 *Inserisci nei mini dialoghi le espressioni date.*

Fa' attenzione!   Dimmi pure!   Ma fammi il piacere!   Dammi retta!   Non ci credo!

1. ● Sai che Valentina si è sposata?

    ● .... ! Lei che è sempre stata così contraria al matrimonio.

2. ● Finalmente domani vado al mare!

    ● Vai in macchina? .... perché quell'autostrada è un po' pericolosa!

3. ● Mamma mia! Ho sempre questa brutta tosse!

    ● Smetti di fumare! ....

4. ● Ieri sono andato a pescare e ho preso un pesce di 12 chili.

    ● ....

5. ● Papà ti posso parlare?

    ● ....

15 **Preposizioni.** *Completa con le preposizioni e l'articolo quando è necessario.*

1. .... risolvere il problema del traffico in città, ci vorrebbero più mezzi .... trasporto pubblici.
2. Napoli si trova .... Italia .... sud. Non lontano .... costa ci sono Ischia e Capri.
3. .... aeroporto di Napoli .... casa mia ci vuole solo un quarto d'ora in auto.
4. Marina, ho preso .... prestito la tua camicia, va bene?
5. Hai tempo .... prendere un caffè con noi?
6. .... campeggio non si possono accendere fuochi .... aperto.
7. Ho lasciato la mia auto .... garage perché c'è il blocco .... traffico.
8. Ho sentito la notizia .... radio e sono subito corsa .... vedere che cosa era successo.

16 **Pronomi relativi e preposizioni.** *Rivedi le regole sui pronomi relativi di pag. 149. Poi completa la e-mail di Gioia con i pronomi relativi corretti e le preposizioni quando è necessario.*

□   ▤▤▤▤▤▤▤▤▤▤▤▤▤▤▤▤▤▤▤▤▤▤▤▤▤▤▤▤▤ 🗗🗖
✉ Invia adesso   ✉ Invia più tardi   § Aggiungi allegati | ✎ Firma ▾

Ed eccomi qua finalmente!

Come stai? Sono a Napoli ormai da tre settimane ma ti scrivo solo oggi! Scusami, ma è che al mio arrivo ho avuto mille cose pratiche .... occuparmi. A parte un po' di stress, va tutto benissimo! Quasi non posso crederci: ho già conosciuto tanta gente simpatica .... mi invita in continuazione a fare cose insieme dopo il lavoro.

Prima di tutto c'è Marina, la responsabile dell'ufficio marketing .... lavoro, ricordi? È la signora .... avevo parlato al telefono dopo il colloquio. È una ragazza molto dinamica e decisa. Ora è lei .... mi segue sul lavoro e mi spiega tutte le cose .... devo ancora imparare. Marina è fidanzata con Sandro. Un vero napoletano "DOC" .... ha deciso di farmi conoscere ogni volta un nuovo segreto di Napoli: dopo Posillipo, mi ha già portato alla Chiesa del Cristo Velato (meravigliosa!), poi nella zona dei Tribunali, ... ci sono i mercatini più belli, e ovviamente mi ha fatto percorrere Spaccanapoli, la strada .... taglia praticamente in due la città.

E tu? Quando vieni a trovarmi? Scrivimi presto e raccontami tutto

Un bacione, Gioia

17 **Ora tocca a te!** *Immagina di avere ricevuto questa e-mail da un'amica con cui hai studiato. Ora anche tu ti sei trasferito in una nuova città. Su un foglio, scrivi la tua risposta e raccontale come ti trovi e che cosa fai.*

U7, autovalutazione:

18 **Vocabolario.** *Ricorda le prime pagine dell'Unità 7 e rispondi a queste domande.*

- Che tipo di pubblicazione è "Il Sole 24 ore"? ....

- In quali aree tematiche sono suddivisi gli indicatori nell'indagine svolta ogni anno sulla qualità della vita nelle città italiane? ....

....

- Qual è la città in cui si viveva meglio in Italia nel 2004? ....

19 **Sai comprendere e dare indicazioni stradali?**   ☐ Bene   ☐ Abbastanza bene   ☐ Male
Scrivi questi due dialoghi. Poi scegli la tua valutazione.

Primo dialogo: *Sei davanti all'entrata della scuola dove studi italiano e una ragazza a piedi ti chiede informazioni per arrivare alla stazione (dei treni o degli autobus). Crea il dialogo.*

Secondo dialogo: *Scegli due città distanti almeno qualche decina di chilometri, di cui conosci bene il percorso stradale che le unisce e descrivilo a un amico o a un'amica.*

20 **Sai scusarti per il disturbo e chiedere permesso o aiuto?** ☐ Bene   ☐ Abbastanza bene   ☐ Male
Immagina di essere in un nuovo posto di lavoro e di avere bisogno dell'aiuto di un collega per un problema. Scrivi il dialogo cominciando dal momento in cui bussi alla porta dell'ufficio del collega. Poi scegli la tua valutazione.

21 **Sai comprendere e scrivere un regolamento?**   ☐ Bene   ☐ Abbastanza bene   ☐ Male
Scegli una situazione in cui molte persone devono condividere dei servizi pubblici oppure degli ambienti e scrivi le regole di comportamento. Poi scegli la tua valutazione.

22 **Usare il dizionario monolingue.** *Qual è il consiglio più utile che hai trovato finora a proposito di come usare il dizionario monolingue? Scrivilo qui.*

23 **Espressioni idiomatiche.** *Scegli l'espressione idiomatica dell'Unità 7 che più ti piace e fai una frase.*

24 **È il momento del bilancio:** *rivedi tutta l'Unità 7 e annota ciò che hai imparato e ciò che ancora ti sembra un po' difficile.*

È chiaro. Capisco! ....

Non è chiaro. Non capisco! ....

U8, A:

1 **Positivo o negativo?** *Quali di queste frasi contengono un'informazione positiva e quali invece esprimono qualcosa di negativo? Scegli secondo la tua opinione.*

	Positivo	Negativo
1. L'emarginazione è un problema sociale molto diffuso.	☐	☐
2. Domenica si svolgerà in piazza il carnevale interetnico.	☐	☐
3. L'integrazione è un'occasione da non perdere.	☐	☐
4. L'isolamento esiste, così come esiste la povertà.	☐	☐
5. Abbiamo visto che la discriminazione è alta.	☐	☐
6. Questa è una posizione chiaramente razzista.	☐	☐
7. Stiamo preparando un progetto di accoglienza.	☐	☐
8. C'è una buona convivenza fra italiani e immigrati.	☐	☐

2 **Meglio al contrario.** *Formula la frase di significato contrario.*

1. È un congresso sulla discriminazione. → È un congresso sulla convivenza.

2. È un'idea razzista. → ....

3. Vogliamo l'emarginazione. → ....

4. Sono contrario all'accoglienza. → ....

3 *Completa le frasi ricordando i testi dell'unità 8. Poi abbina ogni affermazione alla domanda giusta.*

1. ☐ L'Italia si è trasformata da un paese di emigrazione in un paese di ....

2. ☐ La storia dell'emigrazione degli italiani può aiutare a capire cosa significa l'accoglienza degli immigrati e la loro .... nella vita sociale e politica del paese.

3. ☐ Il governo italiano vuole garantire una .... pacifica fra stranieri immigrati e italiani.

4. ☐ Il principio di parità significa che non ci deve essere nessuna .... , diretta o indiretta, razziale o etnica.

5. ☐ Perché la prima finalità dell'UNAR è quella di garantire la .... dei diritti inviolabili dell'uomo.

Le domande:

a. Che cosa può aiutare gli italiani a capire i problemi degli immigrati?

b. Che cosa significa la parità di trattamento fra persone?

c. Perché chi è vittima di discriminazioni può rivolgersi all'UNAR?

d. Come si è trasformata l'Italia negli ultimi vent'anni?

e. Con quale obiettivo generale il governo italiano ha istituito l'UNAR ?

4 **Il nostro obiettivo per i giovani.** *Completa con le espressioni date.*

Siccome viviamo in una società .... e multietnica, ci sembra necessario organizzare corsi di lingue straniere in tutte le scuole di ordine e grado.
Vogliamo .... soprattutto i giovani a imparare le lingue, per .... una buona qualità dello studio obbligatorio.
La .... dei corsi è offrire una buona base agli studenti, soprattutto a quelli che lavoreranno con l'estero. Vogliamo .... anche ....
su questo problema e dare ai giovani che entrano nel mondo del lavoro una reale
.... Infatti i giovani che non conoscono almeno una lingua straniera
incontrano grosse difficoltà quando cercano lavoro.

aiutare

sensibilizzare

l'opinione pubblica

multilingue

opportunità

garantire

finalità

U8, B:

5 **L'esperienza di Munir.** *Munir è responsabile di un'associazione che difende i diritti degli immigrati in Italia. Leggi il testo in cui esprime il suo giudizio. Poi indica se le affermazioni riferite al testo sono vere o false e la riga del testo che conferma la tua scelta.*

1   So perfettamente che il fenomeno dell'immigrazione, che in Italia è abbastanza nuovo, può portare a problemi di convivenza a causa della difficoltà di integrazione: ci sono tradizioni diverse, religioni diverse e non è sempre facile.

Non bisogna dimenticare però che, se tanti stranieri sono disposti a rischiare la vita in viaggi disumani

5   per arrivare qui, significa che le condizioni di vita nel loro paese sono terribili: non c'è lavoro, non c'è casa e spesso c'è la guerra.

Io sono arrivato qui 12 anni fa e ricordo che uno dei grandi problemi che ho dovuto affrontare è stata la lingua: non poter capire e farsi capire è stato terribile. Per questo, adesso che ho un lavoro e una famiglia, ho deciso di aiutare gli altri e sono entrato in un'associazione di volontariato che si occupa

10   anche di offrire corsi di lingua gratuiti.

Vorrei aggiungere anche che, se qualche ragazzo a volte prende una brutta strada, la maggioranza degli immigrati sono persone oneste che lavorano e aiutano gli italiani.

E poi, se non sbaglio, anche gli italiani molti anni fa, sono partiti per l'estero in cerca di fortuna, con le valigie di cartone. O no?

	Vero	Falso	Righe nr.
1. L'immigrazione in Italia è cominciata molti anni fa.	☐	☑	1
2. Le differenze di tradizioni e di religione causano problemi di convivenza.	☐	☐	
3. Gli immigrati affrontano viaggi molto difficili per arrivare in Italia.	☐	☐	
4. La lingua italiana non è un grosso problema per gli immigrati.	☐	☐	
5. Spesso gli immigrati sono di aiuto agli italiani.	☐	☐	

6 **Un amore interetnico.** *Leggi i pensieri di Marco e di Yokiko. Poi completa le frasi nella pagina accanto e aggiungi qualcosa di tua fantasia.*

I pensieri di Marco:

Credo che lei ....

Ritengo che lei ....

Mi sembra che lei ....

Trovo che lei ....

....

....

I pensieri di Yokiko:

Penso che lui ....

Trovo che lui ....

A me pare che lui ....

Non credo che lui ....

....

....

7 *Completa le frasi secondo la tua opinione.*

Marco pensa di essere un po' timido.

Come pensa di essere Marco? Lui pensa di ....

Come pensa di essere Yokiko? Lei pensa di ....

E tu come pensi di essere? Io penso di ....

8 *Trasforma le frasi usando il congiuntivo presente.*

1. Forse Luigi ha difficoltà con i colleghi stranieri. Credo che Luigi ....

2. Probabilmente gli immigrati cercano fortuna. Mi pare che ....

3. Secondo me le persone non capiscono. Ritengo che ....

4. Secondo me succedono cose gravi. Penso che ....

5. Probabilmente la gente può convivere. Ritengo che ....

6. Forse dobbiamo aiutarci. Credo che ....

7. Secondo me la gente ha paura. Penso che ....

8. Forse il fenomeno aumenta. Mi sembra che ....

9. Forse alcuni prendono una brutta strada. Trovo che ....

10. Forse le persone non si sentono accettate. Credo che ....

11. Forse si può affrontare una vita diversa. Credo che ....

12. Secondo me si deve conoscere il problema. Mi sembra che ....

9 *Completa con la forma corretta del congiuntivo.*

1. Mi sembra che (essere) .... chiaro quello che voglio dire.

2. Non credi che loro (essere) .... troppo diversi da noi?

3. Riteniamo che Marcello e Federica (avere) .... qualche problema in famiglia.

4. Ci sembra che la situazione non (migliorare) ....

5. Credete che fra poco (piovere) .... ?

6. Tutti pensano che la gente (leggere) .... poco i giornali e (preferire) .... guardare la TV.

7. Mi pare che loro non (capire) .... l'inglese.

8. Pensiamo che Carlo (finire) .... presto di lavorare.

9. Non trovo che il carovita (diminuire) ....

10. Mi pare che Paolo (interessarsi) .... di computer.

11. Non pensiamo che questa iniziativa (risolvere) .... completamente il problema.

12. Non mi pare che tu (potere) .... dormire con questo rumore.

13. Anche se non c'è Maria, credo che (potere/noi) .... cominciare a giocare.

14. Ci sembra che tu non (dovere) .... bere tanto.

15. Credo che a quest'ora si (dovere) .... parlare piano.

U8, C:

10 *Leggi l'articolo. Poi indica se le affermazioni sono vere o false e la riga dell'articolo che conferma la tua scelta.*

Gli scavi della discordia

1   BARI - Il non voler cambiare strada e l'ignorare l'e-
sistenza di percorsi alternativi stanno provocando
il caos in piazza Giulio Cesare. Con il progredire*
degli scavi per la realizzazione del parcheggio in-
5   terrato* e l'ulteriore restringimento delle corsie
percorribili, la zona sta diventando ogni giorno di
più invivibile per residenti e commercianti: i primi
costretti a sopportare polvere e rumore dell'esca-
vatrice*, i secondi preoccupati dal mancato gua-
10 dagno in seguito al divieto di sosta temporanea

11 delle auto sui percorsi diventati a senso unico, tra
tutti: viale Orazio Flacco e via Giulio Petroni. Si sta
tentando d'individuare delle possibili soluzioni.
Tra queste, il Comune sembra abbia chiesto di
15 creare una rotatoria all'interno dell'area dell'ospedale dove i vigilantes* faranno la selezione dei
mezzi autorizzati, consentendo* loro l'accesso ai
viali, e invitando tutti gli altri a uscire, con molta
probabilità, dall'ingresso di via Storelli.

[Adattato da *Barisera* del 30/06/2005]

Vocabolario: <u>consentire</u>: dare il permesso; <u>escavatrice</u> (f.): macchina che scava nella terra; <u>interrato</u>: sotto terra; <u>progredire</u>: andare avanti; <u>vigilantes</u>: polizia.

	Vero	Falso	Righe nr.
1. Il parcheggio è terminato.	☐	☐	....
2. Non si conoscono percorsi alternativi.	☐	☐	....
3. Residenti e commercianti vivono male nella zona.	☐	☐	....
4. Il comune vorrebbe creare una rotatoria dentro la zona dell'ospedale.	☐	☐	....
5. Tutti possono entrare nei viali.	☐	☐	....

11 **Stress da ingorgo...** *Completa il dialogo con le espressioni date.*

Questa è bella!   Non ne parliamo più.   Ma va' là,   non ce l'ho con te.

Non ci posso credere: non prendertela!   Non ne posso più!

● Ma dai! C'è bisogno di mettersi a suonare il clacson? Per favore,
smetti di fare lo stupido!

● Senti cara, se non ti va bene come guido puoi scendere. OK?

● Dai, ... Non volevo farti arrabbiare.

● .... mi dai dello stupido e io non dovrei
prendermela?

● Scusami, lo sai che .... È che sono molto
nervosa per l'esame e dico cose che non dovrei dire!

● Va bene, tranquilla! ....

● E poi fa un tale caldo! .... Non vedo l'ora che
piova.

● .... Da quando ti piace la pioggia?

● Hai ragione. Credo proprio di essere diventata isterica.

● .... non esagerare, adesso. È un momento
difficile. Vedrai che passa presto!

U8, D:

12 *Scegli tra le due alternative l'espressione corretta per completare ogni frase.*

1. ● Ciao, Laura. È tornato Paolo?

   ● Non ancora. .... torni domani alle 3.   **a.** Penso che   **b.** Non vedo l'ora che

2. ● Franco, mi sembri un po' stanco.

   ● Sì, è vero. .... arrivino presto le vacanze.   **a.** Credo che   **b.** Spero che

3. ● Hai sentito che c'è stato un altro sbarco di clandestini in Puglia?

   ● Sì, ho sentito. .... è un problema molto serio.   **a.** Secondo me   **b.** Mi auguro che

4. ● In bocca al lupo per domani!

   ● Crepi! .... il test non sia troppo difficile.   **a.** Spero che   **b.** Penso che

13 **Congiuntivo o indicativo?** *Completa con la forma corretta del verbo.*

1. Alessia spera che gli studenti (apprezzare) .... i suoi servizi dalle città italiane e dice che lei (divertirsi) .... molto a realizzarli.

2. ● Credo che "La Gazza ladra" (essere) .... un'opera di Verdi.

   ● Ma che ignorante! Tutti sanno che (essere) .... di Rossini!

3. ● Giulia dice che (volere/lei) .... venire a Venezia per la mostra sui Futuristi.

   ● Mi auguro che (volere/lei) .... venire di sabato così possiamo andarci insieme.

4. Mi sembra che il servizio di banca on line (avere) .... solo dei vantaggi. Perché dici che non (tu/fidarsi) .... ?

5. Riccardo ha scritto nel suo curriculum che (parlare/lui) .... molto bene anche il russo. A me pare che (esagerare/lui) .... un po', non trovi anche tu?

14 *Per ogni situazione scrivi tre frasi usando le espressioni date.*

Uno studente che ha appena iniziato il corso di italiano:

....

....

....

Una ragazza di 18 anni il giorno del suo compleanno:

....

....

....

Un nonno che sta guardando il suo nipotino di 3 anni:

....

....

....

Mi auguro che

Spero che

Non vedo l'ora che

15 **Preposizioni.** *Collega per ricostruire le frasi.*

1. ☐ Gli italiani parlano ad   a. andare al lavoro.
2. ☐ Domani ci sarà uno sciopero nazionale di   b. aiutare gli immigrati.
3. ☐ Devo camminare tutti i giorni mezz'ora per   c. alta voce.
4. ☐ Nei centri di accoglienza si cerca di   d. 24 ore.
5. ☐ In Italia gli immigrati si augurano di   e. più caratteristici luoghi d'Italia.
6. ☐ Lavoro come volontario due volte alla   f. settimana.
7. ☐ Molte persone povere vivono per   g. strada.
8. ☐ Alberobello è uno tra i   h. trovare una vita migliore.

U8, autovalutazione:

16 **Sai parlare di un problema e esprimere le tue idee?**   ☐ Bene   ☐ Abbastanza bene   ☐ Male
Pensa a un problema non ancora risolto nella tua città, presentalo scrivendo su un foglio un testo di almeno 100 parole. Poi scegli la tua valutazione.

17 **Vocabolario.** *Fai un diagramma attorno ai concetti seguenti con le idee e le parole chiave più significative secondo te.*

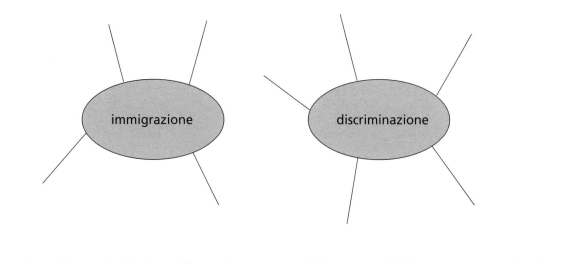

18 **Sai parlare dei tuoi desideri per il futuro?**   ☐ Bene   ☐ Abbastanza bene   ☐ Male
Scrivi qui che cosa ti auguri per il tuo futuro. Poi scegli la tua valutazione.

....

....

....

19 **Sai dire le frasi giuste in una situazione un po' tesa?** ☐ Bene   ☐ Abbastanza bene   ☐ Male
Sei in fila alla biglietteria della stazione, sta per arrivare il tuo turno e una persona ti passa davanti. Sei arrabbiato e glielo dici. Scrivi il dialogo seguendo la traccia. Poi scegli la tua valutazione.

● ....

	La persona si scusa e dice che ha un problema perché
Rispondi come credi.	*il suo treno parte fra 3 minuti.*
●	● ....
Rispondi in modo conciliante.	*La persona reagisce scusandosi.*
●	● ....

20 **Espressioni idiomatiche.**
Scegli l'espressione idiomatica dell'Unità 8 che più ti piace e fai una frase.

....

21 **È il momento del bilancio:** *rivedi tutta l'Unità 8 e annota ciò che hai imparato e ciò che ancora ti sembra un po' difficile.*
È chiaro. Capisco! ....
Non è chiaro. Non capisco! ....

U9, A:

1 **Foto di famiglia.** *Osserva le due immagini e rispondi alle domande.*

a

b

1. *Quali differenze ci sono tra le due foto?*

....

....

....

2. *Come sarebbe la foto tipica che rappresenta la tua famiglia? A quale delle due foto somiglierebbe?*

....

....

....

2 **Stili di vita.** *Scrivi un breve testo per presentare in generale lo stile di vita delle persone del tuo ambiente: i colleghi, gli amici, i parenti e i vicini di casa. Utilizza le espressioni date.*

Single	Coppia di fatto	Matrimonio	Convivenza con amici

....

....

....

....

....

....

3 *Rileggi l'articolo sulla famiglia a pag. 101 e completa la tabella.*

Stili di vita:	Numero delle coppie con figli	....	Numero dei figli per donna (1999)	Numero delle donne sposate nel Centro Italia	....
Dati in percentuale:	....	9,3%	....	....	3%

U9, B:

4 **Gusti diversi per la luna di miele.** *Completa con le espressioni date i racconti di queste tre persone appena tornate dal viaggio di nozze. Poi scrivi dove sono stati: scegli i luoghi fra quelli indicati nel riquadro.*

con quel che   non c'è che   mete turistiche   luna di miele

1. Un posto meraviglioso, ... dire! Abbiamo passato molto tempo sulla spiaggia, abbiamo fatto delle grigliate di pesce fantastiche. E poi il sole, il mare. Sì, è stato davvero romantico. Certo, il viaggio in aereo è stato lungo, ci abbiamo messo in tutto 15 ore però lo rifarei anche domani.

Noi siamo stati ....

negli Stati Uniti
ai Caraibi
a Ischia
a Bologna
a Parigi

2. Per la .... abbiamo deciso di non andare troppo lontano. Sai, ... costano i viaggi di nozze. E poi, dopo un anno di lavoro durissimo ci volevamo riposare. Così abbiamo scelto: cibo buono, mare meraviglioso e terme!

Siamo andati ....

3. Sarà anche la più tradizionale delle .... e dei viaggi di nozze, ma per me è una delle città più belle del mondo. E poi, per Rosanna era una città nuova, mai vista prima. Credo che sia la città più romantica al mondo, dopo Venezia, naturalmente. Sì, hai capito bene. Siamo stati proprio ....

5 **Nella posta di zia Franca c'è un virus!** *Le frasi dei messaggi di risposta sono tutte confuse. Ricostruisci i testi accanto a ogni messaggio.*

Oggetto: R: È nata Giulia!

Mi fa piacere che tu abbia finalmente l'agognata laurea!
Mi aspetto che mi invitiate al matrimonio.
È necessario che io non mi muova da casa e quindi mi aspetto che tu passi da me prestissimo, così ti farò di persona le congratulazioni.

....
....
....
....
....

Oggetto: R: Il 20 settembre Laura e Emilio si sposano

Che bella notizia! Sarà una bambina bellissima. Spero che la mamma stia bene.
Temo che voi abbiate già tutto per la nuova casa. Ma fatemi sapere cosa vi serve.
Bisogna che io abbia una foto della piccola quanto prima!

....
....
....
....
....

Oggetto: R: Finalmente mi laureo!

Sono felice che siate presto marito e moglie. Era ora!
Mi dispiace di non poter essere con i neogenitori: mando a tutti un forte abbraccio.
È importante, capito? Pretendo che voi mi diciate di cosa avete bisogno.

....
....
....
....
....

6 **Tempo di vacanze.** *Completa con il congiuntivo.*

1. Bisogna che gli italiani (spendere) .... meno per le vacanze.

2. Temo che gli alberghi (registrano) .... una diminuzione di clienti.

3. È necessario che le vacanze (finire) .... prima del solito.

4. Mi aspetto che tutti (partire) .... per le vacanze venerdì sera.

5. Occorre che (noi cercare) .... un appartamento per una settimana.

6. Vi spaventa che i prezzi (potere) .... aumentare ancora?

7 *Nella casa dove vive zia Franca ci sono molte situazioni diverse. Lei ne parla con un vicino. Completa le sue idee e opinioni su queste situazioni, usando il congiuntivo.*

1. Sabrina e Roberto sono una coppia di fatto da 7 anni.

È necessario che ....

Ho paura che ....

Mi aspetto che ....

2. Marta vive in un appartamento con due amici e una ragazza che non conosce.

Mi auguro che ....

Sono felice che ....

Non voglio che ....

3. Francesca ha deciso di vivere da sola.

Occorre che ....

Voglio che ....

Non vedo l'ora che ....

4. Mia sorella è sposata da 10 anni con un avvocato, ma non hanno figli.

Ho paura che ....

Bisogna che ....

Mi auguro che ....

U9, C:

8 *Sostituisci ogni espressione sottolineata con quella che ha lo stesso significato.*

Non riesci   Facciamo tutto il possibile   riescono abbastanza bene

1. Non ti preoccupare per la partita. <u>Ce la mettiamo tutta</u> e vinceremo. ....

2. <u>Non ce la fai</u> a preparare la cena da sola? ....

3. Non parlano ancora bene in francese, ma <u>se la cavano</u>. ....

9 *Completa le frasi con le forme corrette dei verbi* **mettercela**, **farcela** *e* **cavarsela**.

1. Io non .... a dare a Cristina questa brutta notizia, so che la farà soffrire.

2. Se vuoi superare questo esame devi .... tutta.

3. ● Come .... a giocare a carte? ● Sono abbastanza bravo.

4. ● .... a venire tra mezz'ora? ● No, c'è troppo traffico. Sono da te tra un'ora.

5. Io non .... a sopportare tutto questo stress!

6. Non è un grande musicista, ma .... a suonare il piano.

7. .... tutta ma non capisco niente di matematica!

8. Lisa .... più a sopportare suo marito: è così disordinato!

10 **Grammatica attiva.** *Hai notato che nel testo sulle vacanze degli italiani si dice "una quindicina" per dire "circa quindici"? Completa la tabella che illustra questa struttura un po' speciale. Poi completa le frasi con l'alternativa adatta.*

1. ● Quanti anni avrà Michele? Una cinquantina?
   ● Sì, penso proprio che ne abbia circa 50.

2. ● Gli italiani risparmiano riducendo il periodo di vacanze. Un tempo facevano tre settimane, ora fanno circa quindici giorni.
   ● È vero! Anche noi quest'anno ci accontentiamo di
     .... di giorni al mare.

3. ● La mostra era interessantissima ma c'era una fila enorme all'entrata! C'erano almeno un centinaio di persone.
   ● È vero! Anche quando ci siamo stati noi la fila era di
     .... persone.

4. ● La nuova insegnante sembra molto giovane. Avrà vent'anni!
   ● Non credo sia possibile. Secondo me ne ha almeno 10 di più, insomma
     ne avrà ....

Numeri non troppo precisi:	
circa 10	→ una decina
....	→ una quindicina
circa 20	→ ....
circa 30	→ ....
....	→ una quarantina
....	→ ....
....	→ ....
....	→ ....
....	→ ....
circa 100	→ un centinaio
circa mille	→ un migliaio

11 **Grammatica attiva.** *Osserva gli esempi che illustrano la differenza di significato fra questi due verbi. Poi completa le frasi con il verbo più adatto alla situazione.*

Sapere: Mio figlio ha studiato al conservatorio. Sa suonare il piano e il violino e sa anche cantare molto bene.
Sapere + *infinito significa* "avere le conoscenze e la capacità di fare qualcosa".
Potere: Oggi mi sento molto male, ho anche la febbre. Perciò non posso giocare a calcio con voi stasera.
Potere + *infinito significa* "avere la possibilità di fare qualcosa".

1. Purtroppo mia moglie ed io quest'anno non andiamo in vacanza perché non
   .... spendere nemmeno un euro in più del necessario. Abbiamo speso
   tutti i nostri risparmi per comprare casa.

2. Guarda qua: l'assicurazione tedesca mi ha mandato questi documenti. Ma è tutto scritto in
   tedesco! Tu .... dirmi che cosa vogliono?

3. Pronto, Claudia? Ti disturbo? .... parlare con me ora?

4. ● Hai sentito che il figlio di Gianni si è fatto male? Ha fatto una bruttissima caduta durante
     una gara di sci. Credo che non .... più sciare per tutta la stagione!
   ● Peccato! Stava andando bene! Comunque quel ragazzo riesce bene in tutti gli sport:
     .... anche nuotare come un campione.

Sapere o potere?

U9, D:

12 **Imperativo: formale o informale?** *Scegli l'alternativa corretta per completare le frasi.*

1. ● Papà, stasera prendo la tua macchina, OK?
   ● Ti ho già detto di no. Dai, non .... arrabbiare.

2. ● Direttore, devo andare alla posta questa mattina?
   ● Sì, ... subito per favore. È urgente.

3. ● Ma dove sta andando, signor Rossi?
   ● Signora per favore, ... qui. Torno subito.

4. ● Avvocato, ... quando la posso chiamare?
   ● .... giovedì mattina, verso le 11.

mi faccia	/	farmi
vadaci	/	ci vada
aspettami	/	mi aspetti
dicami	/	mi dica
Mi chiami	/	Chiamami

13 **In cosa posso esserLe utile?** *Il Signor Militello telefona all'albergo dove sono alloggiati alcuni suoi amici.* *Completa il dialogo con i verbi dati.*

| Attenda | gli dica | sia gentile, si scriva | gli dica | vorrei | Non si preoccupi! |

- Albergo Stella Marina. Buongiorno. In cosa posso esserLe utile?
- Buongiorno, ... parlare con i signori Scalera, per favore, camera 18. Sono Gianni Militello.
- Sì, subito. .... in linea prego. Mi dispiace: i signori non sono in camera. Vuole lasciare un messaggio?
- Sì, guardi, ... il mio numero di telefono: 3392856457. E quando tornano .... di telefonarmi.
- Nient'altro?
- Sì, ... anche che ho provato a chiamarli sul cellulare ma senza risultato.
- Lo farò senz'altro. ....
- Grazie, molto gentile. Arrivederci.

14 *Completa con la forma corretta del verbo all'imperativo.*

1. Maria, (prestarmi) .... il tuo motorino per favore. Ho un appuntamento in centro fra un quarto d'ora e con l'auto non ce la faccio ad arrivarci.
2. (al telefono) No signora, mia madre non c'è. (chiamarla) .... questa sera all'ora di cena. Sono certa che per quell'ora sarà rientrata.
3. Giulia quando esci, (comprarmi) .... due biglietti dell'autobus per favore.
4. Ragazzi, (non/stare) .... a perder tempo, (aiutarci) .... a fare la valigia! Siamo in ritardo.
5. Signorina le piace la mia torta? (prenderne) .... pure un'altra fetta.
6. Oggi è il compleanno di Paolo. (noi/mandargli) .... un sms di auguri.
7. Signor Galli, (spiegarmi) .... che cosa è successo. Sono certo che riusciremo a trovare una soluzione.
8. Giulio, Marina! Ho saputo la bella notizia! (voi/farmi) .... vedere una foto della vostra bambina. Sarà bellissima, immagino.

15 **Preposizioni.** *Completa con le preposizioni e l'articolo quando è necessario. Attenzione in alcuni casi non ci vuole nessuna preposizione!*

1. ● Allora, hai deciso se farai le ferie .... lo scambio casa?
   ● Non ancora, devo parlare .... progetto .... mia moglie. E poi vorrei saperne .... più.
2. Non vogliamo spendere molto .... le vacanze. Stiamo cercando .... un agriturismo .... Marche. È una regione molto bella e varia.
3. ● Dove andate .... vacanza tu e Sandra?
   ● Quest'anno facciamo vacanze separate. Lei ha voglia .... andare .... mare, mentre io preferisco .... restare .... casa: ho bisogno .... riposo assoluto e voglio anche mettere .... ordine un po' i miei libri.
4. ● Ragazzi, fate .... fretta, dobbiamo salire .... treno che parte .... 1 minuto!
   ● Mamma aiuto! Hai visto la mia valigia? Non riesco .... trovarla.
   ● Ma come è possibile? Torna subito .... sala d'attesa. Sicuramente l'avrai lasciata lì.
5. Mio figlio ha vinto una vacanza studio .... Stati Uniti. Sai, se la cava molto bene .... matematica e fisica.
6. Ho preso la multa perché ho lasciato la macchina .... divieto .... sosta.

U9, autovalutazione:

16 **Matrimonio, altre forme di convivenza, vari stili di vita.** *Raccogli qui le espressioni e le parole che riguardano questo argomento.*

....

....

....

....

17 **Sai parlare di come sta cambiando la famiglia italiana?**   ☐ Bene   ☐ Abbastanza bene   ☐ Male

Se puoi, fai una piccola ricerca su Internet su questo argomento. Altrimenti rivedi quello che hai letto nell'Unità 9 e scrivi su un foglio un articolo di un centinaio di parole. Poi scegli la tua valutazione.

18 **Sai parlare delle tue abilità?**   ☐ Bene   ☐ Abbastanza bene   ☐ Male

Scrivi qui che cosa sai fare bene e che cosa sai fare solo un po'. Racconta anche che cosa vorresti imparare a fare e che cosa sai già fare, ma non puoi fare in questo momento. Poi scegli la tua valutazione.

....

....

....

....

....

19 **Sai dire come deve essere un luogo ideale?**   ☐ Bene   ☐ Abbastanza bene   ☐ Male

Scegli uno di questi 4 obiettivi e definisci le condizioni che deve avere un luogo per essere ideale per l'obiettivo scelto. Poi scegli la tua valutazione.

Per fare una dichiarazione d'amore. • Per imparare a ballare. • Per studiare. • Per lavorare.

....

....

....

20 **Espressioni idiomatiche.** *Ricordi le espressioni idiomatiche che hai trovato nelle prime 5 unità di questo corso? Scrivine una per ognuna di queste intenzioni comunicative.*

Esprimere un senso di noia per le cose che si ripetono: ....

Incoraggiare qualcuno che non ha ancora trovato quello che cerca: ....

Chiedere di spiegare meglio qualcosa con una sola parola: ....

Augurare buona fortuna per un esame: ....

Esprimere sorpresa e disaccordo su qualche cosa: ....

Parlare di una persona che frequentavi nel passato e ora non vedi più: ....

Dire che non vuoi assolutamente fare una cosa: ....

21 **È il momento del bilancio:** *rivedi tutta l'Unità 9 e annota ciò che hai imparato e ciò che ancora ti sembra un po' difficile.*

È chiaro. Capisco! ....

Non è chiaro. Non capisco! ....

U10, A e B:

1 **Descrivere ambienti naturali.** *Classifica le espressioni date rispetto all'ambiente di riferimento.*

atolli meravigliosi	spazi aperti	alberi altissimi	rischio di disboscamento
rischio di disgelo	territorio di caccia	rischio di estinzione	barriere coralline
rocce scure	polmone del pianeta	fauna acquatica a rischio	montagne bianche

Savana	Ghiacciai	Foresta amazzonica	Isole tropicali
....	....	....	....
....	....	....	....
....	....	....	....
....	....	....	....

2 *Collega gli opposti.*

1. vasto   2. rischioso   3. protetto   4. straordinario   5. conservato   6. unico

a. ⬭ normale   b. ⬭ comune   c. ⬭ sicuro   d. ⬭ limitato   e. ⬭ buttato via   f. ⬭ minacciato

3 *Completa con le parole date.*

| l'acqua | tutela | disboscamento | vasta | amazzonica | protetta |

La foresta .... è di importanza vitale per le piogge di tutta la regione, in quanto ....
diventa pioggia in un ciclo continuo. Il .... ha già causato cambiamenti nel microclima con
temperature più calde. La foresta amazzonica è un tutt'uno con i popoli che la abitano. È .... e
ospitale e, se è .... permette una vita normale a tutti i suoi abitanti. Per questo la ....
dell'Amazzonia è di fondamentale importanza.

U10, C:

4 **Presente o passato?** *Completa i mini dialoghi scegliendo il tempo giusto del congiuntivo.*

1. ● Pensi che Giulio (comportarsi) .... bene ieri sera?
   ● Guarda. Io stimo molto Giulio e credo che (comportarsi) .... sempre bene.
2. ● Dove pensi che (andare) .... Maria sabato scorso?
   ● Penso che (tornare) .... a Parma dai genitori.
3. ● Hai visto quanta gente? Penso che (succedere) .... un incidente.
   ● Non è successo niente. Credo che da oggi (esserci) .... i saldi in quel negozio.
4. ● Allora quando si mangia?
   ● Non so. Credo che la mamma (preparare) .... la pizza. Vediamo se è pronta?
5. ● Sai dove sono andati in viaggio di nozze Mariangela e Giuseppe?
   ● Mi pare che (andare) .... in Mongolia. Sai, volevano qualcosa di diverso dalle solite
     mete turistiche.
   ● Non c'è che dire!
6. ● Ciao Marina! Grazie ancora per l'invito alla tua festa. È stata bellissima!
   ● Ciao Sandra. Non c'è di che. Mi fa piacere che (tu/divertirsi) ....

5 Che cosa è successo? *Guarda le immagini e scrivi le tue ipotesi.*

1. Penso che ....

....

....

2. Credo che ....

....

....

3. Suppongo che ....

....

....

4. È possibile che ....

....

....

6 Una protesta al ristorante. *Completa il dialogo con le espressioni date. Poi rispondi alle domande.*

● Cameriere! Guardi qui! Ma come .... a servire una simile insalata?
Non vede che la verdura è vecchia?

● Già. Non è molto fresca: non ha .... Però non si arrabbi tanto!
Non crede di esagerare un po'?

● .... Se pago pretendo il meglio. Mi sembra normale.

● Senta, facciamo così: Le vengo .... e Le porto delle fantastiche
verdure alla griglia e non ci ....

● Sì, ma solo se non me le fa pagare!

incontro

Sta scherzando?

si fa

pensiamo più

tutti i torti

Domande:

1. Con chi ce l'ha il cliente? ....

2. Perché se l'è presa? ....

7 *Sostituisci le parti sottolineate con le forme coniugate di* **prendersela** *o* **avercela**.

1. Mario è permaloso: ogni volta che gli dico qualcosa <u>si offende</u>.　　　　se la prende

2. <u>È arrabbiato</u> con Marina per come lo tratta.

3. Io non <u>mi offendo</u> se mi dici la verità.

4. La tua critica è più che giusta. Loro <u>si offendono</u> per troppo poco.

5. Era solo uno scherzo! Non c'è bisogno <u>di offendersi</u>!

6. Hai visto che la mamma non <u>si offende</u>?

7. Perché <u>sei così antipatico</u> con me? Cosa ti ho fatto?

8. Dimmi la verità! <u>Ti sei offeso</u> con me per quello che ho detto?

9. Proprio non so perché Lei <u>è così antipatico</u> con me!

10. Se <u>sei</u> così <u>arrabbiato</u> con Rita, faresti bene a parlarle.

8 **Dal tu al Lei.** *Adatta il dialogo alla forma di cortesia.*

Tra amici:

● Scusa, cosa stai facendo?

● Sto parlando al telefono, non vedi?

● Sì, ma non lo sai che è proibito usare il telefonino in ospedale?

● Senti, ce l'hai con me? Ma perché non pensi ai fatti tuoi?

● Calmo! Perché te la prendi per così poco?

● Perché stavo facendo una telefonata urgente e tu mi hai disturbato. Comunque ho già finito. Ciao!

Tra sconosciuti:

● .... , cosa .... facendo?

● Sto parlando al telefono, non ....?

● Sì, ma non lo .... che è proibito usare il telefonino in ospedale?

● ...., ... con me? Ma perché non .... ai fatti ....?

● Calmo! Perché .... per così poco?

● Perché stavo facendo una telefonata urgente e .... disturbato. Comunque ho già finito. ....

9 **Che cosa si dicono?** *Scrivi un mini dialogo per ognuna di queste tre situazioni.*

a) ....
....
....
....
....

b) ....
....
....
....
....

c) ....
....
....
....
....

U10, D:

10 *Completa i due dialoghi con le parole date. Poi scrivi dove sono le persone secondo te.*

1. **Dove sono?** ....

● Buongiorno. Scusi, penso ci sia un piccolo ....
con il mio bagaglio.

● Il suo nome, prego?

● Rossi, Mario Rossi, ho preso il volo AT44321 e al ritiro bagagli non
c'erano le mie valigie.

● Un attimo che controllo. Vediamo di .... il problema al
più presto.

> avvenuta
>
> mi risulta
>
> risolvere
>
> inconveniente

2. **Dove sono?** ....

● Buon giorno, senta, io sto aspettando un pacco dagli Stati Uniti, e so
che me lo hanno spedito 20 giorni fa via aerea.

● Un momento, per favore. Controllo. No, mi dispiace, non
.... che sia ancora arrivato, comunque le faremo sapere
dell'................................. consegna.

11 *Scegli una delle due situazioni dell'esercizio 10 e immagina che il problema non sia stato ancora risolto dalla società che offre il servizio. Scrivi una lettera di reclamo al direttore di questa società.*

Spett.le
....

....

....
....
....
....
....
....
....
....

....

12 *Completa i gruppi di parole di significato uguale con le espressioni date. Poi correggi le frasi in cui le stesse espressioni sono utilizzate in modo scorretto.*

a. Veramente, davvero, ...

b. Ma, anche se, ...

c. Non, ...

> eppure   proprio   mica

1.

● Mi sembra eppure strano che Paolo oggi non venga al cinema.

● È strano, sì. Proprio mi sembrava sicuro di voler vedere questo film.

2.

● Sai che ieri sono stato al ristorante con Claudia?

● Ma dai? Eppure dirai sul serio?

● Sì, sì. Alla fine siamo usciti insieme. Tu mica ci credevi, eh?

3.

● Cosa c'è Paolo?

● Non c'è più il mio cellulare, mica lo avevo messo proprio qui! Ne sono certo.

proprio
.:..

U10, E:

13 *Completa le frasi con la tua ipotesi o opinione. Poi associa ogni disegno alla frase corrispondente.*

1. ◯ Susanna e Carlotta hanno lo stesso vestito. È meglio che ....

2. ◯ Da tre giorni provo a telefonare a Nicolò e Anna ma non mi rispondono. È probabile che ....

3. ◯ Mio figlio non è ancora tornato a casa. Ho urgente bisogno di lui. È necessario che ....

4. ◯ Mamma mia! La bolletta del telefono è altissima! È importante che ....

Domanda:

- A quale frase non corrisponde nessun disegno? ....

a

b

c

14 *Completa con la congiunzione corretta.*

1. Vado al supermercato .... tornare a casa.

2. Carlo deve finire i compiti .... torni sua madre.

3. Devo comprare i biglietti del concerto di Fresu .... finiscano.

4. .... lasciare il campeggio raccogliete la carta.

5. .... andare al ristorante è meglio prenotare.

6. Senta, quello è il mio posto, si alzi .... io mi arrabbi sul serio!

7. È meglio stappare il vino un'ora .... portarlo in tavola.

8. .... tu te ne vada voglio ancora dirti una cosa importante.

Prima che
o
prima di?

15 **Preposizioni.** *Completa con le preposizioni e l'articolo quando è necessario. Attenzione in alcuni casi non ci vuole nessuna preposizione!*

1. L'ufficio che cerca è .... quarto piano. Bisogna .... prendere l'ascensore qui.

2. Si raccomanda .... turisti .... non buttare rifiuti .... spiagge.

3. Sei un grande egoista! Non pensi mai .... altri.

4. Come pensi .... risolvere il tuo problema? Perché non chiedi .... Dottor Rossi .... aiutarti?

5. Non ti arrabbiare .... Nicola. Non diceva .... serio. È solo un po' stressato .... questi giorni.

6. Devo mangiare qualcosa. Sono .... stomaco vuoto da ieri sera. Ti piacerebbe .... venire a cena fuori con me?

7. Marina è sempre stanca e tutti i giorni ha mal .... testa. Andiamo .... trovarla: le farà bene distrarsi un po'.

U10, autovalutazione:

16 **Sai descrivere la natura?**   ☐ Bene   ☐ Abbastanza bene   ☐ Male

Scrivi qui gli ambienti naturali di cui si è parlato nell'Unità 10 e descrivili. Poi scegli la tua valutazione.

1. ....

....

2. ....

....

3. ....

....

4. ....

....

17 **Vocabolario.** *Per la tutela dell'ambiente in cui viviamo ci sono alcune norme di comportamento da rispettare. Quali sono le più importanti? Scrivile su un foglio del tuo quaderno.*

18 **Sai scrivere una lettera di reclamo?**   ☐ Bene   ☐ Abbastanza bene   ☐ Male

Cerca di ricordare un problema con una società o un'istituzione che fornisce servizi come un'agenzia viaggi, un hotel, l'ospedale, le ferrovie dello Stato, la posta, ecc. Immagina che questo problema sia successo in Italia e scrivi su un foglio la lettera di reclamo. Poi scegli la tua valutazione.

19 **Sai parlare di un personaggio famoso?**   ☐ Bene   ☐ Abbastanza bene   ☐ Male

Nella rubrica "Sono famosi" di ogni unità hai avuto modo di conoscere diversi personaggi che sono famosi in Italia. Ora sapresti scrivere un testo di circa 100 parole per presentare qualcuno che è famoso nel tuo paese? Provaci e poi scegli la tua valutazione.

20 **Espressioni idiomatiche.** *Ricordi le espressioni idiomatiche che hai trovato nelle ultime 5 unità di questo corso? Scrivine una per ognuna di queste intenzioni comunicative.*

Far capire a qualcuno che non crediamo a quello che dice: ....

Cercare di calmare chi è arrabbiato: ....

Commentare qualcosa che succede in ritardo: ....

Reagire con una conferma a una affermazione: ....

Reagire con sorpresa a una notizia: ....

Dire a qualcuno che può fare o dire una cosa: ....

21 **Usare il dizionario monolingue.** *Che cosa bisogna sapere? Scrivi in un foglio le cose importanti.*

22 **Congratulazioni! Hai completato anche il tuo secondo corso di italiano! Sei soddisfatto?** *Rivedi tutta l'Unità 10 e annota ciò che hai imparato e ciò che ancora ti sembra un po' difficile. Poi passa alla revisione di tutte le unità. Quando ti senti pronto puoi provare il test finale a pagina 196.*

È chiaro. Capisco! ....

Non è chiaro. Non capisco! ....

Unità 1

U1, A e B:

1 porto, marinaio, nave, faro, pescatore, barca

2 A. 1. faro, 2. pescare, 3. automobile, 4. neve, 5. marinaio;

(soluzione possibile) 1. Hanno costruito il nuovo faro accanto al vecchio. 2. Marco è andato a pescare con suo padre. 3. La mia nuova automobile è rossa. 4. A Natale quest'anno non c'era la neve. 5. Mio nonno era un marinaio.

B. squalo-feroce; nave-affollata; pinguino-elegante; delfino-simpatico; scoperta-nuova; albero-verde.

3 Positivi: silenzioso, romantico, tranquillo, salubre, rilassante. Negativi: pericoloso, affollato, rumoroso, inquinato, stressante

U1, D:

4 Quando *avevo* 15 anni, *ero* molto diversa sia nell'aspetto che nel carattere. *Portavo* i capelli lunghi, *mi vestivo* senza interesse per la moda: *mi piaceva* stare comoda. *Facevo* molto sport, soprattutto *giocavo* spesso a tennis. Naturalmente *abitavo* con i miei. Mia sorella e io *dormivamo* nella stanza. In fondo *andavamo* d'accordo, ma in camera *litigavamo* spesso: mentre lei *studiava* io *ascoltavo* la radio, o viceversa: le solite cose. A vent'anni ho deciso di andare a vivere da sola, perché *volevo* una camera tutta per me.

5 1. *Ha vissuto* per molti anni a Berlino. 2. Giacomo, *hai visto* i miei occhiali? 3. Il pubblico *si è accorto* che quella cantante *ha* molto talento. 4. Signora, *ha* già *conosciuto* il fidanzato di sua figlia? 5. Voi *siete* mai *stati* a un concerto dal vivo di De André? Una volta a Genova. *È stata* un'esperienza bellissima. 6. Quando è *morto* De André?

6 *Ha iniziato* a lavorare come attore nel cabaret. Poi è *diventato* famoso in TV, dove all'inizio *faceva* il presentatore. Quando *aveva* 31 anni *ha girato* il suo primo film per il cinema. Ma l'idea geniale è *arrivata* con il ragionier Ugo Fantozzi: un piccolo impiegato pieno di paure, soprattutto nel rapporto con il suo direttore che lo tratta sempre malissimo. Villaggio *ha creato* questo personaggio tragicomico, mentre lui stesso *ha lavorato* come impiegato in una ditta genovese. *Sono passati* ormai 30 anni da quando è *uscito* il primo film con Fantozzi ma le sue sfortunate avventure fanno ancora ridere e meditare gli italiani. Villaggio *ha interpretato* anche ruoli drammatici. Nel 1989 Fellini lo *ha scelto* per un ruolo in La Voce della Luna e nel 1996 *ha recitato* il ruolo di Arpagone, ne L'Avaro di Molière. Mentre *continuava* a raccogliere successi e onori come attore comico, Villaggio non ha mai smesso di lavorare anche come scrittore e *ha pubblicato* con regolarità libri di buon successo. Per lui la comicità è un modo come un altro per superare le paure e le difficoltà della vita.

7 2. Mentre Marcella *tornava* da scuola, *ha incontrato* un'amica e sono andate insieme al parco. Marcella *tornava* da scuola, quando *ha incontrato* un'amica. 3. Mentre Antonio *studiava,* c'è *stato* un black out. È rimasto al buio e si è addormentato. Antonio *studiava,* quando *c'è stato* un black out. 4. Mentre Gigliola *parlava* al telefono, il postino *ha suonato* alla porta ma lei non l'ha sentito. Quando il postino *ha suonato* alla porta, Gigliola *parlava* al telefono e non *l'ha sentito.*

8 Le domande del commissario: (soluzione possibile) Buonasera signora, dove si trovava due ore fa? E suo marito? Cosa ha sentito? Da dove veniva? Che cosa ha fatto? Anche lui ha sentito il rumore? Cosa avete fatto successivamente? Era in casa? E poi cosa avete deciso di fare? D'accordo. Grazie. Se ricorda qualcosa in più, può chiamarci.

U1, E:

9 Mamma: Ne ho messi due cucchiai, perché? Ne ho usato un po' per decorarla. **Valentina:** È buonissima ne ho presa già una fetta. Adesso però la metto in frigo perché, se ne mangio ancora un po', questa sera non entro nei jeans nuovi.

10 1. Ne ha usat*i* due spicchi. 2. Ne ho bevut*e* due. 3. Ne abbiamo *comprato* un chilo. 4. Sì, ne ho *mangiata* una ai funghi. 5. Ne ho *messo* uno, va bene? 6. No, grazie, ne ho già *mangiate* tre fette.

11 1. Ne ho bevuto solo uno. 2. Ne ho comprati molti. 3. Ne ho preparate troppe. 4. Ne ho spesi troppi. 5. Ne ho fatte molte. 6. Ne ho conosciute poche.

12 ne, L', l', li, Lo, Ne, l'

13 Quando, Siccome, Dopo, perché, Prima, perciò

14 1. c, 2. a, 3. b, 4. e, 5. d, 6. h, 7. f, 8. i, 9. j, 10. g

15 Forse mi sbaglio ma, Ti ricordi quando, Quando è stato che, Tu c'eri quando, Mi ricordo che, Allora

16 1. delle, al, in, dalla, 2. al, di, alla, di, di, 3. di, della, 4. Dal, in, 5. per, alla, di, d', d', 6. dai

U1, autovalutazione:

17 (soluzione possibile) ● Ti va di uscire insieme questa sera? Pensavo di andare al cinema. ● Mi dispiace ma stasera devo incontrarmi con Marta. Domani però sono libero. ● Domani c'è una festa nel nuovo locale in centro, possiamo andare lì. Ci vediamo alle 6? ● Buona idea! Ma possiamo vederci alle 7? Domani devo lavorare fino a tardi. ● Va bene, vengo a prenderti a casa tua, ciao! ● Ciao, a domani!

18 ● Le andrebbe di uscire insieme questa sera? Pensavo di andare al cinema. ● Mi dispiace, ma stasera devo incontrarmi con Marta. Domani però sono libero. ● Domani c'è una festa nel nuovo locale in centro, possiamo andare lì. Incontriamoci alle 18. ● Buona idea! Ma possiamo vederci alle 19? Domani dovrò lavorare fino a tardi. ● Va bene, vengo a prenderLa a casa sua, arrivederLa! ● ArrivederLa, a domani!

20 (soluzione possibile) Molto tempo fa, in un piccolo paese di pescatori, ho conosciuto un giovane ragazzo che si chiamava Nicola. Siccome la sua famiglia era molto povera, lui si svegliava ogni mattina alle 4 per andare a pescare e poi andava a scuola. Prima dei 18 anni Nicola era sempre felice, ma poi per lui qualcosa è cambiato. Questa vita a Nicola non piaceva. Desiderava lasciare il suo paese e andare per il mondo perché voleva fare nuove esperienze. Era un ragazzo molto simpatico, aperto e spiritoso perciò faceva amicizia facilmente. Un giorno è arrivata in paese una bella ragazza e quando Nicola l'ha vista si è subito innamorato. Dopo tre giorni hanno deciso di partire insieme. *Oppure*: Dopo tre giorni si sono fidanzati, la ragazza è restata e Nicola non ha più pensato a lasciare il paese.

Unità 2

U2, A e B:

1 1. matrimonio, 2. calciatore, 3. ballerina, 4. automobile, 5. laurea, 6. pilota;

L'augurio: *In bocca al lupo!*

2 sognare, volere, desiderare, cantare, laurearsi, sposarsi

3 1. Sogni d'oro, 2. In bocca al lupo, 3. un sogno nel cassetto, 4. chi cerca trova

4 demoralizzata, colloquio, curriculum, candidati, esperienza

5 avvocato, tassista, giardiniere, muratore

U2, C:

6 1. dormirei, preferirei, 2. Vorrebbe, vorreste, 3. accompagnerebbe, Andresti, sarebbe, 4. prenderei, avrebbe, preferirei, sarebbero

7 (soluzione possibile) 2. berrei un litro d'acqua, 3. andrei volentieri a dormire, 4. litigherei con tutti, 5. vorrei riposare un po', 6. starei tutto il giorno a casa da solo, 7. vorrei comunicare a tutti la bella notizia, 8. se non vi dispiace, vi aspetterei qui seduto

U2, D:

8 Nello schema: potrei, potrebbe; dovresti, dovremmo, dovrebbero

Dovere: 1. dovrebbe, 2. dovresti, 3. dovreste, 4. dovrebbero, 5. dovresti;

Potere: 1. Potresti, 2. potrei, 3. potremmo, 4. potrebbero

9 aiuteresti, desidererei, preferirei, desidererebbe, vorrei, piacerebbe, avremmo, vorrebbe, passerebbe, farebbe, chiederesti

10 *Cara* Roberta, non chiedere a Marco di restare a casa: *potrebbe* arrabbiarsi. Al tuo posto io *parlerei* con il tuo fidanzato e sarei sincera. Gli *direi* che ho già organizzato la vacanza con la mia migliore amica. Secondo me tu *dovresti* dirgli che *desidereresti* fare un po' di sport per la tua salute e dovresti chiedergli se vuole fare anche lui il corso di windsurf. Un *caro* saluto. Alessia

11 1. Al tuo posto *inizierei* a cercare lavoro. 2. *Dovresti* andare dal meccanico. 3. Al tuo posto *chiederei* più soldi. 4. *Dovrebbero* chiedere dei soldi in banca. 5. *Potresti* mandarlo in Inghilterra in vacanza. 6. *Potreste* studiare insieme.

1. f, 2. c, 3. b, 4. d, 5. a, 6. e

12 1. b, 2. c, 3. a, 4. c, 5. c, 6. b

U2, E e F:

13 bisogna, ci vogliono, bisogna, ci vuole, occorre, ci vogliono, ci vuole

14 ci vuole, Ci vogliono, ne, ci vogliono, ci vuole, ne, hai bisogno, Ci vuole

15 1. Dovreste, 2. potrei, 3. potrei, 4. Potresti, 5. dovrebbero, 6. Potresti, 7. Potrebbe, 8. Potresti

1. Al bar, 2. In treno, 3. Al telefono, 4. A tavola, 5. A teatro, 6. Al mare 7. In gelateria, 8. In libreria

16 1. Da, in, da, Da, in, 2. di, in, dalle, alle, 3. in, di, di, al, Per, 4. su, a, a, 5. in, a, 6. a, di, con, 7. a, a, 8. di, a, di

U2, autovalutazione:

17 (soluzione possibile) 1. Mi compreresti anche quegli stivali? Oh, caro li vorrei tanto! 2. Vorrei fare una bella passeggiata, ma con questo tempo è impossibile! 3. Desidererei tanto vederlo e vorrei sapere che cosa fa ora.

18 (soluzione possibile) ● Marco, ho saputo che hai cambiato lavoro. Ma cosa fai esattamente? ● Faccio il commesso in un negozio di abbigliamento sportivo. ● Che bello! E qual è il tuo orario di lavoro? ● Lavoro part-time solo di pomeriggio. ● Beh, mi sembra abbastanza comodo. Sei fortunato.● Tu hai trovato lavoro? ● No, io sto sempre cercando. Ho fatto mille colloqui ma non ho ancora trovato niente. ● Non ti preoccupare, chi cerca trova! ● Sì, lo so, infatti non mi demoralizzo. Anzi, ho un colloquio anche la settimana prossima. ● Per che cosa? ● Barista in un pub. Il Lime, lo conosci? ● Sì, vado spesso lì, è molto carino. ● Ok, adesso vado perché ho un appuntamento in Corso Buenos Aires e sono già in ritardo. ● D'accordo, a presto e in bocca al lupo! ● Crepi! Ciao.

Unità 3
U3, A e B:

1 1. c, 2. d, 3. b, 4. g, 5. a, 6. e, 7. f

2 orizzontali: affresco, esporre, mosaico, luminoso, restaurare, opera, guida, artista, quadro, scultura, antico, dipingere; **verticali:** statua, mostra
Filippo Brunelleschi

U3, C:

5 sarei uscito, avrei dovuto, avrebbe fatto, sarei stato, sarei andato, avremmo passato

6 (soluzione possibile) **1.** Carlo sarebbe partito ieri, ma sua madre si è ammalata e ha rimandato la partenza. **2.** Ti avrei aspettato, ma avevo un impegno. **3.** Avrei pagato volentieri io, ma avevo lasciato il portafoglio a casa. **4.** Saremmo andati al concerto di Marco, ma in quello stesso giorno avevamo un matrimonio. **5.** Avrei voluto studiare, ma sono venuti a trovarmi degli amici. **6.** Sarei voluta venire a cena anch'io, ma avevo troppo lavoro da fare. **7.** Avrebbe dovuto accompagnarmi, ma non aveva la macchina. **8.** Sarebbe restata volentieri a casa, ma mi doveva accompagnare dal dottore. **9.** Ti avrei chiamato, ma era troppo tardi. **10.** Saremmo voluti restare fino alla fine del concerto, ma faceva troppo freddo.

U3, D:

7 **1.** *Quel* ragazzo ha tredici anni. **2.** *Quelle* bambine sono le figlie di Luisa. **3.** *Quegli* studenti sono dell'Università di Pisa. **4.** *Quell'*insegnante è italiano? **5.** *Quei* bambini sono amici di mio figlio. **6.** *Quella* donna è la segretaria della scuola. **7.** *Quegli* ingegneri lavorano alla Ferrari. **8.** *Quell'*autobus va in centro? **9.** *Quell'*aranciata è buonissima. **10.** *Quello* stadio è molto grande. **11.** Conosci *quelle* persone? **12.** *Quel* libro non mi è piaciuto per niente. **13.** Ho incontrato *quello* scrittore a Londra. **14.** *Quella* scultura è famosa. Chi l'ha fatta?

8 **1.** Sono tuoi questi bambini? Che *bei* bambini che hai! **2.** Che *begli* orecchini! Dove li hai comprati? **3.** Hai le scarpe nuove? Ma che *belle* scarpe! E come ti stanno bene! **4.** Guarda come è bella oggi Laura. Che *bel* vestito che si è messa! **5.** In camera ho proprio bisogno di un *bell'*armadio.

6. Quello specchio è antico, ma soprattutto è un *bello* specchio. **7.** L'anno scorso in Sicilia ho passato proprio una *bell'*estate! **8.** Guarda che *belle* arance! Ne compro un chilo.

U3, E:

9 Aumentano i problemi, con il carovita, spende meno, gli acquisti, variazione di spesa, risparmiano di più

10 È probabile che la persona sia la casalinga, perché compra molte cose da mangiare, una macchinina giocattolo per un bambino e una rivista per il marito. Inoltre va dal parrucchiere.

U3, F:

11 **2.** Te lo mando oggi. **3.** Glieli porto domani. **4.** Ve le faremo vedere stasera a cena. **5.** Te la dico sempre. **6.** No, gliela mando da Venezia. **7.** Glielo comprerò la prossima settimana. **8.** Ve lo dirò io! **9.** Non posso dartelo perché ne ho bisogno io. **10.** Ve la mandiamo subito per e-mail, ok?

12 ● Buongiorno. Bella quella camicetta. Quanto viene? ● Buongiorno. 25 euro. ● Mi fa uno sconto? ● Non è possibile. È già scontata: ci sono i saldi, non ha letto il cartello in vetrina? ● Ah sì, l'ho letto. La camicetta è bella, ma non mi convince. Non l'avrebbe di un altro colore? ● Certo, dello stesso tipo c'è questa a fiori blu e questa a righe. ● Bene, se ne prendo due mi fa un buon prezzo? ● Solo per lei. Le faccio 45 euro. ● E se le prendo tutte e tre? ● Potrei farle al massimo 69 in tutto. ● Allora ne prendo solo due. Ecco 45 euro contanti. ● Grazie signora. Arrivederci. ● Grazie a lei. Arrivederci.

13 **2.** ve ne, **3.** gliene, **4.** Te ne, **5.** Me ne

14 **1.** me lo, **2.** gliene, **3.** te li, **4.** glieli, **5.** gliene, **6.** me la, **7.** te ne, **8.** me ne

16 serve, basta, servono, bastano

17 1. a, da, 2. con, di, della, 3. sul, in, sulle, d', 4. in, dall', alla, 5. per, al, nei, 6. di, a, 7. a, in, 8. da, al, al

U3, autovalutazione:

18 **Tipo**: opera di architettura, **autore**: Filippo Brunelleschi, **periodo**: Rinascimento, '500, **si trova** a Firenze, è la cupola del duomo; **tipo**: scultura, **autore**: Umberto Boccioni, **periodo**: Futurismo, inizio del XX sec., **si trova** a Milano, è una statua che rappresenta l'uomo in movimento nello spazio, **tipo**: disegno, **autore**: Leonardo da Vinci, **periodo**: Rinascimento, '400., **si trova** a Venezia, rappresenta l'uomo nelle sue proporzioni.

Unità 4
U4, A:

1 1. c, 2. d, 3. e, 4. a, 5. b

2 1. Ha cambiato i dollari. 2. Ha cambiato gli assegni. 3. Ha fatto un bonifico. 4. Ha depositato i soldi nel libretto. 5. Hanno chiesto un mutuo. 6. Ha aperto un conto corrente.

U4, B:

3 1. b, 2. c, 3. d, 4. a, 5. e, 6. f

4 Finalmente tra due mesi mi sposerò con Marco. Siamo finalmente riusciti a mettere da parte i soldi anche per fare il viaggio di nozze in Messico. Che bello! Prenderemo il sole tutto il giorno e alla sera tapas in ristoranti tipici e romantici e poi spero che quando ritorneremo mi prenderà in braccio per entrare in casa! Ah, non vedo l'ora!

5 farai, partirò, accompagnerà, chiederò, passerete, passeremo, andrò, incontrerò, festeggeremo, lavorerò, frequenterò, avrò, studierai, inizierò, sarà, farò, torneremo, avremo

6 1. *Faremo* noi il caffè. 2. Mi *darete* un libro. 3. *Verrò* stasera. 4. *Andranno* a casa. 5. Non *vorranno* niente. 6. Ci *andrai* domani. 7. *Daremo* l'esame a settembre. 8. *Farete* voi la spesa?

U4, C:

8 1. non mi interessa proprio, 2. Quasi quasi, 3. Cioè? 4. è un punto di vista interessante, 5. Insomma, 6. io sono un po' all'antica, 7. infatti, 8. non se ne parla neanche, 9. non mi fido di te, 10. magari

U4, D:

9 limitato, lamentano, contrari, favorevoli, al coperto, vigili urbani, Hinterland, danno fastidio

U4, E:

10 si prende, si fa, si gioca, si va, si ballano, si mangiano, si può, si vendono, si studia

11 (soluzione possibile) Cara Cinzia, Matteo non poteva darti un consiglio migliore: Bologna è davvero la città ideale per uno studente. Sarà interessante visitare le due Torri e le chiese antiche della città, mentre la sera ti divertirai a passeggiare con i tuoi amici sotto i caratteristici portici e ad andare nelle osterie tipiche dove si mangiano le famose tagliatelle al ragù.

12 1. A Bologna non si viaggia in metropolitana. 2. In banca si cambiano gli assegni. 3. Se si mette il vigile elettronico bisogna aumentare i parcheggi. 4. Si mangiano i tortellini in brodo o con la panna. 5. Si comprano libri anche su Internet. 6. Nelle osterie si beve un fantastico Lambrusco.

U4, F:

13 (soluzione possibile) 1. Volevo comprare una macchina nuova ma non ho trovato il modello che mi piace. 2. Non abbiamo potuto giocare a tennis perché il campo era occupato. **3.** Marco doveva studiare e infatti ha rinunciato alla cena con gli amici. **4.** Ho voluto parlare con te perché sei l'unica che può comprendermi. **5.** Volevamo andare in discoteca ma i nostri genitori non hanno potuto accompagnarci. **6.** Non ho potuto telefonargli perché la batteria del telefono era scarica.

14 sono venuto, ho potuto, hai potuto, hai voluto, volevo, sono dovuto, potevo, potevi, ha voluto

15 a, nel, su, per, di, nel, di, in, Nel

Unità 5

U5, A e B:

1 seduta dallo psicologo, colloquio di lavoro, esame universitario, provino cinematografico

3 a: spaventato, teso, agitato, nervoso; b: felice, emozionata; c: confuso, d: rilassato

4 selezione, CV, colloquio, esaminatore, candidato, azienda, formali, domande, domande, azienda, domande

U5, C:

5 1. Quando, 2. se, 3. quando, 4. Se, 5. se, 6. Se, 7. Quando, 8. se

6 1. Certo che posso, 2. sempre la solita storia, 3. non ti sopporto

7 a: Che paura! b: Che noia! c: Che bello!

U5, D:

8 1. Appena *sarai tornato* dal lavoro, *usciremo*. 2. Dopo che *avrà fatto* colazione, *si laverà*. 3. Quando *avrai finito* i compiti, *potrai* andare a giocare. 4. Ti *scriverò,* quando mi *avrai mandato* il tuo indirizzo. 5. *Farò* il colloquio, dopo che mi *avranno telefonato*. 6. Ragazzi, *potrete* mangiare, appena vi *sarete lavati* le mani.

9 2. *Se* non mangerai tutto, lo dirò a tuo padre!

3. Ti prometto che da domani *farò* i compiti tutti i giorni. **4.** *Che bello* vederti dopo tanto tempo! Sono proprio felice. **5.** Spedirò il mio CV, appena *l'avrò scritto*. **6.** *Quando* la notte mi addormento, mi dimentico sempre di spegnere la TV.

10 1. saranno, 2. verrà, 3. mangerò, 4. andrà, 5. spedirò

U5, E:

11 1. offre, 2. offre, 3. cerca, 4. cerca

U5, F:

13 gliel'ho spedito, gliele avevo date, glieli avevo scritti, te li ho messi

14 1. Te l'ha chiesto Sara. 2. Gliel'ho ordinata io. 3. Ve l'abbiamo spedita noi. 4. Te l'ho presentata io. 5. Ve li ho preparati io. 6. Ce le avete fatte voi. 7. Me li ha dati il direttore. 8. Ce l'ha affittata la signora Rosi. 9. Glieli ho prestati io. 10. Me l'ha consigliato tuo fratello.

15 1. Gliel', 2. Me l', 3. Ce l', 4. Ve l', 5. Te le, 6. Glieli, 7. Me le, 8. Ve li, 9. Ce le

16 1. Abbiamo ordinato il caffè freddo e *ce lo* hanno portato subito. 2. Fabio ha chiesto delle informazioni e il vigile *gliele* ha date. 3. Lei voleva la macchina fotografica e noi *gliel'*abbiamo prestata. 4. Marco ha scritto una lettera a Mirella e *gliel'*ha spedita ieri. 5. Paolo vuole sapere il numero di telefono e io *gliel'*ho detto. 6. Tua sorella ha ricevuto una lettera dalla sua amica e *me l'*ha mostrata. 7. Valeria ha comprato un bel regalo. Non *ve l'*ha dato ieri? 8. Appena abbiamo conosciuto quella ragazza *ve l'*abbiamo presentata. 9. Ho chiesto lo sconto a quel negoziante e *me lo* ha fatto. 10. Volevi sapere la strada per Rimini e *te l'*abbiamo spiegata.

17 vieni, vai, vado, viene, andiamo, andiamo, andate, verrò, venire, venite

18 soggetto, oggetto diretto, oggetto diretto, cui

19 1. che, 2. che, 3. in cui, 4. con cui, 5. a cui, 6. che, 7. di cui, a cui, 8. che

Unità 6

U6, A e B:

1 1. Il 15 ottobre, 2. Il 15 maggio, 3. 20 euro, 4. Alle ore 21.00, 5. Allo Stadio Olimpico di Roma, 6. Roma e Inter, 7. Laura Pausini, 8. A Roma Palalottomatica

2 **Calcio:** il derby, la squadra, l'allenatore, il goal; **Teatro:** la rappresentazione, la prima, lo spettatore, il commediografo, il monologo; **Cinema:** il trailer, il botteghino, l'attore, il primo tempo; **Musica:** il soprano, il direttore d'orchestra, il compositore

U6, C:

4 1. Marco è *più* simpatico *di* Luca. 2. Il mio cellulare è *più* vecchio *del* tuo. 3. Lo spettacolo è stato *più* noioso *che* appassionante. 4. La prima sarà *più* interessante *della* prova. 5. La voce del soprano mi piace *più di* quella del tenore.

Risposte: (soluzione possibile) 1. Marco è il mio migliore amico. 2. L'ho pagato 200 euro. 3. Romeo e Giulietta. 4.Venerdì prossimo. 5. Katia Ricciarelli.

5 1. L'America è *tanto* bella *quanto* l'Asia. 2. Lucia mangia *tanta* carne *quanto* pesce. 3. Nicola è simpatico *quanto* Paolo. 4. Giocare a tennis è divertente *come* giocare a basket.

6 1. Questo fiore è *meno* bello *che* profumato. 2. Il teatro è *meno* divertente *del* cinema. 3. Aldo è *meno* generoso *di* Maria. 4. Beatrice è *meno* bella *che* simpatica. 5. Ingrid è *meno* magra *di* Susan. 6. De Chirico è *meno* famoso *di* Giotto.

9 1. squisito/delizioso, 2. disgustosa/terribile, 3. meraviglioso/splendido, 4. orrendo/terribile

10 (soluzione possibile) L'elefante è più grande del topo, La giraffa è più alta del cane, Il caffè è più caldo del tè, Mi piace di più il tè del caffè, Il disco è più vecchio del CD.

U6, D:

11 2. la penna, 3. buono/a , 4. cucinare, 5. in sordina, 6. il vaso

14 fu – essere, diede – dare, disse – dire, seppe – sapere, ebbe – avere, scrisse – scrivere

1. fu, 2. scrisse, 3. diede, 4. disse, 5. fece, 6. ebbe, 7. seppe

15 1. Cristoforo Colombo, 2. Dante Alighieri, 3. Michelangelo, 4. Federico Fellini, 5. Leonardo da Vinci

U6, E:

16 2. La basilica di San Pietro – la chiesa – grande, 3. La Lazio e la Roma – le squadre – amate dagli italiani, 4. I gatti – gli animali – caratteristici, 5. Gabriella Ferri – una delle cantanti – importanti

(soluzione possibile) 2. La basilica di San Pietro è la chiesa più grande d'Italia. 3. La Lazio e la Roma sono le squadre più amate dagli italiani. 4. I gatti sono gli animali più caratteristici di Roma. 5. Gabriella Ferri è una delle cantanti più importanti del nostro Paese.

17 2. La Traviata di Verdi è un'opera *bellissima*. 3. Il Derby Roma-Lazio è una partita *importantissima*. 4. I biglietti dei musei sono *carissimi*. 5. Quel film ha una storia *interessantissima*. 6. Il concerto di Venditti è stato *lunghissimo*. 7. La zia di Alessandro è *ricchissima*. 8. Sabrina Ferilli è un'attrice *simpaticissima*. 9. Con il *"last minute"* il biglietto è *economicissimo*. 10. Ieri al cinema la gente era *pochissima*.

18 1. migliore, 2. minore, maggiore, 3. meglio, 4. pessimo, 5. ottimo, 6. peggiore

19 1. Ho bisogno di alcune informazioni. 2. Roma è la città più ricca di monumenti. 3. Carlo lavora a domicilio.

4. Mi sono laureata nel 1987. **5.** Mario è più simpatico di suo fratello. **6.** Mi piace giocare a calcio. **7.** Sono stato tutta la mattina alla Facoltà di Scienze. **8.** Abbiamo risparmiato tra il 10 e il 20%.

8. Non è consentito mangiare e bere. **9.** È vietato fumare. **10.** Non si deve parlare a voce alta. **11.** Non si possono portare animali. **12.** Non si possono toccare le opere d'arte.

Unità 7

U7, B:

3 a: autostrada, spartitraffico, corsia di destra, corsia di sorpasso; b: casello, svincolo, strada statale, c: rotonda

4 1. Scusa, 2. Di', 3. entra, 4. gira, 5. finisci, 6. prendi, 7. Di', 8. Scendi, 9. va'/vai, 10. Fa'/Fai

5 (soluzione possibile) 1. Prendi la medicina che ti ha dato il dottore. 2. Non scoraggiarti. 3. Smetti di fumare, è dannoso per la tua salute. 4. Esci con le ragazze della tua età. 5. Cerca di conoscerli meglio. 6. Trova un altro lavoro.

U7, C:

6 a: sbagliato, 6.; b: corretto, 3.; c: corretto, 1.; d: sbagliato, 2.; e: corretto, 4.; f: sbagliato, 5.

8 1. Prendi il biglietto! 2. Non guidare così veloce! 3. Ferma la macchina alla piazzola di emergenza! 4. Guarda, c'è un distributore di benzina fra 2 Km. 5. Mangiamo qualcosa al prossimo autogrill. 6. Svolta nella corsia d'uscita. 7. Non sorpassare nello svincolo!

9 2. Prendi i soldi per il pedaggio. 3. Non fumare in macchina. 4. Chiudi il finestrino. 5. Parlami perché mi sto addormentando. 6. Rispondi per me al mio cellulare. 7. Non mangiare pop corn in auto. 8. Pulisci il vetro del finestrino. 9. Alza il volume della radio.

10 1. È obbligatorio fare il biglietto. 2. È obbligatorio lasciare le borse al guardaroba. 3. Si può utilizzare il computer. 4. È permesso andare al bagno. 5. È permesso chiedere informazioni. 6. È consigliato leggere le didascalie. 7. Si deve restare a distanza dalle opere.

U7, D:

12 1. Camminiamo in fretta! È tardi! 2. Pulite la vostra stanza. 3. Spegnete la radio, ho mal di testa.

13 2. accendilo, 3. accendila, 4. Usala, 5. portarlo, 6. accompagnala, 7. tienila, 8. buttarla, 9. Fallo, 10. Vai, 11. Dimmi, 12. fammi, 13. Dagli, 14. Chiamami, 15. Digli, 16. Dille

14 1. Non ci credo! 2. Fa' attenzione! 3. Dammi retta! 4. Ma fammi il piacere! 5. Dimmi pure!

15 1. Per, di, 2. nell', del , dalla, 3. Dall', a, 4. in, 5. di, 6. Nel, all', 7. nel, del, 8. alla, a

16 di cui, che, con cui, di cui, che, che, che, dove/in cui, che

U7, autovalutazione:

18 "Il Sole 24 ore" è il più noto quotidiano economico italiano; Le aree tematiche sono il tempo libero, l'ordine pubblico, la popolazione, il tenore di vita, i servizi e l'ambiente, gli affari e il lavoro; La città in cui si viveva meglio nel 2004 era Bologna.

Unità 8

U8, A:

1 1. Negativo, 2. Positivo, 3. Positivo, 4. Negativo, 5. Negativo, 6. Negativo, 7. Positivo, 8. Positivo

2 2. È un'idea interetnica. 3. Vogliamo l'integrazione. 4. Sono contrario all'isolamento.

3 1. immigrazione, 2. integrazione, 3. convivenza, 4. discriminazione, 5. tutela; 1. d, 2. a, 3. e, 4. b, 5. c

4 multilingue, aiutare, garantire, finalità, sensibilizzare, l'opinione pubblica, opportunità

U8, B:

5 2. Vero, righe nr. 2-3, **3.** Vero, righe nr. 4-5, **4.** Falso, riga nr. 8, **5.** Vero, riga nr. 12

6 **I pensieri di Marco: 1.** Credo che lei sia bellissima.

2. Ritengo che lei sia una donna concreta e onesta.

3. Mi sembra che lei abbia degli occhi profondi.

4. Trovo che lei parli bene l'italiano;

I pensieri di Yokiko: 1. Penso che lui sia simpatico e interessante. **2.** Trovo che lui abbia una bella voce.

3. A me pare che lui abbia bisogno di attenzioni.

4. Non credo che lui capisca il giapponese.

8 **1.** Credo che Luigi *abbia* difficoltà con i colleghi stranieri. **2.** Mi pare che gli immigrati *cerchino* fortuna.

3. Ritengo che le persone non *capiscano.* **4.** Penso che *succedano* cose gravi. **5.** Ritengo che la gente *possa* convivere. **6.** Credo che *dobbiamo* aiutarci. **7.** Penso che la gente *abbia* paura. **8.** Mi sembra che il fenomeno *aumenti.* **9.** Trovo che alcuni *prendano* una brutta strada.

10. Credo che le persone non si *sentano* accettate.

11. Credo che si *possa* affrontare una vita diversa.

12. Mi sembra che si *debba* conoscere il problema.

9 **1.** sia, **2.** siano, **3.** abbiano, **4.** migliori, **5.** piova, **6.** legga, preferisca, **7.** capiscano, **8.** finisca, **9.** diminuisca, **10.** si interessi, **11.** risolva, **12.** possa, **13.** possiamo, **14.** debba, **15.** debba

U8, C:

10 **1.** Falso, riga nr. 3-4, **2.** Vero, righe nr. 1-2, **3.** Vero, riga nr. 7, **4.** Vero, riga nr. 15, **5.** Falso, riga nr. 16-17

11 non prendertela, Non ci posso credere, non ce l'ho con te, Non ne parliamo più, Non ne posso più, Questa è bella, Ma va' là

U8, D:

12 **1.** Penso che, **2.** Spero che, **3.** Secondo me, **4.** Spero che

13 **1.** apprezzino, si diverte, **2.** sia, è, **3.** vuole, voglia, **4.** abbia, ti fidi, **5.** parla, esageri

15 **1.** c, **2.** d, **3.** a, **4.** b, **5.** h, **6.** f, **7.** g, **8.** e

U8, autovalutazione:

19 (soluzione possibile) ● Scusi, c'ero prima io. ● Mi scusi tanto, ma ho fretta, il mio treno parte fra tre minuti. ● Guardi che devo prendere anch'io lo stesso treno. ● Mi dispiace, non sapevo. ● D'accordo, non importa, faccia questo biglietto e non ne parliamo più.

Unità 9

U9, A:

3 Numero delle coppie con figli: 72,4%, Numero delle coppie senza figli: 9,3%, Numero dei figli per donna (1999): 1,2%, Numero delle donne sposate nel Centro Italia: 86,3%, Numero delle coppie di fatto al Sud: 3%

U9, B:

4 **1.** non c'è che, ai Caraibi, **2.** luna di miele, con quel che, a Ischia, **3.** mete turistiche, a Parigi

5 **Oggetto: R: È nata Giulia!**

Che bella notizia! Sarà una bambina bellissima. Spero che la mamma stia bene. Bisogna che io abbia una foto della piccola quanto prima! Mi dispiace di non poter essere con i neogenitori: mando a tutti un forte abbraccio.

Oggetto: R: Il 20 settembre Laura e Emilio si sposano. Sono felice che siate presto marito e moglie. Era ora! Mi aspetto che mi invitiate al matrimonio. Temo che voi abbiate già tutto per la nuova casa. Ma fatemi sapere cosa vi serve. È importante, capito? Pretendo che voi mi diciate di cosa avete bisogno.

Oggetto: R: Finalmente mi laureo!

Mi fa piacere che tu abbia finalmente l'agognata laurea! È necessario che io non mi muova da casa e quindi mi aspetto che tu passi da me prestissimo, così ti farò di persona le congratulazioni.

6 1. spendano, 2. registrino, 3. finiscano, 4. partano, 5. cerchiamo, 6. possano

7 (soluzione possibile) 1. È necessario che si sposino presto. Ho paura che rinuncino a dei diritti fondamentali. Mi aspetto che facciano un figlio e cambino idea. 2. Mi auguro che la nuova ragazza sia simpatica come Marta. Sono felice che Marta abbia trovato una nuova amica. Non voglio che facciano troppo rumore. 3. Occorre che diventi più responsabile. Voglio che non si allontani troppo da casa. Non vedo l'ora che torni a trovarmi. 4. Ho paura che non possano averne. Bisogna che consultino più dottori. Mi auguro che possano realizzare presto il loro sogno.

U9, C:

8 1. Facciamo tutto il possibile, 2. Non riesci, 3. riescono abbastanza bene.

9 1. ce la faccio, 2. mettercela, 3. te la cavi, 4. Ce la fai, 5. ce la faccio, 6. se la cava, 7. Ce la metto, 8. non ce la fa

10 Numeri non troppo precisi: circa 15: una quindicina, circa 20: una ventina, circa 30: una trentina, circa 40: una quarantina, circa 50: una cinquantina, circa 60: una sessantina, circa 70: una settantina, circa 80: un'ottantina, circa 90: una novantina; 2. una quindicina, 3. circa 100, 4. una trentina

11 1. possiamo, 2. sai, 3. puoi, 4. possa, sa

U9, D:

12 1. farmi, 2. ci vada, 3. mi aspetti, 4. mi dica, Mi chiami

13 vorrei, Attenda, sia gentile, si scriva, gli dica, gli dica, Non si preoccupi!

14 1. prestami, 2. La chiami, 3. comprami, 4. non state, aiutateci, 5. Ne prenda, 6. mandiamogli, 7. mi spieghi, 8. Fatemi

15 1. con, del, con, di, 2. per, -, nelle, 3. in, di, al, -, a, di, in, 4. in, sul, fra, a, in, 5. negli, in, 6. in, di

Unità 10

U10, A e B:

1 **Savana:** spazi aperti, territorio di caccia; **Ghiacciai:** rischio di disgelo, fauna acquatica a rischio, rocce scure, montagne bianche; **Foresta amazzonica:** polmone del pianeta, alberi altissimi, rischio di estinzione, rischio di disboscamento; **Isole tropicali:** atolli meravigliosi, barriere coralline

2 a. 4, b. 6, c. 2, d. 1, e. 5, f. 3

3 amazzonica, l'acqua, disboscamento, vasta, protetta, tutela

U10, C:

4 1. si sia comportato, si comporti, 2. sia andata, sia tornata, 3. sia successo, ci siano, 4. abbia preparato, 5. siano andati, 6. ti sia divertita

5 (soluzione possibile) 1. Penso che abbia problemi di cuore, credo che abbia litigato con il fidanzato. 2. Credo che abbia ricevuto una bella notizia, penso che sia felice. 3. Suppongo che non abbiano il biglietto, credo che il controllore gli faccia la multa. 4. È possibile che ci sia un piccolo problema con la prenotazione, credo che il signore ce l'abbia con l'impiegato della reception.

6 si fa, tutti i torti, Sta scherzando?, incontro, pensiamo più;
Risposte: 1. Con il cameriere. 2. La verdura dell'insalata non è fresca.

7 2. *Ce l'ha* con Marina per come lo tratta. 3. Io non *me la prendo* se mi dici la verità. 4. Loro *se la prendono* per troppo poco. 5. Non c'è bisogno *che te la prendi*. 6. Hai visto che la mamma non *se la prende*? 7. Perché *ce l'hai* così con me? 8. *Te la sei presa* per quello che ho detto? **9.** Proprio non so perché Lei *ce l'ha* con me!

10. Se *ce l'hai* così con Rita, faresti bene a parlarle.

8 **Tra sconosciuti:** Scusi, sta, vede, sa, Senta, ce l'ha, pensa, suoi, se la prende, lei mi ha, Arrivederla!

9 (soluzione possibile) **a:** ● Sta scherzando? Chiuda subito, è freddissimo! ● Sì, sì. Va bene. Non se la prenda! **b:** ● Ehi! Stia attenta! Ma come si fa a non guardare! ● Mi scusi, signore. **c:** ● Ehi, ma cosa sta facendo! Non vede che c'è la fila? ● Ah, no. Scusi!
● Ma, sta scherzando? Lei è proprio un maleducato!
● Ma non le sembra di stare un po' esagerando? Le ho detto che non avevo visto. Ora faccio la coda e non ne parliamo più. D'accordo?

U10, D:

10 **1.** All'aeroporto: inconveniente, risolvere,
2. All'ufficio postale: mi risulta, avvenuta

12 **a.** proprio, **b.** eppure, **c.** mica

1. È strano, sì. *Eppure* mi sembrava sicuro di voler vedere questo film. **2.** Ma dai? *Mica* dirai sul serio? Sì, sì. Alla fine siamo usciti insieme. *Non* ci credevi, eh?
3. Non c'è più il mio cellulare, *eppure* lo avevo messo proprio qui! Ne sono certo.

U10, E:

13 (soluzione possibile) **1.** È meglio che una delle due vada a cambiarsi. **2.** È probabile che siano andati in vacanza. **3.** È necessario che lo chiami al più presto al cellulare. **4.** È importante che smettiate di fare lunghe conversazioni al telefono.
Risposta: Alla frase nr. 3.
1. c., **2.** a., **3.** b.

14 **1.** prima di, **2.** prima che, **3.** prima che, **4.** Prima di,
5. con, Prima di, **6.** prima che, **7.** prima di, **8.** Prima che

15 **1.** al, -, **2.** ai, di, sulle, **3.** agli, **4.** di, al, di, **5.** con, sul, in, **6.** a, -, **7.** di, a

1 Vocabolario, espressioni e strutture

Leggete gli appunti di viaggio di Alessia e scegliete la forma corretta per ogni alternativa.

Genova - Questa mattina ☐ **visitavo** ☐ **ho visitato** l'acquario di Genova.
☐ **È stato** ☐ **Era** davvero emozionante. Gli squali ☐ **erano** ☐ **sono stati** enormi
e ☐ **hanno avuto** ☐ **avevano** un aspetto ☐ **feroce** ☐ **simpatica**.
Un'altra esperienza meravigliosa: le trenette al pesto della signora Pina.
Ne ho ☐ **mangiata** ☐ **mangiati** ☐ **mangiate** due piatti.

Punti:

Milano - Oggi ho un po' di mal di testa e non ☐ **ho voluto** ☐ **vorrei** andare a lavorare
ma devo. Ho un ☐ **appuntamento** ☐ **colloquio** con la Signora Carulli per un'intervista.
E non trovo le aspirine! Quando ☐ **le** ☐ **ne** ho bisogno non ci sono mai.

Venezia - È sempre magica! ☐ **Vorrei** ☐ **Avrei voluto** visitare gli affreschi del Tiepolo
ma non ho avuto tempo. Ho comprato invece dei ☐ **bei** ☐ **belli** bicchieri colorati per mia
madre. Ogni volta che vengo a Venezia ☐ **me li** ☐ **glieli** compro perché non le
☐ **servono** ☐ **bastano** mai. ☐ **Ne** ☐ **Lo** rompe quasi uno al giorno.

Bologna - Oggi devo incontrare alcuni ragazzi del liceo che mi
☐ **racconteranno** ☐ **racconterebbero** cosa vogliono fare da grandi. Sono sicura che
☐ **sarebbe** ☐ **sarà** molto interessante. Qui sono tutti molto cordiali e poi
☐ **si mangia** ☐ **si mangiano** benissimo. Stasera, dopo il lavoro,
☐ **mi fermerò** ☐ **fermavo** in un ristorante tipico per mangiare le "tagliatelle più buone del
mondo".

Firenze - Eccomi a Firenze! ☐ **Se** ☐ **Quando** domani avrò un po' di tempo libero andrò
alla Galleria degli Uffizi e poi a fare un po' d'acquisti.
Mi ☐ **piacerebbe** ☐ **piacerà** andare al mercato di S. Lorenzo.
Dopo che ☐ **finirò** ☐ **avrò finito** cenerò con i miei ☐ **colleghi** ☐ **compagne**
in un'antica trattoria vicino a Ponte Vecchio.

Punteggio totale 22. Risultato personale: ___ / 22

2 🎧 1.36 Comprensione orale globale

Ascoltate il dialogo fra Paolo e Valentina e scegliete per ogni informazione: sì, no, non lo so.

Dialogo 1:

	sì	no	non lo so
1. Paolo invita Valentina al cinema.	☐	☐	☐
2. Paolo ha scelto un buon film.	☐	☐	☐
3. Valentina vive con i genitori.	☐	☐	☐
4. Paolo esce tutte le sere.	☐	☐	☐
5. Valentina suona la chitarra in un gruppo rock.	☐	☐	☐
6. Valentina ha un concerto in una discoteca fra due mesi.	☐	☐	☐

Punti:

Punteggio totale 6. Risultato personale: ___ / 6

3 🎧 1.37 **Comprensione orale dettagliata**

Ascoltate due volte il dialogo.   **Punti:**

Primo ascolto: *completate con l'informazione giusta.*

1. La prevendita dei biglietti per il "Barbiere di Siviglia" comincia ....

2. Il prezzo di un biglietto per il palco centrale è ....

3. C'è una riduzione per ....

   In questo caso il biglietto costa ....

4. La biglietteria è aperta .... dalle .... alle ....

5. I biglietti si possono acquistare anche tramite ....

6. Durante lo spettacolo è assolutamente vietato ....

Secondo ascolto: *rispondete alle domande.*

7. Perché la signora Manfredi vuole comprare i biglietti per "Il Barbiere di Siviglia"?

....

8. Quanti anni compie il marito?

....

9. La signora comprerà i biglietti in biglietteria o tramite Internet?

....

Punteggio totale 12. Risultato personale :   ____ / **12**

4 **Comprensione globale di testi scritti e conoscenza della realtà italiana**

Leggete i tre testi. Poi scrivete per ogni testo il titolo giusto.

Un calcio all'indifferenza   Una metropoli italiana   Un centro storico sul mare

1. ....

Un luogo dove il nostro passato si può leggere come in un libro e dove forse si può vedere anche un'immagine del nostro futuro, un futuro che assomiglia al destino del cuore antico della città della Lanterna.

2. ....

Sabato 17 settembre, dalle ore 15 e 30, allo stadio Valmarana di Mira (Ve), partita di beneficenza per la raccolta di fondi a favore dell'Anffas (associazione nazionale famiglie di fanciulli e adulti subnormali) tra gli amministratori del Comune di Mira e quelli del Comune di Venezia.

3. ....

Capitale economica e finanziaria, importante centro politico e culturale, è la seconda città più popolosa d'Italia dopo Roma, con 1 milione e 371 mila abitanti. Sede di molte industrie particolarmente attive in molti settori, è anche un centro di comunicazione di grande importanza: si trovano infatti linee ferroviarie e stradali nazionali e internazionali. E da lì si accede alla quasi totalità delle autostrade italiane (per Venezia, Bologna-Roma-Napoli, Genova e Torino).

Punteggio totale 3. Risultato personale: ____ / **3**

5 Comprensione dettagliata di un testo scritto

A. Leggete il testo e scegliete l'alternativa giusta fra quelle proposte sotto.

Alla manifestazione aperta a tutti, domenica 18 settembre, con partenza alle 9.30 da tre punti (dal Mercatino Cirenaica, via Bentivogli 38; dalla sede del Quartiere Navile, via Gorki 10, e dalla sede del Quartiere Borgo Panigale, via M. E. Lepido 25) partecipano anche il sindaco e la presidente della Provincia. La biciclettata è ormai al terzo anno e, con i suoi tre percorsi, interessa tutti i quartieri cittadini del capoluogo emiliano e promuove l'idea di una cultura della mobilità alternativa. L'arrivo è previsto alle 11 e 30 circa in Piazza Nettuno. Tutti possono partecipare. Per l'occasione sarà distribuita ai cittadini la pubblicazione *Bici BO2*, n.3.

Il testo parla di...   ☐ **a.** uno sciopero contro l'apertura al traffico da parte del sindaco nei quartieri del centro di Bologna.

☐ **b.** una competizione di biciclette in Emilia Romagna. Il vincitore riceverà il premio direttamente dal sindaco di Bologna.

☐ **c.** un'iniziativa per invitare i bolognesi ad usare più le biciclette e meno le macchine. Ci sarà anche il sindaco della città.

B. Leggete gli annunci e rispondete alle domande.

1. Ristorante assume personale veramente capace, in cucina e in sala, per apertura nuovo locale nel centro di Firenze. Si richiede max serietà - Se straniero, in regola con permesso di soggiorno. Ottimo stipendio tel/fax 055 3634224.

2. Agenzia ricerca 2 venditori/venditrici di spazi pubblicitari per Bologna e provincia; serietà, impegno, attitudine ai contatti personali. Corso di preparazione all'interno dell'agenzia con personale qualificato. Ottimi guadagni. Tel/ fax 051 6824583

3. Offresi impiegata commerciale ufficio acquisti, addetta alle vendite. Capacità relazionali e attitudine alla gestione dei rapporti con clienti. Decennale esperienza nel settore. Daniela, tel. 348 2716744; e-mail: dany70@libero.it

1. Quale fra i tre annunci appartiene a una categoria diversa dagli altri?

....

2. In quale degli annunci non è richiesta esperienza? Perchè?

....

3. Nel primo annuncio vengono offerti tipi di lavoro differenti: scrivetene almeno due.

....

4. Scegliete uno dei tre annunci e scrivete un fax o una e-mail in risposta (scrivere in un foglio a parte).

Punteggio totale di A e B: 10. Risultato personale: ____ **/ 10**

6 Comprensione di testi scritti e conoscenza della realtà italiana

Scegliete l'alternativa giusta.

A. Ha scoperto l'America e dà il suo nome a uno dei più importanti luoghi di Genova.

1. Chi è?

☐ **a.** Giuseppe Garibaldi

☐ **b.** Guglielmo Marconi

☐ **c.** Cristoforo Colombo

2. Qual è il luogo?

☐ **a.** l'acquario

☐ **b.** il porto

☐ **c.** l'aeroporto

B. È uno dei dolci più famosi d'Italia e si mangia durante una festa particolare. È nato a Milano.

1. Dolce:

☐ **a.** Colomba

☐ **b.** Torrone

☐ **c.** Panettone

2. Festa:

☐ **a.** Pasqua

☐ **b.** Natale

☐ **c.** Ferragosto

C. Si svolge a Venezia ogni due anni e organizza mostre d'arte, spettacoli di musica, cinema, teatro, danza.

☐ **a.** Il Carnevale

☐ **b.** La Biennale

☐ **c.** Il Palio

D. La città di Bologna è descritta con tre aggettivi che la definiscono: la…, perché ha l'università più antica d'Europa, la … per la sua famosa cucina, la… per il colore dei tetti e delle mura delle sue case.

☐ **a.** la dotta, la gastronomica, la rossa

☐ **b.** la dotta, la grassa, la rossa

☐ **c.** la dotta, la grassa, la rosa

E. Firenze è la sede dell'Accademia della lingua Italiana, che non poteva certo trovarsi in un altro luogo, visto che l'italiano è nato proprio a Firenze e in Toscana tra la fine del '200 e il '300 con le opere scritte da Dante Alighieri, Giovanni Boccaccio e Francesco Petrarca. Ma qual è il nome di questa Accademia?

☐ **a.** Accademia della Crusca

☐ **b.** Accademia del Grano

☐ **c.** Accademia della Farina

Punteggio totale 7. Risultato personale: _____ **/ 7**

1 Vocabolario espressioni e strutture

Leggete le e-mail di Alessia e scegliete le forme corrette.

Punti:

Ehi, Simone! Lo sai che questa sera vedrò la partita più attesa ☐ che ☐ di tutte:
☐ il derby ☐ la prima fra Milan e Inter! Il padrone dell'albergo mi ha detto che
☐ la prevendita ☐ il botteghino dei biglietti è in una tabaccheria.
Comprarli lì è più caro ☐ di ☐ che prenderli allo stadio, ma il rischio di rimanere fuori è
☐ minore ☐ massimo. Che serata ☐ disgustosa ☐ strepitosa mi aspetta!

Aiuto, Giulia! Guidare in questa città è un caos! ☐ Fammi ☐ Fatti un piacere:
☐ telefoni ☐ telefona al tuo amico qui a Napoli e ☐ dille ☐ digli che sono in
difficoltà e ☐ chiedimi ☐ chiedigli se può farmi da guida in questo traffico insostenibile.
☐ Pensa ☐ Pensi che ieri, per entrare ☐ dall'autostrada ☐ dalla corsia di sorpasso
in città, non riuscivo a immettermi ☐ nello svincolo ☐ nella stazione di servizio per
Napoli! Domani ho un appuntamento in centro: ☐ aiutalo ☐ aiutami a essere una
giornalista ☐ efficiente ☐ inefficiente! Baci, Alessia.

Ciao Pino, domani sono finalmente da te! ☐ Non vedo l'ora ☐ In bocca al lupo
che sia domani! Spero ☐ che arrivi ☐ di arrivare per le sette di sera e mi auguro che tu
non ☐ abbia ☐ avere impegni per la serata. Verso le dieci c'è un bellissimo concerto
☐ razziale ☐ interetnico in piazza San Nicola: musica afro e ritmi latini! Credo che tu
☐ possa ☐ possiate essere libero per quell'ora. Ma se non puoi,
☐ non ne posso più ☐ non prendertela! Ci vedremo nel fine settimana. Silvia mi ha detto
che mi farà una splendida ☐ accoglienza ☐ emarginazione con cena in terrazza.
A prestissimo, Alessia.

Gentile dott. Tricomi, mi rattrista che Lei non ☐ può ☐ possa aiutarmi
per ☐ la compravendita ☐ il matrimonio di quella villetta al mare.
Non ce la faccio a pagare la cifra che ☐ i clandestini ☐ i proprietari hanno fissato.
☐ Con quel che costa ☐ Non c'è che dire la vita!
☐ Diminuisci ☐ Diminuisca il prezzo del 20% o
☐ cercami ☐ mi cerchi un appartamento nella stessa zona.
Se pretendono che io ☐ pago ☐ paghi tutto subito, ☐ dica ☐ dice di sì:
in qualche modo ☐ ce la metto tutta ☐ me la cavo. Distinti saluti, A. Marchetti.

Simonetta cara, mi dispiace che tu non ☐ sia venuta ☐ sei venuta con me!
Prima ☐ che arrivavo ☐ di arrivare qui non immaginavo tanta bellezza.
Credo che ☐ sia ☐ è la mia vacanza più bella: parchi naturali, mare splendido, gente dura
ma simpatica, archeologia e cene indimenticabili. Ma ☐ ti vengo incontro ☐ come si fa a
preferire una festa di laurea a una settimana in Sardegna? È probabile che la tua presenza
☐ siamo stati ☐ sia stata indispensabile per rendere ☐ sconosciuta ☐ rara
la festa della tua più cara amica, ma ☐ ce la faccio ☐ ce l'ho un po' con te.
Va beh, ☐ stai scherzando ☐ non ci pensiamo più. Spero almeno che tu
☐ ti sia divertita. ☐ ti hai divertita. Ah! dimenticavo: prima che io ☐ torno ☐ torni
vai a pagare l'affitto. Ricordati! Alessia

Punteggio totale 41. Risultato personale : ___ / 41

2 🎧2.32 Comprensione orale globale

Ascoltate i due dialoghi e scegliete per ogni informazione: sì, no, non lo so.

	sì	no	non lo so	Punti:
1. Lucia e Roberto sono marito e moglie.	☐	☐	☐	
2. Lucia ha avuto una settimana difficile.	☐	☐	☐	
3. Roberto ha dimenticato l'agenda in ufficio.	☐	☐	☐	
4. Roberto domani non ha appuntamenti.	☐	☐	☐	
5. Lucia ce l'ha con Roberto perché dimentica tutto.	☐	☐	☐	
6. Roberto ha comprato un piccolo regalo per Lucia.	☐	☐	☐	

Punteggio totale 6. Risultato personale : ___ / 6

3 Comprensione orale dettagliata

Ascoltate i mini dialoghi e completate con l'informazione giusta o rispondete alle domande.

🎧2.33 Parte 1:   Punti:

1. A Roma c'è il botteghino "last minute": si possono comprare i biglietti ....
   a prezzo ....
   Il servizio vende i biglietti di 17 teatri e si può risparmiare fino al 50% ....
   d' ....

2. ● Com'è il .... al Sud?
   ● Non è molto elevato, ma i servizi stanno migliorando e lo sviluppo è ....

3. Da stasera fino a domani alle 21.00 .... nazionale dei trasporti. Questo il
   calendario delle proteste: fermi i treni per ....
   dell' .... mentre i trasporti pubblici urbani si fermeranno
   dalle .... alle .... e dalle 19.30 fino .... del ....
   Per .... telefonare al call center 8902121 o visitate il ....
   www.ministerodeitrasporti.it

🎧2.34 Parte 2:

4. Quanti sono i nuovi vicini della signora Fedrizzi? ....
5. Che cosa sappiamo di loro? ....
6. Dove prende in affitto l'appartamento Bruno? ....
7. Qual è il periodo in cui Bruno ha le vacanze? ....
8. E per quale periodo prende l'appartamento in affitto? ....
9. Cosa ha prenotato la signora Sivieri? ....
10. Perché non risulta la prenotazione a nome Sivieri? ....

Punteggio totale 22. Risultato personale : ___ / 22

4 Comprensione globale di testi scritti e conoscenza della realtà italiana

Leggete i tre testi. Poi scrivete per ogni testo il titolo giusto.

Stabile il mercato al Sud

Sensibili differenze sulle coste dell'Adriatico

La qualità è nell'entroterra ligure

Seconde case

L'andamento del mercato diviso per alcune aree geografiche.

1. ....

In questa zona, qualità della vita e investimento sono sempre più richiesti. È impossibile trovare questi requisiti sulla costa e quindi gli acquisti si realizzano in massima parte all'interno dove i casolari ristrutturati si vendono anche a 5 mila euro al metro quadrato, oppure verso località quali Celle Ligure o Albenga. Nelle preferenze le Cinque Terre rimangono al top, ma ormai si trovano solo piccolissimi appartamenti.

2. ....

In Puglia continua l'ottimo andamento degli acquisti in tutte le zone di mare. A Capri, Ischia e Positano si vende sempre poco e a prezzo altissimo. In tutto il Mezzogiorno è forte la richiesta della prima casa e perciò trovare una casa per le vacanze è difficile per effetto della forte domanda locale.

3. ....

Negli Abruzzi e nelle Marche i prezzi sono saliti di circa il 7% e quest'anno l'incremento dovrebbe attestarsi intorno al 5%. A Rimini e Pesaro convivono sia il mercato della prima casa che della casa vacanza. Mercato a ritmi lenti nei prezzi e nelle compravendite nelle località più a nord, come Grado e Lignano.

Punteggio totale 3. Risultato personale: _____ / 3

5 Comprensione dettagliata di un testo scritto

A. Leggete il regolamento e rispondete alle domande.

Regolamento della TV per la tutela dei minori

Dalle 7,00 alle 22,30 è obbligatorio che la televisione sia per tutti.

È consigliato trasmettere programmi per bambini dalle 16,00 alle 19,00. Una persona adulta deve controllare i bambini quando la TV è accesa. È obbligatorio dare informazioni ai genitori sul tipo di film (anche con un indicatore colorato: verde, giallo, rosso). I genitori devono restare con i bambini davanti alla TV dalle 19 alle 22 e 30.

Ai programmi di informazione non è consentito mostrare immagini di violenza o di sesso non necessarie a capire la notizia. È obbligatorio che film, fiction e spettacoli vari abbiano un linguaggio controllato e non offendano sentimenti religiosi o i valori familiari. Anche alle promozioni e alle pubblicità non è permesso usare messaggi pericolosi per i bambini. È obbligatorio tutelare i bambini che partecipano a programmi televisivi. Chi mostra messaggi o immagini di violenza o di sesso dalle 7,00 alle 22 e 30 deve pagare una multa che va da 5.000 a 20.000 euro.

1. Quando possono guardare la TV i bambini? ....

2. In quale fascia oraria devono essere i programmi per bambini alla TV? ....

3. I minori possono vedere la TV da soli? ....

4. Come si deve indicare il tipo di film trasmesso? ....

5. Cosa non devono mostrare i programmi di informazione? ....

6. Cosa è vietato nei film e negli spettacoli vari? ....

7. È prevista una multa per chi non rispetta il regolamento? ....

B. Pietro parla di alcuni paradisi naturali del mondo. Quali sono? Sottolineateli nella sua lettera.

Caro Luigi,

sto guardando le foto di una rivista sulla tutela dell'ambiente e mi sembra di guardare le nostre foto. Ne abbiamo fatti di viaggi, noi due eh? E uno più bello dell'altro. Ricordi quando da ragazzi la nostra passione per la montagna ci ha portato in quei villaggi in Pakistan?

Certo il tenore di vita delle persone non era splendido: ma come erano belle le cime dei monti, da dove si vedevano i ghiacciai bianchi contro il cielo di un azzurro intenso. E poi gli atolli nell'oceano: ti ricordi quegli straordinari bagni in un mare calmo protetto dalle barriere coralline, eh? E abbiamo voluto vedere il deserto, e poi la savana... Hai ancora le fotografie di quegli animali rari? Non posso dimenticarmi che per non disturbarli aspettavamo delle ore e poi facevamo una foto dopo l'altra.

Certo, ora viaggiamo meno, ma che ne dici di fotografare anche la foresta amazzonica? Dobbiamo farcela prima che la distruggano completamente. E mi auguro che tutti imparino a rispettare l'ambiente e che questi paradisi possano essere una splendida esperienza per tutti. Dai, rispondimi al più presto!

Pietro

Punteggio totale di A e B: 12. Risultato personale : ___ / 12

6 Comprensione di testi scritti e conoscenza della realtà italiana

A. Ricomponete i testi delle locandine.

1. ◯ Derby del cuore Inter-Milan 15 febbraio ore 21.00 Stadio di San Siro.

2. ◯ Teatro Argentina Roma *La locandiera*, regia Maurizio Panici – ore 21,30 fuori abbonamento.

3. ◯ Arena di Verona *Aida* di Giuseppe Verdi 01/07/2005 – ore 21.00 Biglietti: euro 38 intero – euro 32 ridotto.

4. ◯ Vasco Rossi in concerto - 11 giugno – Imola.

a. Prevendita on line, agenzie viaggi. Biglietteria Arena 18,00 - 21,00.

b. Prevendita tabaccherie e banche autorizzate.

c. Prevendita on line, tabaccherie e negozi di musica pop e rock autorizzati.

d. Biglietteria teatro 19,00-21,30.

B. Scrivete il nome della città a cui si riferiscono i testi.

1. La città dei tortellini è sempre prima per qualità della vita. ....

2. Il capoluogo lombardo è sempre al secondo posto, anche se pochissimi vorrebbero viverci. ....

3. In quale regione del sud si trova Messina, la città che è all'ultimo posto? ....

C. Completate con le parole date.

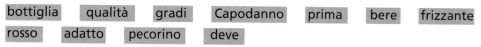

bottiglia   qualità   gradi   Capodanno   prima   bere   frizzante
rosso   adatto   pecorino   deve

Il Chianti è un vino rosso di buona .... , ottimo con piatti forti. Non si .... bere freddo.
Il Prosecco è un vino bianco .... , splendido ghiacciato e ideale da bere .... di una buona cena con amici. Lo spumante è un vino bianco .... per le feste, perché fa molta allegria anche quando si apre la .... È lo champagne italiano, quindi è perfetto a .... Il Cannonau è un vino .... forte e deciso, da .... a una temperatura di 16 .... circa, ottimo con il .... sardo.

Punteggio totale di A, B e C: 18. Risultato personale: ___ / 18

Trascrizioni

Si trovano qui tutte le trascrizioni dei testi di ascolto che non sono riportati nelle pagine delle unità.

Unità 1

🎧 1.4

- Amici di Caffè Italia, benvenuti al nostro primo incontro! Oggi sono qui in compagnia della signora Pina, nella sua trattoria. Ci sono andata per assaggiare il famoso pesto alla genovese… Signora Pina questo pesto è fantastico! Qual è il segreto?
- È il basilico che deve essere sempre molto fresco.
- Ne ha messi tre mazzetti, giusto?
- Sì. E, oltre al parmigiano, ho aggiunto del pecorino sardo.
- Quanto?
- Ne ho messo un cucchiaio, solo per dare il sapore.
- Un attimo solo, voglio scrivere tutto. E quanto aglio?
- Ne ho usati tre spicchi, ma non deve scrivere tutto, adesso le do la ricetta.

🎧 1.5

- È sempre bella la riviera dei fiori, vero?
- Eh, sì… Ma mi ricordo quando Portofino era conosciuta per le vacanze dei vip. Bei tempi!
- Oggi la riviera ligure è meta di vacanza per tutti. I personaggi famosi, però, arrivano in primavera perché c'è il Festival di Sanremo, no?
- Già, più o meno tutti in Italia guardano il Festival in TV, che ha messo radici nel Teatro Ariston. Perciò, da più o meno 50 anni, possiamo applaudire la canzone italiana.
- Ma è veramente un momento importante per la musica italiana?
- In realtà la musica italiana non è tutta a Sanremo, perché c'è anche la musica d'autore con un controfestival. Ma siccome tutti lo guardano, il Festival è l'occasione ideale per l'esordio di giovani cantanti. Molti hanno trovato il successo internazionale: dopo l'esordio della Pausini, di Ramazzotti, di Zucchero, che prima non erano conosciuti, i giovani artisti sperano di avere fortuna a Sanremo.

🎧 1.8

1. Il telefono è rotto. Oh no!

2. Tutto bene, no?
3. Gli spaghetti sono molto buoni, vero?
4. La porta è aperta, è vero!
5. Silenzio, per favore!
6. Posso avere un biglietto, per favore?

Unità 2

🎧 1.10

- Signora Carulli, Lei vive a Milano con sua figlia?
- Sì, abito qui da 30 anni, da quando ho cominciato a lavorare come designer.
- È difficile lavorare e avere una famiglia?
- Quando Carla era più piccola avevo un po' di difficoltà, ma adesso no. Comunque ho un orario molto flessibile e posso stare molto tempo con la mia famiglia. Mia figlia si è laureata da poco e adesso deve cercare un lavoro.
- Cosa desidererebbe per lei?
- Vorrei per lei un lavoro stabile, anche se so che oggi è difficile. Non importa quale lavoro, l'importante è la sua felicità e la soddisfazione professionale.
- Carla, Lei si è appena laureata all'Università Cattolica, cosa preferirebbe fare in futuro?
○ Beh, per adesso non ho ancora le idee chiare, ma mi piacerebbe un lavoro collegato agli studi che ho fatto. Qui a Milano è abbastanza facile trovare un lavoro, specialmente nel settore dell'economia. Ma io sono laureata in Lettere e Filosofia e preferirei occuparmi di cultura o arte.
- Non avrebbe voglia di lavorare per una grande ditta?
○ Perché no? Ne sarei felice, ma la mia laurea mi limita un po'. Lei mi sa dare un consiglio su come trovare lavoro?
- Mah… io leggerei comunque gli annunci di lavoro. Poi certamente mi informerei anche sui concorsi pubblici. Un'ultima domanda a tutte e due: cosa vorreste per il vostro futuro?
○ Sarebbe bello, dopo il lavoro, pensare al matrimonio.
- Oh sì, io e tuo padre avremmo voglia di avere dei nipotini.
- Buona fortuna e grazie.

🎧 1.11

1. ● Cosa fai sempre al computer?
   ● Ho bisogno di un lavoro: su Internet c'è tutta una pagina con le offerte di lavoro per la Lombardia.

- È necessario cercare anche sul giornale o hai già trovato qualcosa?
- Sì, ho trovato il lavoro per me, ma non è a Milano, è a Cremona. Ci vogliono 50 minuti di viaggio ogni giorno.
- Ma dai, non ci sono posti di segretaria a Milano?
- Certo, ma ci vuole molta esperienza e io ho lavorato solo 3 anni come segretaria, e sempre nella stessa ditta.
- Magari hanno bisogno di una segretaria subito. Se ne hanno bisogno urgente forse non aspettano di trovare quella giusta e prendono te. Se telefoni e chiedi informazioni, puoi saperne qualcosa di più.
- Hai ragione.

2.
- Buongiorno. Potrei parlare con la signora Bandini?
- Mi dispiace, in questo momento non c'è.
- Quando potrei trovarla in ufficio?
- Non so di preciso, è molto occupata in questi giorni.
- Potrei lasciarle un messaggio?
- Certo.
- Sono Federica Rossigni. Telefono per quell'annuncio su Internet per un posto di segretaria. Vorrei avere delle informazioni. Le lascio il mio numero di telefono.
- Non è necessario parlare con la signora Bandini. Se vuole, ne può parlare anche con il signor Borsetti. Dovrebbe solo aspettare al telefono un momento.
- Aspetto, grazie.

Intervallo 1
🎧 1.15

Monica: Eh, Beatrice! Ciao!

Beatrice: Ciao Monica! Come va?

Monica: Bene! Ma quanto tempo!

Beatrice: Quanto tempo... Ma cosa fai qui?

Monica: A beh, ci sono ogni tanto. Vengo... mi piace, sai, venire a fare un giro a Milano. Sono qui... faccio un po' di shopping.

Beatrice: Son contenta di vederti!

Monica: Eh, come stai? Che fai?

Beatrice: Bene. Benissimo. Tutto bene. Io, sai che mi sono sposata.

Monica: Eh, mi ricordo ma...

Beatrice: Ho tre figli

Monica: Dai! Ma no! Cosa fanno?

Beatrice: Sì, stanno bene. Ormai sono grandi... hanno 6,7 e 10 anni... Tutto bene.

Monica: Dai, no! Mamma mia! Che peccato che ci siam perse di vista, però, eh?

Beatrice: È vero! Ti ricordi quando andavamo a yoga...

Monica: Senti, vuoi un caffè? Io volevo prendere un caffè.

Beatrice: Sì, dai volentieri!

Monica: Allora prendiamo... due caffè? Ci fa due caffè, per favore?

Barista: Sì, subito.

Beatrice: Sì, sì. Grazie.

Monica: Dai a yoga ti ricordi? Che bei tempi, però!

Beatrice: A yoga, ti ricordi? Poi quando andavamo fuori in quel ristorantino... tipico sui Navigli, ti ricordi? Bello!

Monica: Quello... Ah, sì bello! Che c'andavamo poi con il corso di tedesco...

Beatrice: Eh, sì... Che belle serate. Ogni tanto ci ripenso. Ehm, adesso tu invece cosa fai? Dove lavori?

Monica: Eh, niente. Io dopo son tornata a Bologna, a casa mia. Sai insegno... faccio... finalmente sono andata di ruolo. Dopo tanti anni...

Beatrice: Ah bene, bene. Quindi sei contenta.

Monica: Sì, abbastanza. Però, certo che all'università era più bello.

Beatrice: Era bello! Guarda, è stato proprio un bel periodo. Senti, ma dai... dammi il tuo numero... che magari la prossima volta organizziamo, ci vediamo.

Monica: Eh, sì va bene. Ti chiamo, sì. Ma i tuoi figli... dai, me li devi portare. Facciamo... guarda io adesso... fra due settimane circa mi sa che torno. Ti telefono prima.

Beatrice: Dai, bene. Chiamami così ci vediamo, organizziamo una bella serata. Ti faccio conoscere la mia famiglia e ricordiamo un po' i vecchi tempi passati insieme.

Monica: Che bello, sì!

Unità 3
🎧 1.16

- Salve amici di Caffè Italia! Questa volta ho fatto per

voi un servizio sul turismo nelle città d'arte.
Ascoltate le voci di alcuni turisti a Venezia.
Buongiorno. Sono una giornalista e sto facendo
un'indagine sul turismo a Venezia. Potrei farvi alcune
domande?

- Senz'altro!
- Di dove siete?
- Siamo di Piacenza. E questi nostri amici, anche loro
  marito e moglie, vengono da un paese vicino alla
  nostra città.
- Come mai siete qui a Venezia? Siete turisti?
- Sì, ma solo per un giorno. Siamo qui per vedere la
  mostra sui Futuristi a Palazzo Grassi. Alcuni amici,
  che l'hanno vista, me ne hanno parlato molto bene
  e ora sono molto curiosa.
- Visitate spesso mostre?
- Sì, preferiamo le mostre organizzate nelle città
  d'arte, perché così, oltre alla mostra, ci divertiamo a
  scoprire le belle città d'Italia. Per esempio qui a
  Venezia veniamo spesso.
- Avete già visto altre mostre qui a Venezia?
- Qui a Venezia quella sui Fenici. Avrei voluto vedere
  anche la mostra sui Celti, alcuni anni fa. Io ci sarei
  andata, ma c'erano quelle lunghissime file d'attesa.
  Ora quel caos non c'è più perché è possibile
  prenotare via Internet.
- E in generale, quali altre mostre avete visitato?
- A Napoli quella sull'arte barocca e a Roma quella
  indimenticabile mostra sul Caravaggio. Che bella
  quella mostra!
- Sì, me l'hanno detto. E poi Roma è sempre bellissima
  in tutte le stagioni.
- Infatti. Noi saremmo stati anche volentieri un po' di
  più nella città, ma abbiamo guardato quei quadri per
  ore. Quegli organizzatori sono proprio bravi!

🎧 1.17

Quel film è speciale, è proprio un bel film!
Quella mostra è stata organizzata benissimo, è proprio
una bella mostra!
Quell'orologio è stupendo, è proprio un bell'orologio!
Quell'idea è geniale, è proprio una bell'idea!
Quei quadri sono molto interessanti, sono proprio dei
bei quadri!
Quegli affreschi mi piacciono molto, proprio dei begli
affreschi!

Quelle statue sono uniche, sono proprio delle belle
statue!

🎧 1.18

Casalinga: Mamma mia! Oggi ho speso 83 euro e 50!
Impiegato: Quanto è cara la vita. Tre anni fa spendevo
circa 8 euro in meno!
Pensionato: Non ci posso credere! Non avrei dovuto
spendere più di 9 euro, invece ne ho spesi 11 e 68!
Studentessa: Per l'autobus, la merenda, il cinema e
una ricarica per il cellulare ho speso 24 euro e 10
centesimi!

🎧 1.19

- Buongiorno. Posso farle qualche domanda?
- Certo. Me ne può fare quante ne vuole.
- Quanti turisti ha accompagnato oggi?
- Trenta / trentacinque, più o meno.
- Quanto costa un giro in gondola?
- 70 euro per un'ora.
- Non fa mai un po' di sconto?
- Beh, me lo chiedono sempre. Un po' possiamo trat-
  tare ma non scendo mai sotto i 60 euro.
- Grazie, arrivederci. Buongiorno. Che belli questi
  souvenir. Sono tutti per voi?
- No, non tutti. La maschera è per mia sorella, gliela
  regalo per il suo compleanno che è la settimana
  prossima.
- E questi bicchieri colorati?
- No, questi sono per noi. Ne abbiamo già molti, ma
  sa… noi abbiamo spesso ospiti a casa e i bicchieri
  servono sempre.
- Diciamo la verità, ogni volta che li laviamo ne rom-
  piamo uno e per questo non bastano mai.

Unità 4
🎧 1.22

1. - Salve. Chi è l'ultimo della fila per pagare le bollette?
   - Guardi lì: c'è l'elimina code, basta prendere il
     numero del servizio Banco Posta.
   - Ah bene, grazie.
2. - Claudio. Aspetta! Non ho più contante. Devo
     fare un prelievo.
   - Va bene. Guarda! C'è un bancomat proprio vici-
     no al tabaccaio.
   - OK. Grazie. Ci metto un minuto.

3. ● Buongiorno. Vorrei cambiare un assegno.
  ● Deve andare alle casse 2, 3 o 4, signore.
  ● Ah bene. Grazie.

4. ● Io e Giovanna abbiamo deciso di sposarci.
  ● Grande! E avete già trovato casa?
  ● Beh, sì. Ce n'è una che ci piace molto. Ma è un po' cara...
  ● Certo. Ma potete chiedere un mutuo alla banca, no?
  ● Sì, sì. Ci stiamo informando.

🎧 1.23

Alessia: Cari amici di Caffè Italia, buongiorno. L'uso di Internet per semplificare la vita quotidiana è diventato ormai un tema di grande attualità. Così, trovandomi nel centro di Bologna, ne ho approfittato per fare una piccola inchiesta tra i cittadini. Sentiamo insieme alcune risposte.

Intervista alla signora:

● Scusi, permette una domanda? Lei usa Internet per risparmiare tempo?

● Sì, certo: guardi… per esempio… per aprire il mio conto corrente in banca ho incontrato di persona l'impiegato una sola volta: gli ho mostrato i miei documenti, ho compilato un modulo e fatto qualche firma, da allora faccio tutto via Internet: ogni mese il bonifico per l'affitto, le bollette del gas, del telefono, eccetera. Certo, se ho soldi in contanti da depositare nel libretto di risparmio, oppure un assegno da cambiare vado alla banca, ma sono casi rari. E poi ormai su Internet posso comprare i biglietti del treno, posso ricaricare il mio cellulare e qualche volta compro anche dei libri. Ah, sì, ieri ho acquistato su Internet una macchina fotografica digitale.

● Grazie. Posso chiederLe perché preferisce fare tutte queste cose "online"?

● Beh, è chiaro: così non devo più fare lunghe file agli sportelli e niente più corse per arrivare prima dell'orario di chiusura di banche e uffici.
Poi per certi prodotti come quelli elettronici, per esempio, i prezzi sono molto convenienti ed è possibile fare confronti e decidere con calma.

● Grazie, signora. Buona giornata.

● Di niente, arrivederci.

Intervista al primo signore:

● Buongiorno, posso chiederLe se usa Internet per risparmiare tempo?

● Come scusi? Internet?

● Per esempio: se desidera acquistare un biglietto per uno spettacolo o una partita di calcio, sa che può farlo anche su un sito Internet, pagando con carta di credito?

● No guardi, queste cose non mi interessano proprio. Io preferisco parlare con le persone, anche se qualche volta si perde un po' di tempo in fila. E poi non mi fido a mettere "online" i dati della mia carta di credito. Non se ne parla neanche!

● Capisco, il Suo è un punto di vista interessante. Grazie.

Intervista al secondo signore:

● Salve, sto facendo un'intervista sull'uso di Internet per semplificare la vita. Lei è d'accordo?

● Beh, in parte sì. Certamente con Internet è possibile mandare una e-mail da casa o dall'ufficio, invece che spedire una lettera. Oppure posso trovare informazioni sugli orari dei treni o su altre cose che mi interessano. Però, sinceramente io sono un po' all'antica forse, ma preferisco muovermi, uscire e parlare con le persone, quindi se devo fare un'operazione di banca mi organizzo e ci vado.
E quando voglio comperare qualcosa vado nel negozio, guardo il prodotto direttamente e mi faccio consigliare dal commesso. Lo preferisco proprio. Non mi piace l'idea di una società di persone sempre più isolate che passano il loro tempo a dialogare con il computer invece di parlarsi, comunicare e sorridere.

🎧 1.27

● Cristina, finalmente! Come mai arrivi così tardi?

● Scusami Mario, questa mattina ho ricevuto una telefonata da un cliente e ho dovuto decidere di partire per Modena all'ultimo minuto. Ti ho telefonato tutto il giorno per avvertirti, ma non ho potuto raggiungerti: il tuo cellulare era sempre spento.

● Sì, hai ragione: ho visto solo poco fa che si era scaricata la batteria.

● Poi nel viaggio di ritorno volevo chiamarti a casa, ma non c'era campo.

● Modena, che fortuna! È una città meravigliosa! Hai assaggiato le fragole all'aceto balsamico?

● No, non ho potuto perché quando ho finito di lavorare tutti i ristoranti erano già chiusi. Dovevo finire alle due e invece ho finito alle quattro, così mi sono fermata in un bar.

- E non hai bevuto nemmeno un buon bicchiere di Lambrusco?
- Questo potevo farlo perché non guidavo io. E infatti l'ho bevuto e ho anche voluto mangiare le vere tigelle modenesi. Fantastiche!

Intervallo 2
🎧 1.30

Paola:	Oh, ciao Giovanna, anche tu qui?
Giovanna:	Ehi! Eh sì, devo pagare una bolletta... sai chi è l'ultimo?
Paola:	Non saprei, prendi il numero lì al salva code. È laggiù.
Giovanna:	Ah sì. ... Mamma mia! Ho il 115 e siamo solo all'69! aah... quanto tempo ci vuole!
Paola:	Io sono qui da 15 minuti e ho il 94. Ho queste bollette da pagare anch'io... e ogni mese più care, sembra.
Giovanna:	Eh già, ormai è diventato tutto più caro. Tu sai che ho anche un mutuo da pagare e tra me e mio marito non facciamo altro che risparmiare, ma la vita diventa sempre più cara.
Paola:	Devi pagare molto di mutuo?
Giovanna:	In realtà ne ho uno da 1200 euro per 20 anni, magari avrei dovuto farlo di 30 anni. Mi sa che non faremo vacanze quest'anno. E tu e Carlo?
Paola:	Noi andremo al mare, abbiamo affittato una casa a Rimini, ma non so se ho fatto bene. A novembre Giacomo comincerà l'università e i soldi non bastano mai...
Giovanna:	Eh, l'università... cosa farà?
Paola:	Ha scelto medicina. Il problema è che la facoltà è in periferia e ora Giacomo insiste per avere almeno un motorino, ma io non so, sai non mi fido con tutto il traffico che c'è...
Giovanna:	Beh anche prendere l'autobus non è molto comodo dovresti pensarci... e una macchina?
Paola:	Cosa? Mhm... Non ci penso neanche. Io sono un po' all'antica e vedere un ragazzino di 19 anni in macchina... no, e poi costerebbe troppo...
Giovanna:	Ma dai, non sarebbe l'unico ad avere una

macchina a 19 anni.

Paola:	Lo so, lo so, ma, a parte le spese, poi c'è il problema del parcheggio, l'assicurazione... troppe cose, magari il motorino...
Giovanna:	Ah guarda è il tuo turno...
Paola:	Vado, eh? Vado! Ci vediamo.
Giovanna:	Certo, ciao.

Unità 5
🎧 1.31

- Che bello! Finalmente vedremo gli Uffizi!
- Oh mamma mia che fila!
- Dai amore, non ti scoraggiare, siamo agli Uffizi!
- Certo, certo, ma qui ci vorrà almeno un'ora prima di entrare! E io ho fame!
- Dai, ti prometto che dopo che avremo visitato gli Uffizi, andremo in una trattoria.
- Non credo di resistere.
- Su, non possiamo non visitare gli Uffizi! E poi lo sai che è molto importante per il mio esame di storia dell'arte!
- Ma io ho troppa fame! Dai, ci torniamo oggi pomeriggio.
- No, no, no. Senti, se tu fai la fila, io vado a prendere qualcosa da mangiare!
- Cosa? Io qui da solo con tutta questa gente?
- Non puoi dirmi di no!
- Certo che posso!
- Se mi ami lo farai!
- Ah, sempre la solita storia! Quando fai così proprio non ti sopporto!

🎧 1.33

- Vorrei andare a fare un provino. Cercano ragazze per un programma televisivo.
- Io dovrei andare a studiare in biblioteca.
- Ma no, perché non vieni con me?
- L'idea mi piace. Ci vai da sola?
- No, viene anche Serena: lo sai che a lei queste cose piacciono tanto.
- E viene anche Chiara?
- No, lei deve andare in ufficio. Forse viene con noi dopo il lavoro.
- Ma sì, dai! Vengo anch'io. Per studiare c'è sempre tempo.

🎧 1.34

1. Però! Non è caduto dal pero.
2. Fanno dei bei comò a Como.
3. Sara sarà architetto.
4. Com'è il tempo? Come ieri.

🎧 1.35

Il modo di dire: Chi vivrà, vedrà.

Test intermedio

🎧 1.36

Comprensione globale

- Sai, pensavo di andare al cinema domenica... vuoi venire?
- A vedere cosa?
- A dire la verità non ho deciso veramente un film. Ce ne sono molti buoni ultimamente. Potremmo deciderlo insieme.
- Vorrei, ma proprio non posso. In questi giorni sono molto impegnata. Magari un'altra volta.
- E dai, dici sempre così e poi non ti muovi mai di casa. Cos'hai da fare di tanto urgente?
- Non mi muovo mai di casa? Ma se sono fuori tutte le sere! Da quando suono nel gruppo poi...
- Suoni in un gruppo? Io non ne sapevo niente. Ma da quando?
- Da due mesi circa. È un gruppo rock, siamo tutte donne e io suono la chitarra. Tra l'altro fra due settimane abbiamo un concerto in una discoteca, per questo sono così impegnata. Sai gli studi, le prove...
- Ah, ma davvero non lo sapevo. Sicuramente verrò a sentirti.
- Beh, mi farebbe piacere. Ti faccio sapere esattamente l'ora e poi ci mettiamo d'accordo, OK?
- OK, io ci sto.

🎧 1.37

Comprensione dettagliata

- Teatro alla Scala biglietteria. Buongiorno.
- Buongiorno. Senta, vorrei alcune informazioni sul Barbiere di Siviglia...
- Mi dica.
- Prima di tutto... quando comincia la prevendita dei biglietti?
- Il prossimo martedì.
- Ah, benissimo.... e un biglietto per il palco centrale

quanto costa?

- 170 euro. Ovviamente è il più caro, ce ne sono anche di più economici.
- No, no. È un regalo per il compleanno di mio marito. È un compleanno importante sa, compie 70 anni e siccome lui adora l'opera... il palco centrale sarà perfetto. Ma senta, c'è una riduzione?
- Sì, c'è una riduzione per giovani sotto i 21 anni, studenti e anziani. In questo caso il biglietto costa 130 euro.
- D'accordo, quindi io e mio marito ne abbiamo diritto, siamo nella categoria giovani, ovviamente. Allora posso passare da voi martedì... fino a che ora siete aperti?
- Siamo aperti tutti i giorni dalle 12 alle 18 ma se vuole può acquistare i biglietti tramite Internet.
- Perfetto, è molto comodo. Vediamo... se sarà una bella giornata farò una passeggiata e verrò di persona, se farà brutto prenoterò direttamente con Internet. Senta, un'ultima domanda. Lo so, le sembrerà stupida ma... posso portare la macchina fotografica?
- Durante lo spettacolo? No signora, è assolutamente vietato.
- Ma la mia è senza flash.
- Non importa signora. È assolutamente vietato fare fotografie con o senza flash, o qualsiasi registrazione audio e video.
- Ho capito. Va bene, grazie signorina, è stata molto gentile.
- Grazie a lei. Arrivederci
- Arrivederci.

Unità 6

🎧 2.2

1. - Ma è vero che sei stato allo stadio ieri?
   - Sì, è stata una partita fantastica! Molto emozionante.
2. - Ehi! Claudia che c'è? Sembri arrabbiata...
   - Guarda... ho fatto un'ora di fila al botteghino e non ho potuto comprare i biglietti. Hanno venduto gli ultimi due alla signora prima di me.
   - Per il concerto?
   - Ma no, per lo spettacolo teatrale di domenica.
3. - Ti è piaciuto il concerto?
   - Sì, moltissimo. È stato grande! Come al solito, niente da dire!

4. ● Dovremmo andarci: il soprano ha una voce meravigliosa!

● Eh, lo so. Ma non possiamo, vedi? Noi partiamo prima dell'inizio delle rappresentazioni.

🎧 2.3

Marco sta aspettando da un po' davanti all'entrata di un ufficio informazioni turistiche a Roma. L'ufficio dovrebbe essere già aperto ma non c'è nessuno.

● Ah finalmente! Sono venti minuti che aspetto!

● Beh, meglio tardi che mai, no?

● Certo, certo, sempre la solita storia. Allora, ho bisogno di aiuto: è la prima volta che vengo a Roma e vorrei organizzare un giro per la città.

● Quanto tempo si ferma? Sa, Roma è la città d'Italia più ricca di monumenti, chiese e luoghi da visitare. C'è molto da fare.

● Lo so, e io invece ho solo quattro giorni!

● Che ne direbbe di cominciare da piazza del Popolo? Da lì scende lungo via del Corso, gira a sinistra in via Condotti e raggiunge così piazza di Spagna, poi da piazza di Spagna va verso via del Tritone e passa dalla Fontana di Trevi. Ecco: qui. Vede?

● Sì, sto seguendo. Poi?

● Poi ritorna in via del Corso e va a piazza Colonna. Passa davanti a Palazzo Chigi e a Montecitorio. E da lì si dirige verso il Pantheon, passando di qui, vede?

● E piazza Navona?

● Dal Pantheon raggiunge facilmente piazza Navona. Può passare tra Palazzo Madama e Palazzo della Sapienza. Nella piazza ci sono caffè e ristoranti. La serata la può trascorrere lì, se vuole. Il secondo giorno lo dedicherei a San Pietro e ai Musei Vaticani e magari va fino a Castel Sant'Angelo.

● Mh... Ok...

● Poi però il terzo giorno deve assolutamente visitare il Colosseo e i Fori Imperiali che non sono molto lontani tra loro. E naturalmente anche piazza Venezia e il Campidoglio. E, se Le resta un po' di tempo, può percorrere via del Plebiscito e andare verso Campo dei Fiori.

● Uff! Il programma è intenso, ma sembra buono... Ma vorrei anche andare alle terme di Caracalla.

● Mh... Oppure può andare a Ostia antica... Siccome deve scegliere, io Le direi che è più interessante visitare Ostia antica che andare alle terme di Caracalla.

● Insomma Lei dice che le terme sono meno importanti di Ostia antica?

● Nient'affatto! Le terme di Caracalla sono certamente tanto importanti quanto Ostia antica, ho solo detto che sono meno interessanti perché... insomma: Ostia antica era una vera e propria città. Ci sono molte più cose da vedere.

● Mah, non so, forse potrei visitarle entrambe!

● Non credo che avrà il tempo per andare in tutti e due i posti. Perché non fa così: cominci da Roma, poi deciderà. Magari può tornare a trovarmi.

● Sì, probabilmente ha ragione Lei. Per ora basta così.

● D'accordo. Buona permanenza.

🎧 2.6

● Gentili ascoltatori buongiorno. Vi parlo dallo stadio Olimpico di Roma. Mancano ormai meno di due ore all'inizio del grande derby Roma-Lazio. C'è grande affluenza di pubblico, l'atmosfera è densa di emozioni, ma la situazione sembra tranquilla. All'entrata ho raccolto le voci dei tifosi. È chiaro che per ognuno di loro la squadra del cuore è sempre migliore di quella avversaria. È in ottima forma e vincerà. E gli avversari, invece, sono i peggiori. Ma diamo la parola ai tifosi.
Allora, chi vincerà?

● Che domande! Noi! A' Roma! A' squadra più forte der mondo!

○ Semo fortissimi! Forza magica Roma!

● Sentiamo anche i tifosi dell'altra parte. Ragazzi, chi vincerà?

● Cento pe' cento Lazio!

● Bene, meglio non discutere. Fra poco inizierà il grande spettacolo e... come si dice in questi casi: "Vinca il migliore!"

🎧 2.7

1. Ieri sera abbiamo cenato a casa.
2. Dopo siamo andati a mangiare un gelato.
3. C'erano anche i nostri amici.
4. Alla fine è arrivata Giovanna.
5. Che era appena tornata dal suo viaggio.
6. È stata in Cina. Non la smetteva più di raccontare...

🎧 2.8

Accento romano: Ieri sera *avemo* cenato a casa. Dopo cena *semo* andati a *mangia'* un gelato. *Ce* stavano pure gli amici nostri. Alla fine è arrivata pure Giovanna che era appena tornata dal suo viaggio in Cina. Oh! *nun* la smetteva più *de' racconta'*. *Avemo* fatto tardi però *ce semo* divertiti, un *pochetto*.

Accento toscano: Ieri sera s'è cenato a casa. Poi dopo siamo andati a prendere un gelato. C'erano anche i nostri amici. Alla fine è arrivata la Giovanna che *l'era* appena tornata dai suoi viaggi in Cina. Oh! non la smetteva più di raccontare... S'è fatto tardi, ma ci siamo divertiti.

🎧 2.9

Anna Magnani è nata il 7 Marzo 1908 a Roma. È stata una figura chiave del neorealismo italiano e ha interpretato con stile inimitabile il personaggio della donna del popolo, passionale e impulsiva ma allo stesso tempo sensibile e generosa. La sua completa rivelazione è arrivata nel 1945, con il film "Roma città aperta" di Roberto Rossellini. In questo film la Magnani si è rivelata una straordinaria attrice drammatica, nella parte di Pina, una popolana romana che viene uccisa mentre tenta di raggiungere il camion sul quale il suo uomo, un tipografo impegnato nella resistenza, sta per essere portato via dai fascisti. Nel 1955 ha vinto il premio Oscar per l'interpretazione nel film di Daniel Mann "La rosa tatuata", con Burt Lancaster. L'attrice è morta di cancro a Roma il 26 settembre 1973, assistita fino all'ultimo dall'adorato figlio Luca.

Gabriella Ferri è nata a Roma nel 1942. Una grande, forse l'ultima, vera cantante romana. Ma ha interpretato anche la musica d'autore, quella napoletana, americana e latina. Gabriella Ferri era, prima di ogni cosa, una vera interprete, una dominatrice della scena. È stata anche protagonista dei primi grandi varietà televisivi. Con "Dove sta Zazà", il suo show personale del '73, la Ferri dà la misura delle sue capacità di cantante e attrice. Dietro la sua allegria, la sua ironia, nascondeva la rabbia, la disperazione, il dolore della sua anima; era un Pierrot romano, con la lacrima sulla guancia. A otto anni, nel pieno della miseria del dopoguerra, Gabriella è costretta a lasciare la scuola per mettersi a vendere sulla strada lamette da barba e biscotti fatti dalla madre. Giovanissima, comincia a cantare stornelli e canzoni romane. Frequenta l'ambiente degli artisti e subito viene notata per singolarità di voce e di interpretazione. Si sposa e si separa. Si risposa con un diplomatico americano di origine russa ed ha un figlio.

Il 10 Aprile 2004 cade dal balcone e muore, forse è suicidio o forse un incidente dovuto ad un malore.

Sabrina Ferilli è nata nel 1964 a Fiano Romano, da mamma casalinga e papà funzionario dell'allora Partito comunista italiano. Per molti italiani è la ragazza della porta accanto che non si è montata la testa con il successo. E per questo piace a tutti, sia agli uomini (e questo è ovvio) sia alle donne che vedono in lei una di loro, lontana dal modello delle donne bellissime e mute che popolano l'universo televisivo. La Ferilli non lavora solo per il cinema, ma anche per la televisione, ottenendo sempre molto successo.

Ama profondamente gli animali e vive con il gatto Romolo e la cagnetta Nina. Da buona romana, adora naturalmente la pasta all'amatriciana e la squadra di calcio della Roma. Tutta Italia ricorda il suo spogliarello per festeggiare la vittoria dello scudetto: lei, in bikini argentato, che cammina per il Circo Massimo con la bandiera della Roma e per mano, Francesco Totti, fra gli applausi della gente. Si è sposata nel 2003 a Fiano Romano, in una cerimonia super protetta da 25 guardie del corpo.

Paola Cortellesi è nata il 24 novembre del 1973 a Roma. La sua carriera è iniziata quando aveva soltanto 13 anni, nella trasmissione-evento "Indietro Tutta", dove imitava la voce di una brasiliana all'interno di "Cacao Meravigliao". Poi, non andando tanto lontani dal Brasile, Paola si sposta alla trasmissione "Macao", di RaiDue, dove questa volta interpreta "l'argentina". Nel 2001, dopo aver ripetuto e ribadito le sue straordinarie doti di interprete e attrice comica con "Mai dire gol", Paola Cortellesi passa a RaiDue ed eredita la conduzione di "Libero", il noto programma TV di scherzi telefonici lanciato dall'inesauribile Teo Mammucari.

Paola si dimostra abile improvvisatrice e conduttrice: canta e recita sfruttando tutte le risorse del sue eclettico talento artistico.

Intervallo 3

🎧 2.10

Mirco: Ciao amore! Come stai? Come è andata? Racconta!

Caterina: Eh! È andata bene. Sono soddisfatta.

Mirco: Bene. Bene. Dai, allora cosa ti hanno chiesto?

Caterina: Eh, all'inizio mi ha fatto delle domande. Mi ha chiesto di raccontare un po' le esperienze lavorative precedenti.

Mirco: Ah! Mah... gliel'hai detto che hai molta esperienza... che hai fatto molte esperienze durante lo stage a scuola, vero?

Caterina: Sì. Veramente mi sono sentita molto a mio agio e quindi ero tranquilla e ho raccontato chiaramente di tutte le esperienze anche dei vari viaggi...

Mirco: Eh, beh certo!

Caterina: E quindi alla fine poi loro mi hanno spiegato di che cosa si tratta e... mi hanno detto che dovrei lavorare dalle 8 alle 14, se faccio il turno della mattina. Se faccio il turno pomeridiano, dalle 14 alle 20. Questo durante la settimana, però può anche capitare di lavorare in un mese una o due volte il sabato e la domenica. Faremo poi a turno con le colleghe.

Mirco: Ma non c'è problema. Certo. Non ti preoccupare, va benissimo.

Caterina: E... poi... ovviamente mi ha spiegato un po' come funziona con... quando capitano dei turisti che arrivano... che devo accompagnarli. Quindi non si tratta soltanto di stare in ufficio. Ci sono anche delle situazioni di guida turistica. Io son contenta... Penso che mi possa piacere.

Mirco: Beh, ti vedo molto ottimista. Eh, sicuramente ti assumeranno. Sono proprio convinto che sarà così. Dai! Chi vivrà, vedrà. Stai tranquilla. Sono sicuro. Senti, ho pensato questo: perché, per festeggiare questa cosa bellissima, non andiamo stasera, che ne so? A uno spettacolo... O perché non andiamo invece domenica alla partita di calcio?

Caterina: Dici?

Mirco: Sì, dai! Ti prego. Dai ti prego! Non dirmi di no. Non puoi dirmi di no! Me l'avevi promesso...

Caterina: Va bene. Ci vengo!

Mirco: OK. Sono felicissimo. Bene, allora domenica: "Forza Fiorentina!"

Unità 7

🎧 2.11

● È permesso?

● Avanti... oh ciao Marta, scusa, non ti avevo sentita, entra!

● Ciao. Senti, il prossimo fine settimana, vorrei fare un salto ad Arzano da Paolo, so che anche tu sei di quelle parti. Mi sapresti dire come arrivarci in macchina?

● Non è complicato. Ma tieni presente che potresti trovare traffico.

● Sì, certo. È possibile vedere su uno stradario?

● Ma certo. Vieni... Allora, devi arrivare all'aeroporto di Capodichino.

● OK, fin qui nessun problema.

● Bene. Dall'aeroporto di Capodichino segui le indicazioni per le autostrade. Dopo 100 metri, seguendo l'indicazione autostrade, svolta a sinistra e immettiti nel raccordo autostradale A1 direzione Roma. Dopo qualche chilometro di autostrada, esci allo svincolo Acerra-Afragola in direzione Afragola. Segui la superstrada per circa cinque chilometri, quindi esci allo svincolo Casoria-Arzano. Segui la strada per circa un chilometro, poi prendi per la Zona Industriale (Casoria-Frattamaggiore). Fa' attenzione lì: non prendere la strada a sinistra! Mantieni la destra e continua sulla statale per cinquecento metri. Quando arrivi a un incrocio con un distributore sulla destra, vai a sinistra in Via Remo De Feo. Alla fine di questa strada, sulla sinistra, c'è la stazione di Arzano. È un edificio bianco.

● Grazie mille, Enzo.

● E di che? Non c'è problema. E saluta Paolo da parte mia.

● Molto volentieri. Ah, ti dispiace se prendo il tuo stradario in prestito?

● No, figurati! Fa' pure.

🎧 2.13

1. (gentile) Dai, non fumare che ti fa male.
2. (autoritario) Vai via, non voglio più sentirti!
3. (gentile) Vai tu a fare la spesa, io non ho tempo.
4. (gentile) Fai piano, il bambino dorme.
5. (autoritario) Basta, non parlare più!
6. (autoritario) E pulisci il bagno, che fa schifo!
7. (autoritario) Stai fermo!
8. (gentile) Prendi l'ombrello, che piove.

Unità 8

🎧 2.15

Cari amici di Caffè Italia, buongiorno. Vi parlo da Bari, capoluogo della Puglia. Questa regione dell'Italia meridionale, che si affaccia sul Mediterraneo, è ricca di storia e tesori naturalistici ed è oggi caratterizzata da una realtà economica varia e dinamica.

Proprio qui in Puglia si avverte in modo particolare anche il problema degli sbarchi clandestini di stranieri, che sono disposti a tutto, anche a rischiare la vita viaggiando in condizioni disumane pur di raggiungere l'Italia. Perciò ho deciso di occuparmi ora di un fenomeno di grande attualità per tutta la società italiana: l'aumento costante del numero degli immigrati. I cittadini stranieri regolarmente residenti in Italia sono ormai quasi 3 milioni e arrivano da vari paesi: dall'Africa e dall'Europa dell'est, oltre che dall'Asia e dall'America latina. Le motivazioni sono prevalentemente di tipo economico, cioè la ricerca di un lavoro e migliori condizioni di vita, ma ci sono anche rifugiati politici. Basta girare per le città italiane per rendersi conto della trasformazione in senso multiculturale in corso nella società: ristoranti e negozi che propongono specialità gastronomiche esotiche, abbigliamenti tradizionali, e caratteri etnici diversi ben riconoscibili fra le persone in autobus, al supermercato o in fila all'ufficio postale. Tutto questo è certamente indice di dinamismo culturale e arricchimento umano, ma porta con sé anche difficoltà di integrazione e problemi di convivenza fra i cittadini. Enti pubblici e associazioni, spesso basate sul volontariato, stanno cercando di offrire un'adeguata accoglienza agli stranieri: corsi di lingua, orientamento e aiuto per necessità burocratiche, legali o sanitarie. Io penso che sia interessante sentire la voce della gente comune, quella che si incontra per strada. Ecco perché ieri sono andata in giro per il centro di Bari e ho chiesto a diversi passanti opinioni e sensazioni a proposito di questo tema. Sentiamo insieme le loro risposte.

🎧 2.16

● Ciao, sono Marica. Sono studentessa in Scienze della Formazione all'Università. Credo che questo sia un tema molto complesso, difficile da affrontare in poche battute. Comunque… ti dico così, la prima cosa che mi viene in mente… Per gli stranieri che decidono di vivere e lavorare in Italia è importante prima di tutto poter comunicare, capire e farsi capire. Quindi ritengo che abbiano bisogno di imparare prestissimo la nostra lingua. Insomma, mi sembra che la comunicazione e lo scambio si trovino alla base di una convivenza civile. Poi, secondo me, da un lato la presenza di persone di altre culture è senz'altro una cosa bella e positiva. Ma dall'altro trovo che si debba cercare anche di risolvere i problemi nei paesi di origine di queste persone. Infatti io non credo che possano continuare a emigrare tutti. Non mi pare che sia questa la strada.

● Gli stranieri, in Italia? Eh sono tanti, ormai. Io sono un vecchio pensionato, e ricordo ancora i tempi in cui noi italiani partivamo per l'estero con la valigia di cartone in cerca di fortuna. E che ti devo dire? A me pare che molti di loro vivano onestamente senza dare fastidio, anzi ci aiutano. Chi si prenderebbe cura degli anziani e delle persone malate senza le badanti straniere, ad esempio? Il problema è che molti italiani hanno paura che gli stranieri gli portino via posti di lavoro. Non è così semplice, ma in questo momento di crisi e disoccupazione non è facile per nessuno…

● Mah… senti, io sono infermiera da 25 anni e ti dico che ormai ci sono molti stranieri tra i miei colleghi. Di tutte le nazionalità, ottime persone, qualificate e brave. Nel lavoro non credo di avere difficoltà o conflitti con i colleghi stranieri. Però credo anche che il fenomeno dell'immigrazione in generale porti necessariamente a grossi problemi da risolvere: per esempio la diversità nelle tradizioni e nella religione. Forse non sarà giusto, ma mi sembra normale in fondo che la gente abbia paura di entrare a contatto con abitudini e regole di vita molto diverse e lontane. Però penso che gli stranieri stessi lo capiscano e cerchino di farsi conoscere meglio e accettare. Chissà a poco a poco troveremo il modo di conoscerci e imparare a convivere senza paure.

● Gli stranieri? Eh, sì certo. Ma come si fa? È difficile anche per noi e questi arrivano, senza lavoro, senza casa, non parlano l'italiano. Dopo ci si stupisce se aumenta la criminalità… Io non lo so… Non è che sono razzista… intendiamoci. Guarda io lavoro nei cantieri, faccio le case insomma. Tanti compagni sono stranieri e con loro non c'è problema, mi sembra. È che tanti altri hanno magari meno fortuna, o prendono una brutta strada e poi succedono i guai. Mah!

● Beh, io sono un insegnante di italiano in una scuola media. Solo nella mia classe ci sono 6 ragazzini stranieri. Non è sempre facile, eh? All'inizio bisogna comunicare a gesti e trovare il modo di motivarli e integrarli. Ma poi, quando imparano... Beh, è anche una gioia. Ma penso spesso ai loro genitori. Quanto coraggio, quanta forza devono avere. Penso che gli adulti che arrivano qui anche soli all'inizio si sentano molto isolati, lontani dalla famiglia di orgine, soli ad affrontare una vita comunque dura.

🎧 2.17

● Ma non ci posso credere!
● Cosa c'è?
● Hanno bloccato i lavori del parcheggio!
● Quello della stazione?
● Sì! E poi si lamentano che usiamo troppo la macchina...
● Forse ci sono problemi di soldi, come sempre...
● Questa è bella! Quelli se li intascano i soldi, te lo dico io!
● Ma va' là, come esageri! Vedrai che le cose si sistemeranno.
● E poi guarda: scioperi su scioperi!
● Ma quello è un altro problema!
● Sì, ma prima il parcheggio e poi anche gli scioperi... Non ne posso più!
● Ma dai, non prendertela!
● Come non prendertela? Lo sai che devo farmi tutti i giorni un'ora di viaggio per andare al lavoro e arrivo in ufficio già stanco?!
● E torni a casa già arrabbiato...
● Hai ragione, scusami tanto. Non ce l'ho con te. Sono solo un po' stressato.
● OK. D'accordo. Non ne parliamo più.

🎧 2.18

● Luca, tu lavori in un centro d'accoglienza, vero?
● Sì, sono uno dei tanti volontari.
● Ci puoi raccontare come funziona?
● Be', spero che funzioni bene, noi facciamo il possibile: cerchiamo di aiutare queste persone appena arrivano, gli diamo un alloggio, dei pasti caldi.
● Ma mi auguro che qualcuno vi dia una mano, che

non facciate tutto da soli.

● Be', devo dire che la gente spesso ci porta vestiti, cibo e anche il sindaco ci ha promesso un aiuto economico. Non vediamo l'ora che questi soldi arrivino perché ne abbiamo proprio bisogno.
● Ve lo auguriamo di cuore. In bocca al lupo!
● Crepi!

Intervallo 4
🎧 2.23

Uomo: Salve, è libero?
Donna: Sì, prego.
Uomo: Sa a che ora arriva a Milano?
Donna: Penso che arrivi alle 15.
Uomo: Lei è di Milano, vero?
Donna: No, sono di Cremona ma abito a Milano da molto tempo. Tu sei pugliese ?
Uomo: Sì, di Lecce. Vado a Milano per cercare casa, sa ho appena trovato un buon posto di lavoro e con mia moglie abbiamo deciso di trasferirci a Milano.
Donna: Eh sì, sono molte le persone del sud che si trasferiscono a Milano... è proprio un problema che non si trovi lavoro nel sud.
Uomo: Già. Penso che molti resterebbero a casa loro, ma sa, tra la criminalità e la cattiva organizzazione...
Donna: Sì, ma c'è anche da dire che adesso si pretende un po' troppo come posto di lavoro, dammi retta!
Uomo: Sicuramente è così, ma sa, da noi, non essendoci lavoro, i giovani studiano molto e quando sono laureati non si accontentano più.
Donna: Infatti, ma non hanno tutti i torti.
Uomo: E, mi dica invece... Com'è la vita a Milano?
Donna: Frenetica! C'è molto traffico e molta gente. I milanesi... sono persone che lavorano molto e la sera amano divertirsi. Ci sono molti locali e non solo per i giovani. Ma fa' attenzione, ci sono alcune delle zone della città che è meglio non frequentare di notte.
Uomo: Sì, ma penso che sia così in tutte le grandi città. E la vita è cara?
Donna: Sicuramente più che a Lecce, ma i servizi funzionano abbastanza bene.
Uomo: Crede che sia facile trovare amici? Per mia moglie dico, sa quando lavorerò non so cosa

potrà fare da sola. Tutte le sue amiche sono a Lecce.

Donna: Beh, in genere non è facilissimo fare amicizia, ma credo che tu abbia la possibilità di conoscere nuove persone sul lavoro e magari potrai organizzare qualche cena a casa tua e invitare i tuoi colleghi… penso sia un modo alquanto rapido per fare amicizia. Forse tua moglie conoscerà la moglie di qualche tuo collega e potranno diventare amiche.

Uomo: Eh, speriamo di sì.

Donna: Ma, non preoccuparti. All'inizio non sarà facile, è sempre così quando uno si trasferisce, ma poi vi abituerete alla nuova vita e potrete passare le vostre vacanze con amici e familiari a Lecce.

Uomo: Ah questo è sicuro. Comunque… la ringrazio per i consigli.

Donna: Ma figurati, non c'è di che. Mi piace dare una mano se posso.

Unità 9
🎧 2.24

- Salve, ragazzi. Posso farvi qualche domanda?
- Certo, fai pure!
- Siete in vacanza?
- Non proprio, siamo qui solo per il fine settimana. Con quel che costa la vita, bisogna risparmiare! Ma non vediamo l'ora che arrivino le ferie, quelle vere.
- Siete in albergo?
- No, abbiamo un appartamento di famiglia.
- Ah, allora le vacanze le passate sempre qui?
- Sì, perché il posto è meraviglioso e abbiamo paura che cambiare costi troppo. Poi, sai, ci dobbiamo sposare e stiamo risparmiando per la luna di miele.
- Che romantico! Allora bisogna che mi parliate un po' anche dei vostri progetti per il viaggio di nozze! Avete già pensato dove farlo?
- Diciamo di sì, io mi aspetto che sia qualcosa di molto speciale, in un luogo molto diverso dalle solite mete turistiche.
- ○ Insomma, puoi capire… vogliamo che sia indimenticabile.
- Come no?! Vi capisco bene e vi auguro che sia proprio così! E dunque a cosa pensate?
- ○ Alla Mongolia.

- Oh, sicuramente diverso. Non c'è che dire!
- Già…
- Bene, grazie per la chiacchierata, buon soggiorno e in bocca al lupo per tutto.
- Crepi!
- ○ Grazie a te, ciao.

Unità 10
🎧 2.27

- Ehi!! Ma cosa sta facendo?
- Beh, niente, perché?
- Niente? Sta scherzando? Mi sembra proprio che Lei abbia buttato una carta per terra. Ma non ci sono i cestini?
- Sì che ci sono. Mi scusi.
- Adesso immagino che Lei almeno la raccolga.
- Ma, scusi, Lei ce l'ha con me? In fondo è solo una carta. Non Le sembra di stare un po' esagerando?
- Quello che voglio farLe capire è che il parco è di tutti e bisogna tenerlo pulito. Non pensa agli altri?
- Senta, non litighiamo. Se Lei pensa che mi sia comportato male non ha tutti i torti. Le vengo incontro: ora raccolgo questa carta e non ci pensiamo più.
- Ma come si fa a sporcare un parco così bello?
- Ma come si fa a litigare con una ragazza così bella? Dai, non prendertela. Troviamo un accordo: raccolgo anche questa bottiglia di plastica che non ho buttato io e pace è fatta.
- Già, in fondo non mi pare che sia andata così male.
- Ma sì. Io sono Gianni e tu come ti chiami?
- Alessia. Piacere.

🎧 2.28

- Buongiorno.
- Buongiorno, vado a trovare i signori Righetti.
- Entri pure. Sono alla piazzola 24, qui a destra e poi dritto fino in fondo.
- Grazie.
- "Natural Village", buongiorno. Come posso esserLe utile? Mi dispiace, signora. Qui è un villaggio turistico, non un ospedale. Controlli meglio il numero…
  Buongiorno, signori. Come posso esservi utile?
- Buongiorno, abbiamo prenotato un bungalow dal 15 al 31 a nome Giansante.

- Un attimo che controllo. Giansante... Giansante... mi dispiace signori, ma qui non risulta nessun Giansante.
- Com'è possibile? Abbiamo fatto la prenotazione circa un mese fa e ci è arrivata conferma dell'avvenuta prenotazione.
- Sono spiacente signori, ma non ho...
- Senta, scusi se la interrompo, ma io ho qui la copia della conferma.
- Vedo, vedo, eppure non mi risulta... suppongo che il computer abbia commesso un errore.
- Beh, questo mi sembra proprio strano. Comunque riconosce la carta intestata del villaggio, no?
- Beh sì, ma in questo momento siamo al completo...
- Cosa? Non dirà mica sul serio?
- Sono desolato signore...
- Ma noi siamo qui con tutti i bagagli e... senta, siccome il problema lo avete creato voi, adesso dovete risolverlo!
- Ha perfettamente ragione. Ora chiamo il direttore, stia certo che riusciremo a risolvere l'inconveniente...
- Non ci posso credere!

🎧 2.29

- Questo vino è meraviglioso! Si produce soprattutto qui a Cagliari?
- No, non direi. In realtà viene prodotto in tutta la Sardegna, senza distinzioni.
- Mi sembra abbastanza forte, no? Quanti gradi ha?
- Eh, intorno ai 13. È meglio che non lo beva a stomaco vuoto, potrebbe girarLe la testa. Aspetti che Le do un po' di pane e del pecorino sardo. Sa, i formaggi stagionati e la carne vanno molto d'accordo con il Cannonau. Assaggi, assaggi!
- Grazie Lei è troppo gentile. Intanto Le faccio un'altra domanda: a che temperatura lo dobbiamo bere?
- Beh, è necessario che non superi i 18 gradi. Sì, direi che fra i 16 e i 18 è la temperatura ideale. Ed è importante che si stappi sempre un'ora prima di servirlo.
- Senta, un'ultima cosa: da dove viene il nome Cannonau?
- Ma, Le dico, è molto probabile che il Cannonau sia una varietà spagnola introdotta tra il quindicesimo e sedicesimo secolo, durante la dominazione degli spa-

gnoli e che quindi il nome abbia origine proprio da lì.
- Bene, allora grazie di tutto e...
- Aspetti! Prima che se ne vada Le voglio regalare una bottiglia. È un ricordo della nostra Sardegna.
- Oh, grazie! Molto gentile.

🎧 2.30

1. Lavoro in un'agenzia di viaggi da quattro anni, faccio il consulente di vendita. Il lavoro è un po' faticoso, però mi piace perché più che altro sono a contatto col pubblico... e poi, comunque sia mi piace molto viaggiare e mi piace consigliare dove andare nei viaggi, ecco. Durante il tempo libero mi piace giocare a scacchi, guardare molta TV, leggere molti giornali sportivi... e più che altro anche andare a giocare a pallone ogni tanto, anche se la mia ragazza non è che sia molto... sia molto d'accordo con questo.

2. Donna: Sono un'insegnante di italiano..., eh... da un po' di anni, perché mi piace il contatto con le altre persone, mi piace poter dare qualcosa agli studenti. Ho studiato qui, a Bologna all'università e qui ho deciso cosa fare poi nella mia vita. Nel tempo libero, poco adesso in realtà, mi occupo... beh prima del mio bimbo, che ha quasi un anno. E poi quando lui non urla, non piange o non vuole la mamma, faccio cruciverba, viaggiamo, viaggio, poco ormai eh dipingo, perché mi piace tanto disegnare.

Uomo: Sono un ingegnere elettronico, e lavoro in un laboratorio dove si provano elettrodomestici e apparecchi medicali. Mi occupo di verifiche e prove di compatibilità elettromagnetica e di sicurezza elettrica. Nel tempo libero costruisco aeromodelli che poi collaudo nell'aeroporto vicino a casa mia.

3. Io sono un veterinario, il lavoro mi impegna molto e quindi ho poco tempo libero.
Appena posso però vado in bicicletta, anche se andare per il traffico di Napoli non è molto facile.
Ehm... suono anche la chitarra, sono molto bravo. La mia... il mio cantante preferito? Pino Daniele naturalmente.

4. Uomo: Allora il mio tempo libero lo passo a leggere i libri. Poi mi occupo... c'ho un giardino a casa di cui devo curare molto... litigo sempre con mia moglie perché voglio tagliare l'erba e lei non me la fa tagliare perché dice che non sto con lei. E quindi è sempre molto difficile riuscire a tagliare quest'erba di 'sto prato. E poi mi piace andare in bicicletta...

Donna: Allora, nel mio tempo libero leggo: sono un'avida lettrice. Poi sto imparando a suonare la fisarmonica... e poi viaggio. Cerco di viaggiare appena c'ho i soldi per farlo.

Test finale

🎧 2.32

Comprensione globale

● Ciao Lucia... Ma sei ancora in ufficio?

● Già... ho paura che questa sia stata la settimana più difficile dell'anno. Al ritorno dal mio viaggio ho trovato mille cose da fare... non ce la faccio più.

● Dai, non lamentarti troppo. Prima di fare questo lavoro ti annoiavi, no?

● Può darsi... Avevi bisogno di qualcosa?

● Eh sì... mi dispiace disturbarti, ma... potresti guardare nella mia agenda per favore: non ricordo se domani ho un appuntamento nel pomeriggio...

● Ma come si fa ad essere come te? Non puoi ricordarti di prendere l'agenda quando esci dall'ufficio?

● Dai, non prendertela: con una collega come te, sempre così efficiente, non ho mai problemi se mi dimentico qualcosa. Dammi una mano, dai...

● Allora, ascoltami: hai un appuntamento domani alle 15 e 30, qui in ufficio. E così te la cavi bene anche questa volta.

● Grazie. Penso proprio che tu sia una amica più che una collega.

● Sì, sì, scherza tu. Portami un regalo, invece.

● Ma sai che te l'ho preso il regalo? Ora però mi dispiace che tu mi abbia scoperto! Volevo farti una sorpresa. Guarda che non è una cosa immensa, eh?...

● Beh, è il pensiero che conta. Bene, dai ora ti lascio se no, non vado più a casa stasera. E non dimenticare l'appuntamento. Ciao, ciao, ciao!

● A domani. Ciao.

🎧 2.33

Comprensione dettagliata

Parte 1

1. ● Da oggi è possibile comprare i biglietti all'ultimo minuto a prezzo ridotto.

   ● Dov'è questo servizio?

   ● A Roma c'è il botteghino *last minute* che vende i biglietti di 17 teatri e si può risparmiare fino al 50% sui biglietti d'ingresso.

   ● Grande! Perché non andiamo a teatro stasera?

2. ● Com'è il tenore di vita al Sud?

   ● Non è molto elevato, ma i servizi stanno migliorando e lo sviluppo è sostenibile.

3. Da stasera fino a domani alle 21 sciopero nazionale dei trasporti.

   Questo il calendario delle proteste: fermi i treni per tutta la durata dell'agitazione, mentre i trasporti pubblici urbani si fermeranno dalle 8 e 30 alle 14 e 30 e dalle 19 e 30 fino alla fine del servizio. Per informazioni telefonare al call center 8902121 o visitate il sito www.ministerodeitrasporti.it.

🎧 2.34

Parte 2

4. ● Buongiorno signora Fedrizzi, ma sono poi arrivati i nuovi vicini?

   ● Sì, un ragazzo e una ragazza, ma non sono sposati. Credo che siano una coppia di fatto.

5. ● Vorrei prendere in affitto un piccolo appartamento a Cefalù dal 10 al 19 agosto: siamo solo in due.

   ● Le consiglio questo bellissimo bilocale a due passi dal mare. Ma non è possibile per dieci giorni. L'appartamento è libero da sabato a sabato.

   ● Allora lo fissi dall'11 al 18.

6. ● Buongiorno. Come posso esserLe utile?

   ● Buongiorno. Ho prenotato un appartamento a nome Sivieri.

   ● Sivieri... un momento... Mi dispiace, signora, ma qui non mi risulta.

   ● Come è possibile? Sono andata ieri in agenzia e mi hanno dato conferma dell'avvenuta prenotazione. Eccola.

   ● Ah sì, ora capisco l'equivoco. Risulta la prenotazione a nome dell'agenzia, perché la prenotazione è soltanto di ieri e non ho ancora scritto tutto. Si ricorda il nome dell'agenzia?

   ● Sì, certo, è la "Avventura Viaggi" di Udine.

   ● Ecco: tutto risolto. Ora scrivo anche il suo nome, così non avrà più problemi...

Istruzioni, testi e informazioni

GIOCHI DI RUOLO NELLE UNITÀ

Unità 2

Sezione F, pagina 29

Dopo aver scelto insieme la situazione che vi interessa di più, leggi qui il ruolo corrispondente.

1. **Ruolo B:** un papà (o una mamma) cerca una baby-sitter esperta. Per l'appuntamento vanno bene solo il sabato e la domenica.

2. **Ruolo B:** la signora (o il signor) Ferlini cerca una segretaria. Risponde alla telefonata della persona che ha letto il suo annuncio e spiega che può dare un appuntamento solo il pomeriggio dalle 15 alle 17. La segretaria deve essere disposta a fare anche gli straordinari.

3. **Ruolo B:** la signora (o il signor) Cassani che cerca una barista (o un barista) per la sera dalle 17 alle 21 può incontrare il candidato (o la candidata) solo la mattina fino alle 13.

Unità 5

Sezione B, pagina 57

Dopo aver fissato insieme le caratteristiche di un posto di lavoro che conoscete abbastanza bene, preparati seguendo questi punti.

Ruolo B:

- dire qualcosa all'inizio per iniziare in modo piacevole e mostrarti rilassato/a
- rispondere sulla tua formazione scolastica, e sulle tue esperienze di lavoro
- spiegare perché ti senti molto adatto/a al posto di lavoro offerto
- fare una domanda sul posto di lavoro che dimostra curiosità e interesse, ma far capire comunque che hai già le informazioni di base sul posto
- rispondere a domande anche personali o un po' "strane".

Unità 7

Sezione B, pagina 81

Ruolo B: un collega (o una collega), arrivato/a da poco in città, ti chiede informazioni. Hai pochissimo tempo perché stai chiudendo un lavoro importante, ma decidi di aiutarlo/a ugualmente. Preparati a dare informazioni utili sulla città. Usa la forma del tu. A pagina 81 trovi espressioni utili per il tuo ruolo.

GIOCHI DEGLI INTERVALLI

Intervallo 1

Gioco a punti, pagina 33

Materiale necessario: una tabella segnapunti disegnata alla lavagna.

Descrizione: vince chi conquista più punti, rispondendo bene a delle domande.

Preparazione: scegliete nel gruppo due studenti per il ruolo di "giudice arbitro", questi formano la "giuria" insieme all'insegnante, che è il "presidente della giuria". Fra gli altri studenti, formate due squadre. Ogni squadra deve preparare due domande per ogni categoria indicata nel tabellone a pag. 33.

Esempi di domande:

- per la categoria "musica": "Che tipo di musica è *Il Rigoletto*?
- per la categoria "ricordi": "Ricordi quali erano le macchine più famose negli anni '60?"

Per iniziare: un rappresentante di ogni squadra apre il libro a caso, la squadra che ha trovato il numero più alto inizia a rispondere alla prima domanda degli avversari. Poi si procede alternativamente. La squadra che deve rispondere sceglie la categoria per la domanda.

Punteggio: per ogni risposta si possono guadagnare al massimo 6 punti, sia per la correttezza del contenuto che per la correttezza linguistica. Ogni membro della giuria può attribuire a ogni risposta da 0 a 2 punti, che si sommano.

Intervallo 2

La corsa la ripasso, pagina 55

Materiale necessario: un libro aperto a pagina 55, un dado e tanti segnaposto quanti sono i gruppi concorrenti e un cronometro o una clessidra da 3 minuti.

Descrizione: vince il gruppo che per primo **taglia il traguardo**, cioè **va oltre** la casella numero 15, invece il gruppo che arriva esattamente sulla casella 15 deve ricominciare il giro.

Preparazione: formate dei gruppi di due o tre persone che giocano insieme contro gli altri gruppi.

Per iniziare: ogni gruppo lancia il dado e si inizia a giocare seguendo l'ordine crescente dei numeri che escono, cioè il numero inferiore inizia prima. Poi si lancia e si avanza del numero di caselle corrispondente. Ecco i compiti dei vari tipi di caselle:

Dado: lanciate un'altra volta il dado e avanzate ancora.

Stop: state fermi un turno.

Testo: reagite come indicato nella casella.

Fate un dialogo: preparate un dialogo relativo al luogo raffigurato nell'immagine per drammatizzarlo davanti agli altri. Tempo per la preparazione: 3 minuti.

Intervalli 3 e 4

Gioco a tempo, pagina 77 e pagina 99

Materiale necessario: un orologio o un cronometro.

Descrizione: la classe si divide in due squadre e ogni squadra deve fare tutto quello che c'è scritto nelle 9 caselle nel minor tempo possibile ed entro il tempo massimo che è di 30 minuti. Quando ritiene di aver finito, ogni squadra presenta le sue soluzioni all'insegnante che registra il tempo di consegna della squadra.

Punteggio: l'insegnante controlla tutte le soluzioni e assegna 3 minuti di penalità per ogni compito che non è stato eseguito correttamente. Quindi calcola il tempo assoluto sommando al tempo reale di consegna il tempo di penalità per gli esercizi sbagliati. Vince la squadra con il minor tempo assoluto.

TESTI E INFORMAZIONI

In questa sezione trovate testi di riferimento e informazioni utili per confrontare le vostre ipotesi di soluzione nelle attività più legate alla cultura e alla civiltà italiana.

Bentornati, Foto dall'Italia, pagina 9

Le sei foto rappresentano i seguenti luoghi, andando da destra a sinistra e dall'alto in basso:

I Fori imperiali, Roma; San Gimignano, Toscana; Piazza del Campo, Siena; Palazzo dei Consoli, Gubbio, Umbria; Cortina d'Ampezzo, Veneto; paesaggio della costa nei pressi di Gela, Sicilia.

Unità 1 – Sono famosi, Cantautori genovesi, pagina 20

L'autore della canzone di pagina 20 è Ivano Fossati. Il titolo è *Mio fratello che guardi il mondo.* Il testo della canzone è stato riprodotto per gentile concessione delle Ed. Musicali IL VOLATORE Srl.-Leivi. Riproduzione vietata.

Unità 2 – Sono famosi, Calcio, moda e cultura a Milano, pagina 30

- **Dario Fo:** è nato a San Giano, in provincia di Varese, nel 1926. / Ha inventato una specie di nuova lingua, il *"gramelot"*, per raccontare usando un insieme di dialetti differenti. / È sposato da più di 40 anni con Franca Rame, sua compagna come attrice anche sul palcoscenico.

- Mariuccia Mandelli, in arte **Krizia:** i suoi abiti hanno uno stile esclusivo ed elegantissimo anche se estremamente semplice.

- **Paolo Maldini** è nato il 26 giugno 1968 a Milano. / Dal 1994 è sposato con Adriana, una modella venezuelana, e ha due figli, Daniel e Christian.

Intervallo 1, Un po' di geografia, pagina 32

L'Italia è una penisola che si estende, a sud delle Alpi, nel Mare Mediterraneo. Dal 1870 la capitale è Roma. La città eterna è diventata capitale d'Italia durante il Regno d'Italia. Prima di Roma anche Torino e Firenze erano state capitali per un breve periodo. Lo Stato italiano conta circa 58 milioni di abitanti, per una densità di 195 abitanti per chilometro quadrato. Per la politica amministrativa l'Italia è divisa in 20 regioni, di cui 5 a statuto speciale. Le regioni sono a loro volta divise in 110 province. Per la sua particolare forma l'Italia è chiamata anche *"lo stivale"*. Ci sono due grandi isole che corrispondono anche a due regioni: la Sicilia e la Sardegna. Il mare che si trova a est è il mar Adriatico, a sud-est abbiamo il mar Ionio, a ovest, tra la penisola e la Sicilia, il mar Tirreno e a nord-ovest si estende il mar Ligure. Le catene montuose occupano una grande parte del territorio. Le Alpi italiane hanno una lunghezza di circa 1.000 km. La vetta più alta è il Monte Bianco che con i suoi 4.810 m è la montagna più alta d'Italia, seguita dal Monte Rosa (4.637 m) e dal Cervino. A sud delle Alpi si estende la Pianura Padana, una grande distesa alluvionale formata dal fiume Po. La catena degli Appennini, invece, attraversa tutta la penisola dalla Liguria alla Calabria, e la sua montagna più alta è il Gran Sasso (2.912 m). In Italia ci sono anche molti vulcani: l'Etna che con i suoi 3.323 m è il vulcano più alto d'Europa, il Vesuvio vicino a Napoli, e lo Stromboli.

Unità 3 – Sono famosi

Dedicato alla pittura italiana, pagina 42

Il canto d'amore di Giorgio De Chirico; *La nascita di Venere* di Sandro Botticelli; *La battaglia di San Romano* di Paolo Uccello; *Natura morta con bottiglia e bicchieri* di Giorgio Morandi.

Intervallo 2, Un po' di storia, pagina 54

L'Italia moderna è nata il 17 marzo 1861, quando la maggior parte degli stati della penisola, la Sicilia e la Sardegna sono state riunite sotto il re di Savoia grazie all'azione politica del primo ministro del re, Camillo Benso Conte di Cavour, e a quella militare dell'eroe nazionale Giuseppe Garibaldi.

Rimaneva ancora esclusa Roma, che era sotto il controllo del Papa, ma grazie a una veloce guerra, il 20 settembre 1870 anche l'attuale capitale è passata a far parte dello Stato Italiano.

Nel 1929, con i Patti lateranensi, il Papa ha ottenuto il controllo su un territorio autonomo dentro Roma: lo Stato del Vaticano. Un altro stato autonomo dentro ai confini italiani è la città di San Marino.

Dopo la prima guerra mondiale l'Italia ha attraversato uno dei momenti più tragici della sua storia: la salita al potere di Benito Mussolini e oltre vent'anni di dittatura fascista, caduta alla fine della seconda guerra mondiale.

Il 2 giugno 1946, gli italiani hanno votato in maggioranza a favore della forma di stato repubblicana, in un referendum che ha sancito la fine della monarchia. A partire dal 1° gennaio 1948 è entrata in vigore anche la costituzione dello Stato italiano.

L'Italia di oggi è membro fondatore della NATO e dell'Unione Europea e ha partecipato a tutti i principali trattati per l'unificazione dell'Europa, inclusa l'adesione alla moneta comune (l'Euro) nel 1999.

Unità 6, Le parole dell'autore, pagina 70

Quando nel 1993, scrissi *Branchie*, ero ancora uno studente di Biologia all'Università di Roma. Mi **mancava** poco alla fine, qualche esame (chiaramente i più duri e l'agognata laurea).

Stavo tutto il giorno in facoltà, in un **laboratorio** di neurobiologia, a fare gli esperimenti che mi sarebbero serviti per una tesi intitolata *Rilascio di Acetilcolinesterasi in neuroblastoma* (chiaro?).

Il tempo passava, i miei compagni si laureavano, **si sposavano**, trovavano lavoro, morivano e io continuavo a stare là dentro. Alcuni ormai, mi scambiavano per un bidello.

La tesi, dopo una decina di pagine, smetteva bruscamente di parlare di neuroni, sinapsi e neuromediatori e **raccontava** una storia di pesci e di fogne e di malvagi chirurghi estetici. *Branchie* nasce come un tumore (maligno?) di una tesi in biologia.

Non mi sono mai laureato, chiaramente (con costernazione dei miei parenti e infinito sollievo dei miei insegnanti) ma almeno ho pubblicato *Branchie*. Uscì in sordina. A Roma si trovava in tre librerie. Se ne stava là, sullo scaffale, tra tanti altri con la sua copertina **colorata**. Fu comprato dai miei compagni di scuola e da chi mi voleva **bene**.

[Da N. Ammaniti, *Branchie*, © Einaudi 1997]

Unità 6 – Sono famosi, Donne di Roma, pagina 74

Le frasi sono nell'ordine di Gabriella Ferri, Sabrina Ferilli, Anna Magnani e Paola Cortellesi.

Intervallo 4, Un po' di economia, pagina 98

L'Italia ha un'economia industriale: la maggioranza delle grandi **aziende** si trova nel nord e nel centro del paese, mentre nel sud la **produzione** è principalmente di tipo agricolo e **turistico**. Queste attività però non riescono a dare lavoro a tutta la popolazione in età lavorativa. Nel sud la **disoccupazione** è intorno al 20% mentre nel nord è del 4% circa.

L'**economia** italiana è formata soprattutto da piccole e medie **imprese**: le poche grandi imprese che ci sono appartengono normalmente alle famiglie dei fondatori, pensiamo ad esempio alla Fiat, oppure sono gestite da gruppi stranieri. Anche in campo **finanziario**, le dimensioni delle banche italiane sono sicuramente inferiori in confronto ai grandi gruppi europei.

La maggior parte delle **materie** prime e dell'energia è importata da altri paesi. In Italia, infatti, non ci sono grandi giacimenti di materie prime. C'è invece una grande produzione **artigianale** che va dai prodotti alimentari alla moda, con una qualità e una cura dei dettagli altissima. Questo settore è conosciuto e identificato in tutto il mondo con l'espressione **Made in Italy**.

Unità 10 – Sono famosi, La biografia di Paolo Fresu, pagina 118

È nato il 10 febbraio 1961 a Berchidda, in Sardegna. Ha cominciato a suonare a undici anni nella Banda Musicale "Bernardo de Muro" di Berchidda, suo paese natale. Dopo alcune esperienze di musica leggera ha scoperto il jazz. Si è diplomato nel 1984 presso il Conservatorio musicale di Cagliari, per lo strumento della tromba, e ha frequentato la facoltà universitaria del "DAMS - sezione musica" presso l'Università di Bologna. Ha inciso oltre 230 dischi e ha dato più di 2.500 concerti in tutto il mondo. Vive tra Bologna, Parigi e la Sardegna.

L'atmosfera di questi luoghi, così come la sonorità della banda del suo paese, l'amore per il jazz e per le piccole cose sono elementi fondamentali che combinati insieme formano la magia della sua arte. La sua tromba è uno dei simboli della *"nouvelle vague"* del jazz europeo, nel cui suono troviamo la profondità di un pensiero non solo musicale, e l'autentica passione che lo sorregge da sempre.

Grammatica per unità

I tempi del passato – uso dell'imperfetto e del passato prossimo

L'**imperfetto** *si usa per parlare di:*	
un'azione abituale e ripetitiva, non definita nel tempo o nella durata,	Si **andava** tutte le estati a Pocol.
caratteristiche di persone o cose,	**Aveva** quattro anni. **Eravamo** tutti genovesi.
fatti di durata indeterminata,	Fabrizio **aveva** una banda musicale.
un'intenzione vaga, non determinata.	**Pensavo** di andare all'acquario…
*Anche dopo **mentre** si usa normalmente l'imperfetto.*	Mentre lei **cantava** …

Il **passato prossimo** *si usa:*	
se l'azione è inclusa in uno spazio di tempo determinato,	**Per vent'anni ci siamo visti** tutti i giorni.
quando si indica il momento preciso di un fatto,	**Alla fine è caduto** il microfono.
per esprimere un'azione che si inserisce in un'altra iniziata prima.	Mentre lei cantava, **si è spento** un faretto.

Il *ne* partitivo

*Il **ne** partitivo si usa quando parliamo di una quantità, di una parte del tutto.*	● Quante mele hai preso? ● **Ne** ho prese due.
*Quando il **ne** partitivo accompagna il passato prossimo, il participio passato si accorda con il sostantivo sostituito da **ne**.*	● Quanta **acqua** hai usato? ● Ne ho usat**a** molt**a**. ● Quanti spicchi di aglio hai usato? ● Ne ho usat**i** due.
Se la quantità è accompagnata da un sostantivo, l'accordo è facoltativo.	● Quanto aglio ha usato? ● Ne ha usat**o** tre spicchi. ● Ne ha usat**i** tre spicchi.

Mentre, durante, allora, quando

Mentre *accompagna un verbo,*	**Mentre** lei cantava ...
durante *un sostantivo.*	**Durante** il concerto ...
Allora *si riferisce a un periodo del passato di cui si è già parlato.*	Ho visto il primo concerto nel 1980. **Allora** ai concerti andavamo presto.
Quando *nei significati "ogni volta" e "mentre" richiede l'imperfetto,*	Mi ricordo **quando** tutte le persone **cantavano** nel buio.
se invece significa "nel momento in cui" il passato prossimo.	... **quando** il gruppo **è entrato** sul palco.

Perché, siccome, perciò

Per esprimere la causa di un'azione usiamo:	
siccome, *se la frase che indica la causa è all'inizio,*	**Siccome** piove, prendo l'ombrello.
perché, *se la frase che indica l'azione è all'inizio.*	Prendo l'ombrello **perché** piove.
Tra la frase che esprime la causa e quella che esprime la conseguenza può stare solo **perciò.**	Piove, **perciò** prendo l'ombrello.

Unità 2

Il condizionale semplice – forme regolari

	comprare	leggere	partire	
(io)	comprere**i**	leggere**i**	partire**i**	*Il condizionale semplice si forma aggiungendo all'infinito le desinenze in neretto.*
(tu)	comprere**sti**	leggere**sti**	partire**sti**	
(lui/lei)	comprere**bbe**	leggere**bbe**	partire**bbe**	
(noi)	comprere**mmo**	leggere**mmo**	partire**mmo**	*Attenzione! Nei verbi in* **-are** *la* **a**
(voi)	comprere**ste**	leggere**ste**	partire**ste**	*dell'infinito diventa* **e**:
(loro)	comprere**bbero**	leggere**bbero**	partire**bbero**	comprare ➛ comprere-i

Particolarità: i verbi in -care, -gare e i verbi fare, stare, dare

	pagare	fare
(io)	pag**h**erei	farei
(tu)	pag**h**eresti	faresti
(lui/lei)	pag**h**erebbe	farebbe
(noi)	pag**h**eremmo	faremmo
(voi)	pag**h**ereste	fareste
(loro)	pag**h**erebbero	farebbero

*I verbi che finiscono in -**care** e -**gare** prendono una **h** in tutte le persone.*

*I verbi **fare**, **stare** e **dare** mantengono la **a** dell'infinito:*
farei, starei, darei, *ecc.*

Il condizionale semplice – forme irregolari

	essere	potere	venire
(io)	sarei	potrei	verrei
(tu)	saresti	potresti	verresti
(lui/lei)	sarebbe	potrebbe	verrebbe
(noi)	saremmo	potremmo	verremmo
(voi)	sareste	potreste	verreste
(loro)	sarebbero	potrebbero	verrebbero

*Il verbo **essere** è, come sempre, irregolare.*
*Il verbo **potere** perde la prima **e** dell'infinito:* pot**e**re → potrei.

*Il verbo **venire** perde le ultime quattro lettere dell'infinito e forma il condizionale con due **r**:*
ve**nire** → ve**rr**ei

*Come **potere** si coniugano i verbi **andare, avere, dovere, sapere, vedere** e **vivere**.*

*Come **venire** si coniugano i verbi **bere** (**berrei**), **rimanere** (**rimarrei**), **tenere** (**terrei**) e **volere** (**vorrei**).*

Uso del condizionale semplice

Il condizionale semplice si usa per esprimere:	
desideri o intenzioni nel presente o nel futuro,	**Vorrei** un lavoro. **Leggerei** comunque gli annunci.
una probabilità, possibilità,	Tutto **sarebbe** perfetto.
chiedere qualcosa in modo cortese,	**Potrebbe** ripetere?
esprimere opinioni e dare consigli in modo cortese e meno diretto.	Al tuo posto **partirei** subito. **Potresti** provare a convincere Laura.

La particella pronominale *ne*

Usiamo la particella pronominale **ne** *al posto di un'espressione o parte di frase introdotta dalla preposizione* **di**.	Sarei felice **di lavorare per una grande ditta**. → **Ne** sarei davvero felice. Abbiamo bisogno **di una segretaria**. → **Ne** abbiamo bisogno subito.
In questa funzione il **ne** *non cambia la finale del participio passato*.	Hanno parlato **della riunione**? Sì, **ne** hanno parlato.

Ci vuole, ci vogliono, occorre, bisogna, avere bisogno di

Ci sono diversi modi di esprimere la necessità:	
ci vuole + *sostantivo singolare,* **ci vogliono** + *sostantivo plurale;*	**Ci vuole** molta esperienza. **Ci vogliono** venti minuti.
occorre + *sostantivo singolare,* **occorrono** + *sostantivo plurale;*	**Occorre** una buona conoscenza dell'inglese. **Occorrono** molte persone qualificate.
bisogna *è sempre seguito da un verbo all'infinito;*	**Bisogna** essere disponibili.
avere bisogno di *si usa quando si vuole indicare anche la persona che ha la necessità, il sostantivo che segue è al singolare o al plurale.*	**Abbiamo bisogno di** una segretaria. **Ho bisogno di** informazioni.

Unità 3

Il condizionale passato – forme

	fare	andare	
(io)	avrei fatto	sarei andato/-a	*Il condizionale passato (o composto) si forma con il condizionale semplice degli ausiliari* **avere** *o* **essere** *e il participio passato del verbo che esprime l'azione.* *Con l'ausiliare* **essere** *il participio si accorda con il soggetto.*
(tu)	avresti fatto	saresti andato/-a	
(lui/lei)	avrebbe fatto	sarebbe andato /-a	
(noi)	avremmo fatto	saremmo andati/-e	
(voi)	avreste fatto	sareste andati/-e	
(loro)	avrebbero fatto	sarebbero andati/-e	

Uso del condizionale passato

Il condizionale passato si usa per:	
esprimere desideri che non si sono realizzati nel passato,	Ci **sarei andata**, ma c'erano lunghissime file.
o che non si possono realizzare nel presente e nel futuro.	Oggi/Domani **sarei venuto** con voi, ma devo lavorare.

Le forme di *bello* e *quello* davanti al nome

Davanti al nome, **quello** *e* **bello** *si comportano come l'articolo determinativo e le preposizioni articolate.*	Hai visto	**quel** film? **quell'**albergo? **quello** spettacolo? **quella** mostra? **quell'**opera? **quei** film? **quegli** studenti? **quegli** orecchini? **quelle** collane? **quelle** anfore?

Gli aggettivi *quello* e *bello* – schema delle forme

maschile	**singolare**	**plurale**
davanti a **consonante**	quel / bel	quei / bei
davanti a **vocale**	quell' / bell'	quegli / begli
s + consonante – z – ps – gn – x – y	quello / bello	quegli / begli

femminile	**singolare**	**plurale**
davanti a **consonante**	quella / bella	quelle / belle
davanti a **vocale**	quell' / bell'	quelle / belle

I pronomi combinati – forme

Pron. Indiretto +	lo	la	li	le	ne
mi	me lo	me la	me li	me le	me ne
ti	te lo	te la	te li	te le	te ne
gli le Le	glielo	gliela	glieli	gliele	gliene
ci	ce lo	ce la	ce li	ce le	ce ne
vi	ve lo	ve la	ve li	ve le	ve ne
gli	glielo	gliela	glieli	gliele	gliene

La posizione dei pronomi combinati

Di solito i pronomi combinati stanno prima del verbo ma dopo la negazione.	Beh, **ce lo** chiedono sempre. Non **ce lo** chiedono mai.
Con un verbo all'infinito il pronome segue il verbo e forma con esso una sola parola.	Penso di dir**glielo** presto.
Con i verbi modali + infinito il pronome può stare prima del gruppo verbale o dopo.	Posso farle qualche domanda? Certo, **me ne** può fare / può far**mene** quante ne vuole.

Serve / servono, basta / bastano

Questi verbi si usano in genere solo alla 3ª pers. singolare o plurale. La 3ª singolare se il sostantivo a cui si riferiscono è al singolare, la 3ª plurale se il sostantivo è al plurale.	Ci **serve** un set di posate. Ci **servono** quattro piatti. Il denaro non **basta** mai. I soldi non **bastano** mai.

Unità 4

Il futuro semplice – forme regolari

	comprare	leggere	partire	
				Il futuro semplice si forma aggiungendo le desinenze in neretto all'infinito che perde l'ultima vocale:
io	comprer**ò**	legger**ò**	partir**ò**	leggere → legger**ò**
tu	comprer**ai**	legger**ai**	partir**ai**	
lui/lei	comprer**à**	legger**à**	partir**à**	*Attenzione! Nei verbi in **-are** la **a***
noi	comprer**emo**	legger**emo**	partir**emo**	*dell'infinito diventa **e**:*
voi	comprer**ete**	legger**ete**	partir**ete**	comprare → comprer-ò
loro	comprer**anno**	legger**anno**	partir**anno**	

Particolarità: i verbi in *-care*, *-gare* e i verbi *fare, stare, dare*

	pagare	fare	
(io)	pag**h**erò	farò	*I verbi che finiscono in **-care** e **-gare** prendono una **h** in tutte le persone.*
(tu)	pag**h**erai	farai	
(lui/lei)	pag**h**erà	farà	*I verbi **fare**, **stare** e **dare** mantengono la **a** dell'infinito:*
(noi)	pag**h**eremo	faremo	**farò, starò, darò**, ecc.
(voi)	pag**h**erete	farete	
(loro)	pag**h**eranno	faranno	

Il futuro semplice – forme irregolari

	essere	potere	venire
(io)	sarò	potrò	verrò
(tu)	sarai	potrai	verrai
(lui/lei)	sarà	potrà	verrà
(noi)	saremo	potremo	verremo
(voi)	sarete	potrete	verrete
(loro)	saranno	potranno	verranno

Il verbo **essere** *è, come sempre, irregolare.*
Il verbo **potere** *perde la prima* **e** *dell'infinito:*
pot**e**re ➤ potrò.

Il verbo **venire** *perde le ultime quattro lettere dell'infinito e forma il futuro con due* **r:**
ve**nire** ➤ ve**rr**ò

Come **potere** *si coniugano i verbi* **andare, avere, dovere, sapere, vedere** *e* **vivere.**

Come **venire** *si coniugano i verbi* **bere** (**berrò**), **rimanere** (**rimarrò**), **tenere** (**terrò**) *e* **volere** (**vorrò**).

Il *si* impersonale

Al si impersonale può seguire un verbo alla 3ª persona singolare o plurale.

Si usa la 3ª persona singolare se:
non c'è un oggetto,
l'oggetto diretto è al singolare,
l'oggetto è preceduto da una preposizione.

Si usa la 3ª persona plurale se l'oggetto diretto è al plurale.

In quale città si **mangia** di più?
Per Natale si **mangia** il panettone.
Si **sta** con gli amici.

Quando si **mangiano** i tortellini?

L'imperfetto e il passato prossimo con i verbi modali

Con i verbi modali usiamo il passato prossimo se siamo sicuri che un'azione è accaduta o non è accaduta,

l'imperfetto se non ne siamo sicuri.

Ho dovuto lavorare tutto il giorno.
Non **ho potuto** fare i compiti.
Ha voluto mangiare alle sette.

A che ora **doveva** finire di lavorare?
Ma non **voleva** essere da noi alle sette?

Il passato prossimo dei verbi modali – scelta dell'ausiliare

Quando il verbo modale accompagna un verbo transitivo, il passato prossimo si forma con **avere**,	Non **ha** potuto **fare** i compiti.
quando accompagna un verbo intransitivo, il passato prossimo si forma con **essere**.	Non **sono** potuta **uscire**.
Con i verbi riflessivi la scelta dell'ausiliare dipende dalla posizione del pronome.	**Mi sono** dovuta alzare presto. **Ho** dovuto alzar**mi** presto.

Unità 5

Il periodo ipotetico di primo grado

Il periodo ipotetico di primo grado esprime una condizione e una conseguenza probabili e realizzabili nel presente o nel futuro. *Si possono trovare le seguenti combinazioni di tempi:*	
indicativo presente + indicativo presente,	Se tu **fai** la fila, io **vado** a prendere qualcosa da mangiare.
indicativo presente + futuro semplice,	Se mi **ami** lo **farai**!
futuro semplice + futuro semplice,	Se **avrò** tempo **verrò**.
indicativo presente + imperativo.	Se **hai** tempo **chiamami**!

Uso di *se* e *quando*

Se *introduce una condizione e significa "nel caso che, a condizione che".*	**Se** ho tempo vengo.
Quando *si riferisce al momento di un'azione o alla sua frequenza e significa "nel momento in cui", "ogni volta che".*	**Quando** fai così, non ti sopporto!

Il futuro composto – forme

	fare	andare	
(io)	avrò fatto	sarò andato/-a	*Il futuro composto si forma con il futuro semplice degli ausiliari **avere** o **essere** e il participio passato del verbo che esprime l'azione.*
(tu)	avrai fatto	sarai andato/-a	
(lui/lei)	avrà fatto	sarà andato /-a	
(noi)	avremo fatto	saremo andati/-e	*Con l'ausiliare **essere** il participio si accorda con il soggetto.*
(voi)	avrete fatto	sarete andati/-e	
(loro)	avranno fatto	saranno andati/-e	

Uso del futuro composto

*Il futuro composto esprime un'azione futura che si realizza prima di un'altra, anch'essa futura, ed è introdotto da espressioni come **appena, dopo che, quando**.*	**Dopo che avrà fatto** colazione, comincerà il giro turistico. **Appena** si **sarà alzata**, farà colazione.

I pronomi combinati – accordo con il participio passato

Anche con i pronomi combinati il participio passato si accorda con il pronome diretto.	Dov'è la Sua scheda? Gliel'(glie**la**) ho dat**a** poco fa. Ci ha dato i Suoi numeri di telefono? Sì, glie**li** ho scritt**i** sul foglio.

Che + nome o aggettivo

*Usiamo **che** per rafforzare la parola che segue:*	
che + *nome*	Mamma mia, **che fila**!
che + *aggettivo*	**Che bello**! **Che bella** quella mostra!
*Possiamo usare **che** anche al posto di **quale/quali** come pronome interrogativo.*	**Che** informazioni abbiamo? **Quali** informazioni abbiamo?

I pronomi relativi *che* e *cui*

I pronomi relativi **che** *e* **cui** *sono invariabili.*	
Che *non è accompagnato da preposizione.*	Sono le materie **che** mi interessano di più.
	Ecco gli oggetti **che** ho comprato.
Cui *è preceduto da preposizione.*	Ti presento l'amica **di cui** ti ho parlato.
	È un negozio **in cui** puoi comprare scarpe bellissime.

Uso di *andare* e *venire*

Il verbo **venire** *può esprimere:*	
provenienza, allontanamento da un luogo,	**Vengono** dagli Stati Uniti.
il dirigersi verso il luogo in cui si trova la persona con cui parliamo.	A Venezia **veniamo** spesso. (*Si parla con qualcuno che si trova nella zona di Venezia.*)
	Carla, allora **vengo** da te domani.
Quando la direzione del movimento è di allontanamento dalla persona con cui si parla, si usa invece **andare**.	**Andiamo** spesso in Italia. Io **vado** soprattutto a Venezia. (*Si parla con qualcuno che non si trova in Italia.*)
In presenza di **con** + *pron. personale, si userà con altissima probabilità:* **venire + con me, te, noi, voi**	Gianni, **vieni** con me stasera?
	Vengo al cinema con voi.
andare + con lui, lei, loro	**Vado** con loro a teatro.

Unità 6

Comparativo di uguaglianza

Il comparativo di uguaglianza si forma usando:	
tanto ... **quanto** *nei paragoni fra aggettivi:*	È **tanto** bello **quanto** simpatico.
così ... **come** *o* **tanto** ... **quanto** *nei paragoni fra pronomi, nomi, verbi all'infinito.*	È **tanto/così** alto **quanto/come** lui.
	Pisa è **tanto/così** interessante **quanto/come** Siena.
	Sciare è **tanto/così** noioso **quanto/come** giocare a tennis.
Tanto *e* **così** *si possono eliminare.*	È alto **quanto/come** lui.
	Pisa è interessante **quanto/come** Siena.

Il comparativo di maggioranza e minoranza

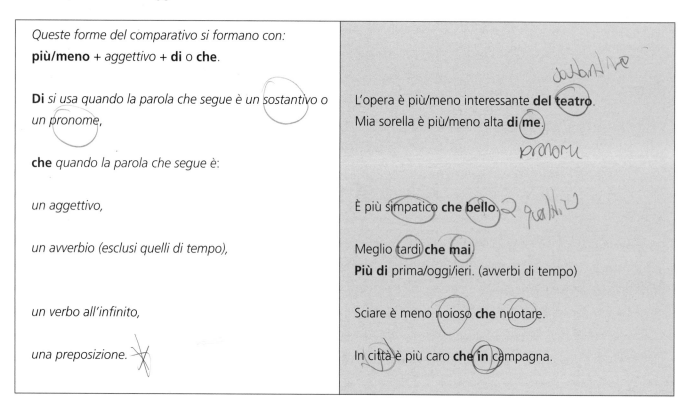

Queste forme del comparativo si formano con: **più/meno** + aggettivo + **di** o **che**.	
Di si usa quando la parola che segue è un sostantivo o un pronome,	L'opera è più/meno interessante **del teatro**. Mia sorella è più/meno alta **di me**.
che quando la parola che segue è:	
un aggettivo,	È più simpatico **che bello**.
un avverbio (esclusi quelli di tempo),	Meglio tardi **che mai**. **Più di** prima/oggi/ieri. (avverbi di tempo)
un verbo all'infinito,	Sciare è meno noioso **che** nuotare.
una preposizione.	In città è più caro **che in** campagna.

Il superlativo relativo e assoluto

Il **superlativo relativo** mette in relazione la qualità con un gruppo di elementi limitati. Si forma come segue:	
articolo det. + **più/meno** + aggettivo + **di**	È **lo** studente **più/meno** bravo **della** classe. Siamo **i più** forti **del** mondo.
Il **superlativo assoluto** esprime la qualità al massimo grado, senza limitazione o confronto. Esso si può formare in due modi:	
molto/tanto/proprio + aggettivo,	Siamo **molto** forti. Siamo **proprio** bravi.
aggiungendo in fine di parola **-issimo/-a.**	È brav**issimo**.
Particolarità dell'ortografia: gli aggettivi in **-co** e **-go** prendono la **h** solo se l'accento cade sulla penultima sillaba.	ricco → ric**ch**issimo largo → lar**gh**issimo simpatico → simpati**c**issimo
	È un vaso antichissimo. In edicola i classicissimi!

Forme particolari del comparativo e superlativo

aggettivo	comparativo	superlativo relativo	superlativo assoluto
buono	più buono / **migliore**	il più buono / **il migliore**	molto buono/buonissimo/ **ottimo**
cattivo	più cattivo / **peggiore**	il più cattivo / **il peggiore**	molto cattivo /cattivissimo/ **pessimo**
grande	più grande / **maggiore**	il più grande / **il maggiore**	molto grande/grandissimo/ **massimo**
piccolo	più piccolo / **minore**	il più piccolo / **il minore**	molto piccolo /piccolissimo/ **minimo**

avverbio	comparativo	superlativo relativo	superlativo assoluto
bene	**meglio**	**nel modo migliore**	benissimo / **ottimamente**
male	**peggio**	**nel modo peggiore**	malissimo / **pessimamente**

Forme particolari del comparativo e superlativo – uso

Maggiore e **minore** *si usano soprattutto per riferirsi all'età di una persona,*	Gino è il mio fratello **minore** / **maggiore**.
o in senso figurato.	È il male **minore**.
Anche **massimo** *e* **minimo** *si usano per lo più in senso figurato.*	con la **massima** attenzione nei **minimi** particolari

Il passato remoto – forme regolari

	andare	vendere	uscire
(io)	and**ai**	vend**ei**/**-etti**	usc**ii**
(tu)	and**asti**	vend**esti**	usc**isti**
(lui/lei)	and**ò**	vend**é**/**-ette**	usc**ì**
(noi)	and**ammo**	vend**emmo**	usc**immo**
(voi)	and**aste**	vend**este**	usc**iste**
(loro)	and**arono**	vend**erono**/**-ettero**	usc**irono**

Il passato remoto si forma aggiungendo alla radice del verbo le desinenze in neretto:
andare: and-**ai** / uscire: usc-**ii**
I verbi in **-ere**, *nella 1ª persona singolare e nella 1ª e 2ª plurale, hanno due forme.*

Il passato remoto – forme irregolari

	essere	avere	dare
(io)	fui	ebbi	diedi / detti
(tu)	fosti	avesti	desti
(lui/lei)	fu	ebbe	diede / dette
(noi)	fummo	avemmo	demmo
(voi)	foste	aveste	deste
(loro)	furono	ebbero	diedero / dettero

*I verbi **essere** e **avere** sono irregolari anche al passato remoto.*
*Altrettanto irregolare e in parte con doppia forma il verbo **dare**.*

	sapere	scrivere	fare
(io)	seppi	scrissi	feci
(tu)	sapesti	scrivesti	facesti
(lui/lei)	seppe	scrisse	fece
(noi)	sapemmo	scrivemmo	facemmo
(voi)	sapeste	scriveste	faceste
(loro)	seppero	scrissero	fecero

*Nella maggior parte dei casi sono irregolari solo la **1ª** e la **3ª pers. sing**. e la **3ª plur.**, le loro desinenze **-i, -e, -ero** sono uguali per quasi tutti i verbi irregolari. Le altre persone mantengono invece il tema dell'infinito e hanno desinenze regolari.*
*I verbi **bere**, **dire** e **fare** nella 2ª pers. sing. e nella 1ª e 2ª plur. utilizzano la radice latina:*
bev-ere (bere), dic-ere (dire), fac-ere (fare).

Uso del passato remoto

Usiamo il passato remoto per parlare di un'azione unica o determinata nel tempo e nella durata, che ha avuto luogo in un passato lontano e non ha legame con il presente.
È un tempo tipico della lingua scritta e della letteratura.

Dante **scrisse** la Divina Commedia.

Romolo **fu** il primo re di Roma.

Morì nel 1820.

Unità 7

Imperativo informale, verbi regolari e verbi col suffisso -isc

	comprare	scrivere	aprire	spedire	Avete notato?
(tu)	compra	scrivi	apri	spedisci	Le forme dell'imperativo di 1ª e 2ª pers. plur. sono uguali a quelle dell'indicativo presente.
(noi)	compriamo	scriviamo	apriamo	spediamo	Nei verbi in -ere e in -ire anche la 2ª pers. sing. è come nel presente indicativo.
(voi)	comprate	scrivete	aprite	spedite	
(tu)	non comprare				L'imperativo negativo di 2ª pers. sing. si forma con **non** + infinito.
(noi)	non compriamo				
(voi)	non comprate				

Imperativo informale, verbi irregolari

	fare	dare	stare	andare	dire	Anche nei verbi irregolari la 1ª e 2ª pers. plur. spesso sono uguali a quelle del presente indicativo.
(tu)	fai/fa'	dai/da'	stai/sta'	vai/va'	di'	La 2ª pers. sing. dei verbi **fare, dare stare, andare** ha due forme.
(noi)	facciamo	diamo	stiamo	andiamo	diciamo	
(voi)	fate	date	state	andate	dite	

	essere	avere				Gli ausiliari **essere** e **avere** sono irregolari anche all'imperativo.
(tu)	sii	abbi				La 1ª pers. plur. è uguale a quella dell'indicativo presente.
(noi)	siamo	abbiamo				
(voi)	siate	abbiate				

L'imperativo informale con i pronomi atoni

Con l'imperativo informale (tu, noi, voi) il pronome atono si mette sempre dopo il verbo e forma con esso una sola parola.	Scusa**mi**, ti posso chiedere una cosa? Dite**mi** un po'…
Con le forme **fa', da', sta', va', di'** *+ pronome atono la consonante della forma pronominale raddoppia. (Attenzione! La* **g** *non raddoppia!)*	Dim**mi** pure! Ma fam**mi** il piacere! Di**g**li dell'esame! Di**g**lielo!
Con **non** *+ infinito il pronome può stare prima o dopo l'infinito.*	Non far**lo**! Non **lo** fare!

La particella *ci*

La particella **ci** *può sostituire una parola o una parte di frase introdotta dalla preposizione* **a.**	Credi **a quello che dice**? No, non **ci** credo. Non pensi **alla salute**? Sì, **ci** penso.

Unità 8

Il congiuntivo presente – forme regolari

	fumare	scrivere	aprire	
io	fum**i**	scriv**a**	apr**a**	*Le prime tre persone del congiuntivo presente sono sempre uguali e per questo in genere si usano con il pronome personale soggetto.*
tu	fum**i**	scriv**a**	apr**a**	
lui/lei	fum**i**	scriv**a**	apr**a**	*La 1ª persona plurale è uguale a quella dell'indicativo presente.*
(noi)	fum**iamo**	scriv**iamo**	apr**iamo**	
(voi)	fum**iate**	scriv**iate**	apr**iate**	*Alla 2ª persona plurale tutti i verbi, anche quelli irregolari, hanno la desinenza* **-iate.**
(loro)	fum**ino**	scriv**ano**	apr**ano**	

Il congiuntivo dei verbi col suffisso *-isc* e dei verbi in *-care / -gare*

	capire	cercare	pagare	
io	cap**isca**	cerch**i**	pagh**i**	*I verbi che prendono il suffisso* **-isc** *hanno una struttura simile a quella del presente indicativo.*
tu	cap**isca**	cerch**i**	pagh**i**	
lui/lei	cap**isca**	cerch**i**	pagh**i**	*I verbi in* **-care** *e* **-gare** *prendono una* **h** *in tutte le persone.*
(noi)	cap**iamo**	cerch**iamo**	pagh**iamo**	
(voi)	cap**iate**	cerch**iate**	pagh**iate**	
(loro)	cap**iscano**	cerch**ino**	pagh**ino**	

Il congiuntivo presente – verbi irregolari

	essere	avere	dovere
io	sia	abbia	debba
tu	sia	abbia	debba
lui/lei	sia	abbia	debba
(noi)	siamo	abbiamo	dobbiamo
(voi)	siate	abbiate	dobbiate
(loro)	siano	abbiano	debbano

Anche nei verbi irregolari:

le prime tre persone sono uguali,

= indicativo

la 1ª persona plurale è uguale a quella dell'indicativo presente,

iate

la 2ª persona plurale ha la desinenza -iate.

Uso del congiuntivo

*Il congiuntivo si usa soprattutto nelle frasi secondarie dopo verbi o espressioni che lo richiedono ed è in genere preceduto da **che**.*

Il congiuntivo si usa con i verbi che esprimono:	
opinione personale,	**Ritengo / penso che sia** giusto…
dubbio, incertezza,	**Dubito che / non so se sia** d'accordo.
desiderio, speranza, augurio, volontà,	**Spero / mi auguro / voglio che** vi **dia** una mano.
stati d'animo o sentimenti.	**Temo / ho paura che** non **arrivino** in tempo.
Il congiuntivo si usa anche dopo le espressioni e i verbi impersonali.	**È normale che** la gente **abbia** paura. **Basta che** lo **facciamo** subito.
*Attenzione! Dopo il verbo **dire** si usa il congiuntivo solo se la forma del verbo è impersonale, altrimenti si usa l'indicativo.*	**Si dice / Dicono** che non **sia** facile andare d'accordo con quella persona.
	Ti dico che **ci sono** molti stranieri tra i miei colleghi.

Il congiuntivo nella frase relativa

*Nelle frasi relative introdotte da verbi che esprimono volontà e desiderio come **avere bisogno di, cercare, desiderare, volere** in genere si usa il congiuntivo. Possiamo però usare l'indicativo per dire che siamo relativamente sicuri di una certa cosa.*	Cerco una segretaria che parli il cinese. *(Dubito che / non so se sia facile trovarla.)* Cerco una segretaria che parla l'inglese. *(Sono sicuro di poterla trovare.)*

Infinito invece del congiuntivo

Per usare il congiuntivo, il soggetto della frase principale deve essere diverso da quello della secondaria.	**(io)** Credo che **Luigi** abbia difficoltà. **(lui)** Vuole che **Carlo** lavori di più.

Se invece i soggetti delle due frasi sono uguali, nella secondaria si usa l'infinito o **di** *+ infinito.*	Credo di avere difficoltà.
	  (io) **(io)**
	Vuole lavorare di più.
	  (lui) **(lui)**

Casi particolari ed espressioni con l'indicativo

Forse, probabilmente, secondo me *richiedono l'indicativo.*	**Forse** Luigi **ha** difficoltà. **Probabilmente cercano** fortuna. **Secondo me** non **capiscono**.
Se l'espressione impersonale indica evidenza e sicurezza, si usa l'indicativo.	**È evidente che** non è vero.

Unità 9

(Per il congiuntivo si veda la sintesi grammaticale dell'unità 8.)

L'imperativo formale – forme regolari e verbi col suffisso *-isc*

	lasciare	insistere	sentire	finire	
(Lei)	las**ci**	insist**a**	sent**a**	fin**isca**	*I verbi in* **-ere / -ire** *hanno desinenze uguali. I verbi col suffisso* **-isc** *sono irregolari anche all'imperativo.*
(Loro)	las**cino**	insist**ano**	sent**ano**	fin**iscano**	*Attenzione! I verbi in* **-care / -gare** *prendono una* **h** *prima della* **i**: cer**chi** – cer**chino** / pa**ghi** – pa**ghino**

L'imperativo di 3ª pers. plurale è molto formale; per questo è in genere sostituito dalla 2ª pers. plurale.	Non parcheggino qui! Non **parcheggiate** qui!

L'imperativo formale – forme irregolari

	fare	dire	dare	stare	andare	essere	avere
(Lei)	faccia	dica	dia	stia	vada	sia	abbia
(Loro)	facciano	dicano	diano	stiano	vadano	siano	abbiano

L'imperativo formale – posizione del pronome atono

Il pronome precede l'imperativo formale.	Non **si** arrabbi! Non **si** arrabbino! **Lo** faccia! **Lo** facciano!

L'imperativo formale e informale – uso

L'imperativo si usa per:	
dare istruzioni e consigli,	**Giri** a destra! **Mangi** meno!
dare ordini,	**Torna / torni** subito!
richiamare l'attenzione.	**Senta, scusi** …

Indicazioni di quantità

Quando parliamo di una quantità imprecisa, uniamo al numero privo della vocale finale il suffisso **-ina**: trenta → trent**ina**.	Per una quindic**ina** di giorni. Una vent**ina** di rose.
Dai numeri **cento** e **mille** derivano: **centinaio / centinaia** **migliaio / migliaia**	C'erano **un centinaio** di persone. (Circa cento) C'erano **migliaia** di persone. (Alcune migliaia)
Attenzione! Da **dodici** deriva **dozzina**, che significa esattamente dodici.	Comprami una **dozzina** di uova!

I verbi pronominali, coniugazioni regolari e irregolari

	cavarsela	prendersela
(io)	me la cavo	me la prendo
(tu)	te la cavi	te la prendi
(lui/lei)	se la cava	se la prende
(noi)	ce la caviamo	ce la prendiamo
(voi)	ve la cavate	ve la prendete
(loro)	se la cavano	se la prendono

	avercela	farcela
(io)	ce l'ho	ce la faccio
(tu)	ce l'hai	ce la fai
(lui/lei)	ce l'ha	ce la fa
(noi)	ce l'abbiamo	ce la facciamo
(voi)	ce l'avete	ce la fate
(loro)	ce l'hanno	ce la fanno

I verbi pronominali sono verbi che si coniugano con uno o due pronomi. Per la posizione dei pronomi valgono le regole già imparate:

i pronomi stanno prima del verbo coniugato e dopo la negazione:
Non **ce la** faccio.

si uniscono all'infinito:
Non prender**tela**!

precedono l'imperativo formale:
Non **se la** prenda!

seguono l'imperativo informale:
Metti**cela** tutta!

Uso di *sapere* e *potere* + infinito

*Usiamo **sapere** + l'infinito di un verbo per dire che siamo capaci di fare qualcosa, che abbiamo imparato a farla.*

Sa suonare il violino.
So nuotare / giocare a tennis.
(so come si fa, ho imparato a farlo)

*Usiamo **potere** + l'infinito di un verbo se vogliamo dire che abbiamo o non abbiamo il permesso o la possibilità di fare qualcosa.*

Non **posso** giocare a tennis, perché sto male.
Oggi non **posso** uscire con voi, i miei genitori non vogliono.

Unità 10

Il congiuntivo passato – forme

	fare	andare
io	abbia fatto	sia andato/-a
tu	abbia fatto	sia andato/-a
lui/lei	abbia fatto	sia andato /-a
(noi)	abbiamo fatto	siamo andati/-e
(voi)	abbiate fatto	siate andati/-e
(loro)	abbiano fatto	siano andati/-e

*Il congiuntivo passato si forma con il congiuntivo presente degli ausiliari **essere** o **avere** e il participio passato del verbo.*

Il congiuntivo presente e passato – uso

Il congiuntivo presente indica un'azione contemporanea a quella della frase principale,	Penso che al momento **sia** a Roma. Penso che **stia** lavorando.
il congiuntivo passato un'azione passata rispetto a quella della principale.	Credo (*in questo momento*) che Marco **sia partito** ieri.

Prima che o prima di?

L'espressione **prima che** *richiede il congiuntivo,*	**Prima che** se ne **vada**, Le voglio regalare una bottiglia.
ma se il soggetto della frase principale e di quella secondaria è lo stesso, o se la frase è impersonale usiamo **prima di** + *l'infinito.*	Bisogna stapparlo un'ora **prima di servirlo**.

Espressioni impersonali + congiuntivo o infinito

Le espressioni impersonali richiedono in genere il congiuntivo.	**È meglio che** non lo **beva**. **È necessario** che non **superi** i 18 gradi. **È meglio** che Rita **parta** domani.
Attenzione! Se anche la frase secondaria è impersonale, cioè non ha un soggetto preciso, usiamo **l'infinito**.	È meglio **partire** domani.

Quello che, ciò che

Quello che, ciò che *sono elementi complessi formati da due pronomi e si usano per riferirsi a cose, fatti o concetti astratti.* **Quello che / ciò che = la cosa che**	**Quello che** voglio farle capire è che il parco è di tutti. Ma tu credi a **ciò che** dice?

- I vocaboli sono elencati sotto l'indicazione della sezione dell'unità in cui compaiono per la prima volta e sono raggruppati, quando è opportuno, per affinità grammaticale o di significato, altrimenti sono in ordine cronologico.
- Prima dei vocaboli vengono registrate le frasi o le espressioni per le quali è particolarmente utile fissare il significato globale dell'intero gruppo di parole anziché quello dei singoli vocaboli isolati.
- In questo glossario compaiono tutti i vocaboli contenuti nei testi e nei dialoghi corrispondenti alle sezioni contrassegnate dalle lettere dell'alfabeto in ogni unità e una selezione di vocaboli ritenuti i più importanti per la comprensione dei testi relativi alle due sezioni "Sono famosi" e "Italia Oggi".
- Quando la sillaba su cui cade l'accento di parola non è la penultima e in presenza di un dittongo, la vocale su cui cade l'accento è sottolineata.

Bentornati!

Giornalista free lance

Lavoro in esclusiva

rotondetto

Unità 1 – Bei tempi!

A

Suggestiva vista panoramica

In occasione di

il porto

la struttura

l'ascensore (m.)

progettare

godere

suggestivo

la vista

panoramico

la nave

l'ancora

il pescatore

il marinaio

il faro

la barca

B

Compiere un viaggio

Alla scoperta di

Il polo sud

compiere

l'acquario

emozionante

attraverso

l'immensità

l'universo

la creatura

la foca

il delfino

il pinguino

lo squalo

marino

cacciare

illegalmente

feroce

la pianura

pericoloso

stressante

affollato

silenzioso

salubre

il vantaggio

lo svantaggio

C

Ci stai? Ci sto.

Magari ti telefono.

l'arte (f.)

moderno

l'impegno

D

Un autentico poeta

A tutto tondo

Frequentazione strettissima

Perdere di vista

Di buona famiglia

In particolare

È successo di tutto

Per fortuna

l'attore (m.)

comico

l'intervista

scomparso

il cantautore

morire (morto)

appena

lo strimpellatore

autentico

la colonia

il gemello

il presidente

la frequentazione

la banda musicale

lo sceriffo

appunto

tranne ....

il pianista ....

la chitarra ....

il dilettante ....

suonare ....

la diretta ....

la musica leggera ....

partecipare a ....

durante ....

l'esibizione ....

il cameraman ....

spegnersi (spento) ....

il faretto ....

il pubblico ....

urlare ....

qualcuno ....

il fiore ....

il microfono ....

indovinare ....

E

Composto omogeneo ....

Uno spicchio d'aglio ....

Un pizzico di sale ....

Fino a quando ....

Solo per dare il sapore ....

il pesto ....

l'ingrediente (m.) ....

il mazzetto ....

il basilico ....

l'olio d'oliva ....

il pinolo ....

il pecorino sardo ....

la preparazione ....

il mortaio ....

pestare ....

il pestello ....

formare ....

il composto ....

omogeneo ....

condire ....

servire ....

il sapore ....

il segreto ....

la copia ....

l'attimo ....

le patate fritte ....

F

L'esordio di un cantante ....

In diretta ....

La maggior parte di ....

il Vip ....

il festival ....

mettere radici ....

applaudire ....

l'esordio ....

sperare ....

battere le mani ....

l'occasione (f.) ....

ideale ....

l'opportunità (f.) ....

esprimere ....

la causa ....

la conseguenza ....

il palco ....

il maxischermo ....

la fiamma ....

sbagliarsi ....

il rock ....

la musica classica ....

l'opera ....

il jazz ....

il rap ....

l'elettronica ....

la chitarra elettrica ....

il suono ....

artificiale ....

l'orchestra ....

il sassofono solista ....

il genere musicale ....

G

Il mattino ha l'oro in bocca.

l'esclamazione ....

l'oro ....

Sono famosi

La scuola genovese ....

La canzone d'autore ....

la biografia ....

il fondatore ....

il dolore ....

la fiducia ....

interpretare ....

suicida ....

influenzare ....

i ritmi etnici ....

il tema sociale ....

l'immigrazione ....

banale ....

Italia Oggi

I turisti popolano
... la riviera. ....

L'origine dialettale

mediterraneo ....

popolare (v.) ....

la riviera ....

la vegetazione ....

godersi ....

distare da ....

l'esportazione ....

il capolinea ....

marittimo ....

il passeggero ....

il percorso ....

avaro ....

la sciocchezza ....

Unità 2 – E tu che cosa faresti?

A

Sognare ad occhi aperti ....

Avere un sogno nel cassetto ....

Sogni d'oro! ....

il pilota ....

pilotare ....

il calciatore ....

l'autografo ....

la ballerina ....

sognare di ....

augurare ....

il desiderio ....

B

In bocca al lupo! ....

Il lavoro dei miei sogni ....

Chi cerca trova. ....

Prepararsi psicologicamente ....

Prima o poi ....

La fortuna sorride a tutti ....

il test psico-attitudinale ....

il colloquio ....

di gruppo ....

individuale ....

richiedere ....

la specializzazione ....

il lavapiatti ....

il/la centralinista ....

il postino ....

il rifiuto ....

il profilo ....

il selezionatore ....

il candidato ....

demoralizzarsi ....

mandare ....

i dati personali ....

il livello ....

la specializzazione ....

professionale ....

il grafico ....

l'avvocato ....

l'autista (m./f.) ....

il/la tassista ....

il giardiniere ....

il sarto ....

il muratore ....

raccogliere ....

ridistribuire ....

C

Il massimo dei voti ....

La ditta di moda ....

L'annuncio di lavoro ....

Non importa ....

Avere le idee chiare ....

Collegato a ....

Mi limita un po' ....

il/la designer ....

stabile ....

il settore ....

la soddisfazione ....

il concorso pubblico ....

D

Egregio Direttore ....

Distinti saluti ....

Cordiali saluti ....

Cordialmente ....

Un caro saluto ....

Avere paura di ....

Lavorare duro ....

l'aspetto ....

trasferirsi ....

accogliente ....

il direttore ....

il capo ....

lo stipendio ....

la relazione ....

durare ....

il mobile ....

veramente ....

unico ....

rischiare ....

rovinare ....

la vita privata ....

riflettere ....

con calma ....

giardinaggio ....

il viaggio organizzato ....

il parco divertimenti ....

lo shopping ....

giocare a basket ....

il valzer ....

premiare ....

formulare ....

E

Max 10 mesi ....
Età massima ....
Via posta ....
Occorre ....
Bisogna ....
Ci vuole / ci vogliono ....
Parole in neretto ....
il neretto ....
il diploma ....
la disoccupazione ....
l'esperienza ....
pluriennale ....
il part-time ....
l'area commerciale ....
il marketing ....
la disponibilità a ....
disponibile a ....
lo straordinario ....
il curriculum vitae ....
referenziato ....
evidenziare ....

F

urgente ....
l'espressione ....
costante ....
il motto ....
il direttore didattico ....
il requisito ....
la gestione aziendale ....
la capacità relazionale ....
l'elemento preferenziale ....
analogo ....
il CV ....
i dati anagrafici ....
lo stato civile ....
la residenza ....
il recapito ....
il master ....

Sono famosi

il premio Nobel ....
lo/la stilista ....
il simbolo ....
confuso ....
lo scenografo ....
vitale ....
coraggioso ....
estremamente ....
la modella ....
l'impero ....
il perfezionismo ....
il dettaglio ....

il trofeo ....
il difensore ....
l'allenatore (m.) ....
l'ex allenatore ....
il palcoscenico ....

Italia Oggi

Alzare bandiera bianca ....
Abbassare la saracinesca ....
Pezzetti di cedro candito ....
milanese ....
storico ....
la bottega ....
il serpente ....
la vetrina ....
maestoso ....
la salumeria ....
la polleria ....
i maxicentri ....
anonimo ....
le famiglie dinastiche ....
immenso ....
la saracinesca ....
l'affitto ....
la nostalgia ....
la profumeria ....
l'insegna ....
la leggenda ....
il fornaio ....
il panificio ....
gli affari ....
il successo ....
immediato ....
l'entusiasmo ....
il pezzetto ....
il cedro candito ....
ostacolare ....

Unità 3 – Mamma mia che prezzi!
A

Far parte di ....
Decorare ad affresco ....
È sede di ....
Previo appuntamento ....
il banchetto ....
il dipinto ....
il ciclo ....
illustrare ....
la sala ....
affrescato ....
ricavare ....
attribuire ....
il pittore ....
lo scultore ....

il periodo storico ....

raffigurato ....

storico-artistico ....

il convegno ....

la divisione commerciale ....

B

Rappresentare al meglio ....

La seconda metà ....

... del Cinquecento ....

dedicato a ....

profano ....

l'anima ....

inquieto ....

tormentato ....

drammatico ....

necessariamente ....

far riferimento a ....

il temperamento ....

solare ....

la biglietteria ....

il biglietto d'accesso ....

intero ....

ridotto ....

l'accompagnatore ....

il cittadino UE ....

ultrasessantacinquenne ....

il titolare ....

gratuito ....

il portatore di handicap ....

la guida autorizzata ....

l'interprete ....

l'esposizione ....

la scultura ....

preciso ....

esporre ....

io espongo, tu esponi, ...

esposto ....

dipingere (dipinto) ....

ristrutturare ....

il mosaico ....

C

Senz'altro! ....

Via Internet ....

la calle ....

gli Espressionisti ....

i Futuristi ....

i Maya ....

i Celti ....

indimenticabile ....

l'indagine ....

i Fenici ....

la fila d'attesa ....

il caos ....

l'arte barocca ....

l'organizzatore ....

lo strumento musicale ....

D

l'apprezzamento ....

stupendo ....

geniale ....

la perla ....

lo stile rococò ....

neoclassico ....

l'anfora ....

gli orecchini ....

E

Mamma mia! ....

Non ci posso credere! ....

Se si aggiunge un extra ....

Una giocata al Lotto ....

il carovita ....

il paragrafo ....

l'aumento ....

la casalinga ....

la variazione ....

la lira ....

la merenda ....

il parrucchiere ....

l'incremento ....

l'associazione ....

la paghetta ....

rischiare di ....

non ... affatto ....

l'acquisto ....

il quotidiano ....

spendere (speso) ....

la ricarica ....

la scenetta ....

contrattare ....

un paio di scarpe ....

un paio di pantaloni ....

F

Serve / servono ....

Basta / bastano ....

la gondola ....

la maschera ....

trattare (il prezzo) ....

il souvenir ....

l'ospite ....

rompere ....

il set di posate ....

le posate ....

riferire ....

seguire ....
la pinacoteca ....

G
rafforzare ....
allungare ....

Sono famosi
Sullo sfondo ....
In primo piano ....
la natura morta ....
la battaglia ....
la testimonianza ....
il disarcionamento ....
il cavaliere ....
il guerriero ....
la lancia ....
la posa ....
l'atmosfera ....
irreale ....
incantare ....
i Surrealisti ....
tenue ....
la forma geometrica ....
puro ....
la dea ....
la conchiglia ....
fecondatore ....
l'unione ....
il fascino ....
l'enigma ....
l'edificio ....
il chirurgo ....
determinare ....
la conversione ....
lo stile pittorico ....

Italia Oggi
A Carnevale ogni scherzo vale ....
Come per magia ....
la magia ....
la suggestione ....
il Carnevale ....
la trasgressione ....
essere in grado di ....
essere capace di ....
fiorire ....
improvvisare ....
pianificare ....
l'organismo ....
sostenere ....
io sostengo, tu sostieni, ...
sostenuto ....

la società ....
la cadenza ....
svolgersi (svolto) ....
dispari ....
assegnare ....
il premio ....
il riconoscimento ....
la critica ....
cinematografico ....
internazionale ....
festeggiare ....
rovesciare ....
una coppia di innamorati ....
appendere ....
la suocera ....

Unità 4 – Chissà come sarà?
A
Chi è l'ultimo della fila? ....
Pagare una bolletta ....
Aprire / Chiudere ....
... un conto corrente ....
Fare un bonifico ....
Chiedere un mutuo ....
Depositare soldi ....
... nel libretto di risparmio ....
Cambiare un assegno ....
Entro il mese di apertura ....
l'elimina code (m.) ....
creativo ....
il mutuo ....
flessibile ....
personalizzato ....
mettere a disposizione ....
il conto corrente ....
il bonifico ....
entusiasta ....
il prodotto elettronico ....
la carta di credito ....
eccessivo ....
fare la coda ....
sottoscrivere ....
il clic ....
vincere (vinto) ....
il contratto ....
l'operazione dispositiva ....
l'estrazione ....
la somma ....
il (denaro) contante ....
in contanti ....
il prelievo ....
il bancomat ....
riscuotere (riscosso) ....
stabilire ....

B

In giro per il mondo ....

Quasi quasi ....

Guadagnarsi da vivere ....

Chissà? ....

Seguire una lezione ....

Superare un esame ....

il liceo ....

la facoltà ....

il corso di laurea ....

l'indirizzo di studio ....

classico ....

tecnologico ....

pedagogico ....

l'Esame di Stato ....

la Maturità ....

l'accesso (agli studi) ....

prima di ....

certamente ....

scientifico ....

biologia ....

chimica ....

la materia ....

immagino ....

il laboratorio ....

il reparto ....

l'ospedale ....

la radiologia ....

logico ....

fortunato ....

il dottorato ....

la biologa ....

l'informatico ....

la chirurgia ....

le scienze informatiche ....

il traduttore ....

C

Che ti importa? ....

Non sono affari tuoi! ....

Non mi interessano proprio. ....

Non mi fido. ....

Non se ne parla neanche. ....

Cioè... ....

Infatti... ....

la pittrice ....

il punto di vista ....

all'antica ....

D

È la testa che non funziona! ....

Basta scherzare ....

Qui il problema è serio ....

Pro e contro ....

l'iniziativa ....

limitare ....

la limitazione ....

autorizzato ....

il vigile elettronico ....

sperimentale ....

il telecontrollo ....

il dibattito ....

il contributo ....

essere favorevole a ....

essere contrario a ....

essere d'accordo con ....

lamentare ....

lamentarsi ....

lo smog ....

il punto di partenza ....

tutelare ....

il blocco del traffico ....

il mezzo pubblico ....

il Comune ....

migliorare ....

l'inquinamento ....

inquinare ....

la contaminazione ecologica ....

l'urgenza ....

la rete metropolitana ....

il sottosuolo ....

sottoterra ....

sotterraneo ....

muoversi (mosso) ....

l'hinterland ....

la mancanza di ....

assurdo ....

strapieno ....

dare fastidio a ....

a causa di ....

idiota ....

disturbare ....

le tasse ....

lo spazio verde ....

sporco ....

E

Sin dall'antichità ....

celebrare ....

l'abbondanza ....

la varietà ....

la tradizione gastronomica ....

i tortellini ....

in brodo ....

alla panna ....

le scaglie di tartufo ....

perfino ....

sciogliere ....

  io sciolgo, tu sciogli, ...

  sciolto ....

il grasso ....

esagerato ....

genuino ....

la polenta ....

controllarsi ....

F

il collega ....

probabile ....

tecnologizzato ....

G

lo scioglilingua ....

rasserenarsi ....

Sono famosi

Evviva la sincerità ....

Oddio... ma cosa fa? ....

Operazione in corso ....

Attendere, prego ....

Essere in rosso ....

È periodaccio ....

È lento come un ....

...ippopotamo ....

Non si preoccupi ....

Che schifo! ....

Ormai è fatta ....

il pezzo teatrale ....

il settimanale ....

lo sportello ....

l'operazione consentita ....

il saldo ....

la lista movimenti ....

digitare ....

attendere ....

il codice ....

la pazienza ....

l'ippopotamo ....

la tessera ....

la disperazione ....

lo sbaglio ....

infinitamente ....

estinguere, estinto ....

misero ....

speculare ....

distinguere (distinto) ....

la centrale segreta ....

essere in grado di ....

evviva ....

procedere ....

sparar fuori ....

incredibile ....

essere commosso ....

accorciare ....

la battuta ....

la parentesi quadra ....

Italia Oggi

Impastare e tirare la sfoglia ....

dotto ....

circondare ....

il colle ....

l'ombra ....

il portico ....

innumerevole ....

il palazzo secolare ....

il capolavoro ....

celebre ....

svelare ....

la fretta ....

fondere (fuso) ....

l'efficienza ....

la convivialità ....

la dote ....

altrove ....

irresistibile ....

lo spirito goliardico ....

conquistare ....

vivibile ....

godibile ....

nascondere (nascosto) ....

la mescolanza ....

la media ....

ispirare ....

l'ombelico ....

modellare ....

agile ....

superare ....

la dimensione ....

il ristoratore ....

Unità 5 – Se...

A

La seduta dallo psicologo ....

Il provino cinematografico ....

la seduta ....

lo psicologo ....

nervoso ....

teso ....

agitato ....

spaventato ....

impassibile ....

emozionato ....

rispecchiare ....

notare ....

B

In maniera accettabile ....

La conoscenza reciproca ....

Il tono di voce ....

Se hai un'idea di ciò che ....

... il lavoro ti richiederà ....

Imparato a memoria ....

Ridurre al minimo ....

Affrontare una situazione ....

Mettere a suo agio ....

l'esaminatore ....

reciproco ....

di base ....

il/la conoscente ....

variare ....

facilmente ....

la pausa ....

dimostrare ....

ammettere ....

ridurre ....

   io riduco, tu riduci, ...

   ridotto ....

il minimo ....

mentire ....

onesto ....

lo scopo ....

verificare ....

imprevisto ....

approfondire ....

l'interlocutore (m.) ....

l'agio ....

classificare ....

la formazione scolastica ....

il datore di lavoro ....

assumere (assunto) ....

licenziare ....

lo straordinario ....

i benefits ....

la busta paga ....

C

Sempre la solita storia! ....

Quando fai così ....

... proprio non ti sopporto! ....

Certo che posso! ....

promettere (promesso) ....

correggere (corretto) ....

avvertire ....

il collaboratore ....

D

il giro turistico ....

gli appunti ....

F

Segno zodiacale del cancro ....

Per ulteriori informazioni ....

Telefonare ore ufficio ....

Principianti ed avanzati ....

Materiale video e audio ....

Gentile signore/a ....

Caro amico/a ....

Attendo impaziente ....

... una Sua/tua risposta. ....

Di ottima presenza ....

il punto vendita ....

i generi alimentari ....

il volume d'affari ....

il dizionario monolingue ....

socievole ....

atletico ....

il video amatoriale ....

celere ....

effettuare ....

la traduzione ....

modico ....

il catalogo ....

precedente ....

arredare ....

l'arredamento ....

gratis ....

lineare ....

l'avviamento ....

incrementabile ....

la sistemazione ....

l'immobile (m.) ....

acquistare ....

l'accessorio ....

il collezionismo ....

l'attrezzo ....

la nautica ....

la caccia ....

la pesca ....

essere interessato a ....

proporre ....

io propongo, tu proponi, ...

proposto ....

impaziente ....

reclamizzare ....

l'inserzione ....

l'atto ....

toccare ....

G

Abilità e competenze ....

Autorizzo l'utilizzo ....

... dei dati personali ....

... in conformità a quanto ....

... *indicato dalla legge* ....

... *sulla privacy.* ....

la scheda ....

le referenze ....

il biglietto d'auguri ....

il palloncino ....

la decorazione ....

il riscontro ....

Sono famosi

Di quale materiale ....

... *è fatto Pinocchio?* ....

esaltare ....

ribadire ....

accarezzare ....

la benedizione ....

mantenere ....

io mantengo, ...

   tu mantieni, ...

   mantenuto ....

la purezza ....

spensierato ....

il nome di battesimo ....

rimpiangere (rimpianto) ....

il filo ....

Italia Oggi

Coprire di ridicolo ....

Il grido d'allarme ....

La tradizione ....

... *umanistico-letteraria* ....

l'ufficio di collocamento ....

il punto di riferimento ....

il modello letterario ....

ribattezzare ....

istituire ....

sensibilizzare ....

esasperato ....

il ricorso ....

distaccarsi ....

elaborare ....

la farina ....

l'impurità ....

la metafora ....

il membro ....

l'annunciazione ....

il campanile ....

cedevole ....

l'inclinazione ....

lo sprofondamento ....

Unità 6 – Che c'è di meglio?
A
la locandina ....

il derby ....

la rappresentazione ....

il trailer ....

la prevendita ....

il monologo ....

il tifoso ....

lo spettatore ....

l'arbitro ....

il commediografo ....

l'allenatore ....

il primo tempo ....

l'intervallo ....

la commedia ....

il compositore ....

il botteghino ....

il tenore ....

il direttore d'orchestra ....

il soprano ....

la tragedia ....

il goal ....

il calcio ....

B

All'ultimo istante ....

Il servizio last minute ....

... *riguarda il cinema?* ....

rilanciare ....

lo slancio ....

l'afflusso ....

il tagliando ....

a domicilio ....

C

Meglio tardi che mai! ....

Sempre la solita storia! ....

Nient'affatto. ....

irritato ....

consultare ....

bollente ....

squisito ....

esotico ....

rapido ....

romantico ....

delizioso ....

terribile ....

splendido ....

strepitoso ....

eccezionale ....

il peperoncino ....

disgustoso ....

orrendo ....

l'astronomia ....

la chimica ....

il diritto ....

burocratico

D

colorato

agognato

la neurobiologia

l'esperimento

intitolato

i neuroni

la sinapsi

i neuromediatori

la fogna

malvagio

il tumore

la costernazione

infinito

il sollievo

la branchia

in sordina

lo scaffale

la pillola

l'imperatore

il maestro

il filosofo

dare fuoco a

la colpa

i cristiani

pazzo

il gladiatore

la filastrocca

il sofà

la serva

il Venerdì Santo

il ladrone

all'improvviso

la civetta

il comò

E

La squadra del cuore

Forza magica Roma!

Raccogliere fondi

... per la ricerca scientifica.

Lo sponsor per una

... campagna pubblicitaria

lo stadio

il peggiore

peggio

minore

l'impressione

la ricerca

scientifico

la costruzione

la catastrofe

la guerra

l'ospedale

fiorentino

Sono famosi

La città eterna

Si mangia i gomiti

Un giorno sì e un giorno no

Il canto per me

... è darmi completamente.

Era una dominatrice

... della scena.

Non si è montata la testa

La diva del cinema

Doti straordinarie

Il talento eclettico

la figura chiave

il Neorealismo

passionale

impulsivo

la rivelazione

rivelarsi

straordinario

uccidere, ucciso

tentare

il tipografo

la resistenza

l'adorato figlio

l'attrice (f.)

spontaneo

paragonare

il canto

la vita

completamente

il suicidio

il/la protagonista

il varietà televisivo

la capacità

la rabbia

la disperazione

il dolore

la lacrima

la guancia

lo stornello

costringere (costretto)

il funzionario

il partito (politico)

la pasta all'amatriciana

lo spogliarello

lo scudetto

il programma televisivo

bruttino

dare fiducia a

la ragazzina

bruttarello ....
la trasmissione ....
l'evento ....
imitare ....
l'imitazione (f.) ....
ereditare ....
il predecessore ....
il conduttore ....
la conduttrice ....
principalmente ....
tondo ....

Italia Oggi

A diffusione nazionale ....
Il numero di copie vendute ....
il quartiere ....
il cavallo ....
lo stabilimento ....
rilevante ....
l'innovazione ....
la tecnologia ....
il declino ....
la classifica ....
lo sviluppo ....
il canale ....
il mito ....
allattare ....
la lupa ....
ammirare ....
la fama ....
risalire a ....
l'oca ....
la guardia ....
sventare ....
l'agguato ....
notturno ....
la tutela ....
il gatto ....

Unità 7 – Tutto in regola?
A

Svetta nella classifica ....
Il Mezzogiorno ....
l'indicatore ....
giudicare ....
l'ordine pubblico ....
la popolazione ....
il tenore di vita ....
la ricchezza ....
la povertà ....
avanzato ....
l'avanzamento ....
arretrato ....
vitale ....

depresso ....
scarso ....
il clima ....
lo spazio verde ....
efficiente ....
inefficiente ....
sostenibile ....
insostenibile ....
insufficiente ....
la sicurezza ....
la criminalità ....
lo scippo ....
il furto ....
l'aggressione (f.) ....
insicuro ....
la disoccupazione ....
l'assistenza sanitaria ....
le strutture pubbliche ....
il primato ....
invariato ....
contrapporsi ....
   mi contrappongo,
   ti contrapponi, ...
   contrapposto
in recupero ....

B

È permesso? ....
Posso disturbare ....
... un momento? ....
Ti dispiace se ....
... prendo in prestito... ? ....
Di che si tratta? ....
Mi rincresce ....
l'autostrada ....
la superstrada ....
la corsia di sorpasso ....
il casello ....
la rotatoria ....
il raccordo ....
lo svincolo ....
l'area di servizio ....
lo spartitraffico ....
la strada statale ....
l'indicazione stradale ....
lo schizzo ....
immettersi (immesso) ....
lo stradario ....
l'incrocio ....
prendere in prestito ....
desolato ....
dispiaciuto ....

C

Scavare le canalette ....

Stendere fili e teli ....

È obbligatorio ....

È consentito ....

Buttare gli oggetti ....

... dal finestrino ....

Sporgersi dal finestrino ....

Consegnare il biglietto ....

... al controllore. ....

il regolamento ....

la velocità ....

il comma ....

la piazzola ....

il confine ....

il grill ....

il cane ....

l'apparecchiatura ....

il veicolo ....

i servizi igienici ....

il comportamento ....

garantire ....

D

Fa' attenzione! ....

Dimmi pure! ....

Ma fammi il piacere! ....

Dammi retta! ....

il provvedimento ....

il sindaco ....

il garage ....

il divieto di circolazione ....

suggerire ....

il motorino ....

riparare ....

raddoppiare ....

E

autoritario ....

napoletano ....

Sono famosi

la tamurriata ....

la tammorra ....

la lirica ....

melodico ....

il vincitore ....

il dialetto ....

l'incisione ....

estremo ....

includere (incluso) ....

la manifestazione ....

ufficiale ....

crescente ....

potente ....

sensuale ....

l'erede (m.) ....

il tour ....

mettere in risalto ....

il mandolino ....

Italia Oggi

il vacanziere ....

il patrimonio idro-termale ....

il termalismo ....

la tecnica di massaggio ....

la fisioterapia ....

l'estetica ....

la clientela ....

la frontiera ....

bisognoso ....

sofisticato ....

termale ....

praticare ....

tonificarsi ....

ottenere ....

io ottengo, tu ottieni, ...

ottenuto ....

la serenità ....

l'equilibrio ....

interiore ....

trasformare ....

lo sviluppo ....

la risorsa ....

la superstizione ....

la macchinetta del caffè ....

la moka ....

comporre ....

io compongo, ...

tu componi, ...

composto ....

scaldare ....

il filtro ....

riempire ....

montare ....

pressato ....

togliere ....

Unità 8 – Che cosa ne pensi?

A

Ministero ....

... per le Pari Opportunità ....

L'Ufficio Nazionale ....

... Antidiscriminazioni ....

... Razziali ....

La campagna di ....

... sensibilizzazione ....

La vita civile e politica ....

La convivenza pacifica ....

I diritti inviolabili ....

La parità di trattamento ....

l'accoglienza ....

l'immigrato ....

l'acronimo ....

l'ufficio governativo ....

distinguersi (distinto) ....

la connotazione ....

la società multietnica ....

rispettoso ....

la diversità ....

l'emarginazione ....

l'isolamento ....

razzista ....

interetnico ....

il Governo ....

l'obiettivo ....

la condizione ....

concreto ....

basare ....

garantire ....

pacifico ....

il diritto inviolabile ....

il rispetto ....

il principio ....

ritenere ....

   io ritengo, tu ritieni ....

   ritenuto ....

il convegno ....

il contrasto ....

la vittima ....

l'attivazione ....

contattabile ....

tramite ....

multilingue ....

coinvolgere (coinvolto) ....

vasto ....

la finalità ....

la protezione ....

la tutela ....

B

Lo sbarco di clandestini ....

Il Capo dello Stato ....

... conferisce onorificenze ....

Cavaliere della Repubblica ....

Il paese di origine ....

lo stralcio ....

la cronaca ....

a bordo ....

dichiarare ....

fuggire da ....

la persecuzione ....

subito (subire) ....

il merito ....

svolgere (svolto) ....

comprendere (compreso) ....

la badante ....

nominare ....

il residente ....

tendere (teso) ....

prevalentemente ....

stabilirsi ....

l'indice ....

il dinamismo ....

l'arricchimento ....

l'ente pubblico ....

emigrare ....

complesso ....

risolvere (risolto) ....

prendersi cura di ....

la religione ....

il cantiere ....

il guaio ....

isolato ....

duro ....

lo stereotipo ....

il sangue ....

masticare ....

focoso ....

C

Non ce l'ho con te/Lei ....

Non prendertela! ....

Non se la prenda! ....

Non ne posso più! ....

Scusami tanto! ....

Mi scusi tanto! ....

Questa è bella! ....

Non ne parliamo più. ....

Ma va là! ....

Addebitare alla sfortuna ....

La raccolta ....

... differenziata dei rifiuti ....

La Commissione di garanzia ....

Avercela con qualcuno ....

Prendersela con qualcuno ....

la perdita ....

temporaneo ....

la sospensione ....

compromettere ....

l'assegnazione ....

ambito (ambire) ....

il vessillo ....

la rivincita ....

riconquistare ....

incompiuto ....

la mobilità ....

lo sciopero ....

fitto ....

concentrare ....

l'agitazione ....

il settore ....

predisporre

  io predispongo, ...

  tu predisponi, ...

  predisposto ....

intascare (i soldi) ....

esagerare ....

calmare ....

D

In bocca al lupo! ....

Crepi! ....

Augurare di cuore ....

Raggiungere un accordo ....

l'alloggio ....

raggiungere (raggiunto) ....

rimanere

  io rimango, tu rimani, ...

  rimasto ....

irrealizzabile ....

E

lo stacco ....

navigare ....

Sono famosi

Il cielo trapunto ....

... di stelle ....

la vetta ....

rapito ....

lassù ....

sparire ....

svanire ....

scomparire

  io scompaio, ...

  tu scompari, ...

  scomparso ....

l'alba ....

quaggiù ....

Italia Oggi

Azienda Sanitaria Locale ....

Nel corso del tempo ....

il flusso ....

esplodere (esploso) ....

la tragedia ....

la persecuzione ....

crudele ....

il popolo curdo ....

la cooperazione ....

promuovere (promosso) ....

favorire ....

la formazione ....

la consulenza legale ....

l'inserimento lavorativo ....

sanitario ....

il sostenitore ....

il trullo ....

l'epoca preistorica ....

il riparo ....

rappresentativo ....

pittoresco ....

il pianeta ....

inserire ....

Unità 9 – Stili di vita

A

Il rapporto ....

... sentimentale ....

... di amicizia ....

... di conoscenza ....

Il funzionario dello Stato ....

Il ministro ....

... del culto religioso ....

Detenere un primato ....

Ripartire equamente ....

La famiglia ....

... unipersonale ....

... monogenitoriale ....

Risultare penalizzante ....

Sul versante professionale ....

la coppia di fatto ....

la convivenza ....

il single ....

celibe ....

nubile ....

legare ....

condividere (condiviso) ....

nemmeno ....

il rito ufficiale ....

il/la trentenne ....

diffuso (diffondere) ....

la trasformazione ....

la pluralità ....

emergere (emerso) ....

conciliare ....

resistere (resistito) ....

saldamente ....

rinunciare ....

registrare ....

la natalità ....

predominare ....

considerevole ....

ulteri_o_re ....

B

Fai pure! ....
Con quel che costa! ....
Non c'è che dire. ....
Buon soggiorno! ....
Già... ....
alloggi_a_re ....
il vi_a_ggio di nozze ....
la luna di mi_e_le ....
la meta tur_i_stica ....
risparmiare ....
indimentic_a_bile ....
richi_e_dere (richi_e_sto) ....
rattristarsi ....
temere ....
spaventarsi ....
pret_e_ndere (preteso) ....
indispens_a_bile ....
costru_i_re ....
l'import-export ....

C

L'ISTAT ....
(Istituto nazionale ....
... di statistica) ....
Una quindicina di giorni ....
La domanda e l'offerta ....
La famiglia media ....
Il rapporto è 1,5 a uno ....
la flessi_o_ne ....
f_a_rcela ....
ridursi ....
  io mi riduco, ...
  tu ti riduci, ...
  ridotto ....
progressivamente ....
cav_a_rsela ....
noto ....
la comprav_e_ndita ....
potenzi_a_le ....
l'investimento ....
finanzi_a_rio ....
mett_e_rcela tutta ....
il tasso ....
la motivazi_o_ne ....
sp_i_ngere a (spinto) ....
fidarsi ....
il g_e_nio ....
il fl_a_uto ....
l'_i_ncubo ....

D

Costare ....
... un occhio della testa ....
il segnale ....
il divi_e_to di sosta ....
insistere ....
la norma di comportamento ....
la gaffe ....
il divi_e_to di fumo ....
attrarre ....
  io attraggo, tu attr_a_i, ...
  attratto
disporre ....
  io dispongo,
  tu disponi, ...
  disposto
abitu_a_le ....

E

l'accendig_a_s ....
l'asciugacap_e_lli
l'attaccap_a_nni
il cavat_a_ppi
il portac_e_nere ....
il tagliac_a_rte ....

Sono famosi

il commiss_a_rio ....
il brano ....
disegnare ....
preoccupato ....
la fronte ....
la confidenza ....
fraternamente ....
saggiamente ....
una sorta di ....
imporsi ....
  io mi impongo, ...
  tu ti imponi, ...
  imposto ....
suscitare ....
il pensi_e_ro ....
spirituale ....
cortese ....
concedere (concesso) ....
rispettare ....
la tr_i_glia ....
lo sc_o_glio ....
croccante ....
sgocciolare ....
l'acci_u_ga ....
la balena ....
il carbone ....
il fantasma ....

il lenzuolo

il peperone

Italia Oggi

il ponte

l'inutilità

operativo

rendere (reso)

smaltire

avvicinarsi

il binario unico

evitare

lo scandalo

la benedizione

la rabbia

Unità 10 – Prima che sia troppo tardi

A

A rischio di estinzione

Il paradiso naturale

L'effetto serra

La fauna acquatica

selvaggio

la savana

la specie

raro

proteggere (protetto)

limpido

intenso

la macchia

la roccia

scuro

la cima

il prato

costante

la minaccia

la vastità

vasto

il polmone

il disboscamento

l'atollo

la barriera corallina

la riserva

conservare

il parco

B

Vale la pena di

Spendere due parole

Il rispetto ecologico

marino

terrestre

unirsi a

aspro

il sentiero

attraverso

attirare

miracolosamente

endemico

armonicamente

ingrato

propagarsi

secco

secolare

il nuraghe

C

Stai/sta scherzando?

Ma come si fa a…

Pace è fatta.

Non ha tutti i torti.

Non ci pensiamo più.

Le vengo incontro.

il cestino

sporcare

aggressivo

spostarsi

D

avvenuto (avvenire)

l'inconveniente

l'equivoco

il disagio

l'addetto

la ricezione

interrompere (interrotto)

la carta intestata

il villaggio

desolato

eppure

mica

il reclamo

iniziale

il risarcimento

E

La zona di produzione

La gradazione alcolica

L'abbinamento

gastronomico

La temperatura di consumo

a stomaco vuoto

stagionato

assaggiare

stappare

dominazione

il picnic

Sono famosi
il talento ....
la giunta regionale ....

Italia Oggi
Il processo ....
... di impoverimento ....
Il dovere civile e morale ....
orientato ....
gestire ....
l'operatore ....
estraneo ....
la speculazione (edilizia) ....
portare avanti ....
la crescita ....
sottoporre ....
  io sottopongo, ...
  tu sottoponi, ...
  sottoposto ....
il collasso ....
l'infrastruttura ....
intervenire (intervenuto) ....
il consigliere ....
la bustina di zucchero ....
l'appello ....
appunto ....
impedire ....
le lingue romanze ....
l'assessorato ....

L'italiano in classe

VOCABOLI ED ESPRESSIONI UTILI A LEZIONE

La grammatica
l'articolo determinativo / indeterminativo ....
partitivo (articolo/pronome) ....
il nome ....
femminile / maschile ....
singolare / plurale ....
il verbo ....
regolare / irregolare ....
futuro / presente / passato ....
l'imperfetto ....
il passato prossimo ....
il passato remoto ....
il gerundio ....
il condizionale ....
il periodo ipotetico ....
il congiuntivo ....
il participio passato ....
l'infinito ....
l'imperativo ....
l'ausiliare (m.) ....
riflessivo ....
impersonale ....
l'avverbio ....
di luogo / di tempo ....
di misura / di quantità ....
l'aggettivo ....
possessivo (pronome/aggettivo) ....
il comparativo ....
relativo / assoluto ....
il superlativo ....
indefinito ....
il pronome ....
… personale diretto / indiretto ....
la particella ....
la preposizione (articolata) ....
l'affermazione / la negazione ....
la forma / la regola / la struttura ....
il soggetto ....

La pronuncia e la grafia
atono / tonico ....
l'accento / l'a. di parola ....
l'intonazione (f.) ....
la consonante ....
la pausa ....
la sequenza di lettere ....
la sillaba (ultima, penultima, terzultima) ....
la vocale (accentata) ....
la vocale aperta/chiusa ....

Le attività e gli esercizi
Le frasi:
Attenzione!
Chiedete aiuto all'insegnante. ....
Confrontate le risposte con… ....
E ora tocca a voi!
Evidenziate le parole nuove. ....
Fate delle ipotesi.
Mettiamo a fuoco. ....
Scambiatevi le informazioni. ....

I verbi:
ascoltare ....
associare / collegare ....
cercare / trovare ....
completare ....
correggere ....
descrivere ....
dire / esprimere ....
guardare ....
imparare ....
indicare ....
indovinare ....
iniziare / continuare ....
leggere ....
memorizzare ....
mettere in ordine ....
prendere appunti ....
raccontare ....
reagire ....
riassumere ....
ripetere ....
rispondere ....
scegliere ....
scrivere ....
sentire ....
sostituire ....
sottolineare ....
trasformare ....
verificare ....
vincere ....

Altre espressioni:
a catena / a coppie / in gruppi ....
a squadre / a turno ....
formale / informale ....
frequente ....
giusto / corretto / sbagliato ....
il bilancio ....
il contenuto / il significato ....
il contrario ....
il dialogo ....
il disegno / l'immagine ....
il foglio / il quaderno ....
il riassunto / la sintesi ....
il ripasso ....
il testo / il titolo / la riga ....
in cifre / in lettere ....
l'argomento / il tema ....
l'(auto)valutazione ....
l'elenco ....
l'errore ....
l'esempio ....
l'espressione idiomatica ....
la casella / la colonna / la tabella ....
la descrizione ....
la pagina ....
la parola ....
la domanda / la risposta ....
la soluzione /il risultato ....
lo scambio di idee ....